D1644743

NORTHUMBRIA, EL ÚLTIMO REINO

BERNARD CORNWELL

NORTHUMBRIA, EL ÚLTIMO REINO

Sajones, vikingos y normandos

Traducción de Libertad Aguilera Ballester

Consulte nuestra página web: https://www.edhasa.es
En ella encontrará el catálogo completo de Edhasa comentado.

Título original: *The Last Kingdom*

Diseño de la colección: Jordi Salvany

Diseño de la cubierta: Edhasa

Ilustración de cubierta: Kata Vermes © Carnival Film & Television Limited 2015

Primera edición en pocket-Edhasa: abril de 2010
Novena reimpresión: septiembre de 2023

Diputación, 262, 2°1ª
08007 Barcelona
Tel. 93 494 97 20
España
E-mail: info@edhasa.es

Avda. Córdoba 744, 2° piso, unidad C
C1054AAT Capital Federal, Buenos Aires
Tel. (11) 43 933 432
Argentina
E-mail: info@edhasa.com.ar

ISBN: 978-84-350-1850-0

Impreso en Barcelona por: CPI Black Print

Depósito legal: B-3.970-2012

Impreso en España

Northumbria, el último reino
está dedicado a Judy, con amor

Wyrd bið ful aræd

ÍNDICE

ESCOCIA
TUEDE
BEREWIC
LINDISFARENA
BEBBANBURG
GYRUUM
DUNHOLM
NORTHUMBRIA
CETREHT
EOFERWIC
HUMBER
TRENTE
GEGNESBURH
EL GEWÆSC
MESLACH
SNOTENGAHAM
ANGLIA ORIENTAL
MERCIA
HREAPANDUNE
LEDECESTRE
GALES
SÆFERN
DIC
GRANTACEASTER
GLEAWECESTRE
ABBENDUM
LUNDENE
CIPPANHAMM
READINGUM
TEMES
CONTWARABURG
WILTUN
WINTANCEASTER
UISC
WESSEX
HAMTUN
DEFNASCIR
EXANCEASTER
WERHAM
WIHT
CORNWALUM

TOPÓNIMOS

La ortografía de los topónimos en la Inglaterra anglosajona era un asunto incierto, incoherente y en el que no hay acuerdo siquiera en el propio nombre. Así, Londres podía aparecer de cualquiera de las siguientes maneras: Lundonia, Lundenberg, Lundenne, Lundene, Lundenwic, Lundenceaster y Lundres. Sin duda, algunos lectores preferirán otras versiones de los nombres enumerados abajo, pero he empleado normalmente la ortografía citada en el *Oxford Dictionary of English Place-Names* [Diccionario Oxford de topónimos ingleses] durante los años más cercanos o pertenecientes al reinado de Alfredo el Grande, 871-899 d. de C., pero ni siquiera esa solución es infalible. La isla Hayling, en 956, se escribía tanto Heilincigae como Hæglingaiggæ. Ni tampoco yo he sido totalmente coherente; he preferido el moderno Inglaterra a Englaland y he utilizado Northumbria en lugar de Norðhymbralond para evitar sugerir que los límites del antiguo reino coinciden con los del actual condado. Así que esta lista, como la ortografía misma de los nombres, es caprichosa:

Æbbanduna	Abingdon, Berkshire
Æsc, colina de	Ashdown, Berkshire
Baðum (se pronuncia Bathum)	Bath, Avon
Basengas	Basing, Hampshire
Beamfleot	Benfleet, Essex
Beardastopol	Barnstable, Devon

Bebbanburg	Bamburgh Castle, Northumbria
Berrocscire	Berkshire
Blaland	Norte de África
Cantucton	Cannington, Somerset
Cetreht	Catterick, Yorkshire
Cippanhamm	Chippenham, Wiltshire
Cirrenceastre	Cirencester, Gloucestershire
Contwaraburg	Canterbury, Kent
Cornwalum	Cornualles
Cridianton	Crediton, Devon
Cynuit	Fortaleza de Cynuit, cerca de Cannington, Somerset
Dalriada	oeste de Escocia
Defnascir	Devonshire
Deoraby	Derby, Derbyshire
Dic	Diss, Norfolk
Dunholm	Durham, condado de Durham
Eoferwic	York (también la danesa Jorvic, que se pronuncia Yorvik)
Exanceaster	Exeter, Devon
Fromtun	Frampton on Severn, Gloucestershire
Gegnesburh	Gainsborough, Lincolnshire
el Gewæsc	el Wash
Gleawecestre	Gloucester, Gloucestershire
Gyruum	Jarrow, condado de Durham
Haithabu	Hedeby, ciudad comercial en el sur de Dinamarca
Hamanfunta	Havant, Hampshire
Heilincigae	isla de Hayling, Hampshire
Hreapandune	Repton, Derbyshire
Kenet	río Kennet
Ledecestre	Leicester, Leicestershire
Lindisfarena	Lindisfarne (isla sagrada), Northumbria
Lundene	Londres

Mereton	Marten, Wiltshire
Meslach	Matlock, Derbyshire
Pedredan	río Parrett
Pictland	este de Escocia
el Poole	bahía de Poole, Dorset
Readingum	Reading, Berkshire
Sæfern	río Severn
Scireburnan	Sherborne, Dorset
Snotengaham	Nottingham, Nottinghamshire
Solente	Solent
Streonshall	Strensall, Yorkshire
Sumorsæte	Somerset
Suth Seaxa	Sussex (sajones del sur)
Synningthwait	Swinithwaite, Yorkshire
Temes	río Támesis
Thornsæta	Dorset
Tine	río Tyne
Trente	río Trent
Tuede	río Tweed
Twyfyrde	Tiverton, Devon
Uisc	río Exe
Werham	Wareham, Dorset
Wiht	isla de Wight
Wiire	río Wear
Wiltun	Wilton, Wiltshire
Wiltunscir	Wiltshire
Winburnan	Wimborne Minster, Dorset
Wintanceaster	Winchester, Hampshire

PRÓLOGO

Northumbria, 866-867 d. C.

Mi nombre es Uhtred. Soy el hijo de Uhtred, que era hijo de Uhtred y cuyo padre también se llamaba Uhtred. El secretario de mi padre, un sacerdote llamado Beocca, lo escribía Utred. No sé si mi padre lo habría escrito así, pues no sabía ni leer ni escribir; pero yo sé hacer ambas cosas y a veces saco los viejos pergaminos del arcón de madera y veo el nombre escrito como Uhtred, Utred, Ughtred o bien Ootred. Miro esos pergaminos en donde los hechos demuestran que Uhtred, hijo de Uhtred, es el legítimo y único propietario de las tierras cuidadosamente señaladas con piedras, zanjas, robles y fresnos, marismas y mar, y sueño con esas tierras, azotadas por las olas salvajes y recorridas por los vientos. Sueño y sé que un día se las quitaré a quienes me las arrebataron.

Soy un *ealdorman*, aunque me hago llamar *jarl* Uhtred, que es lo mismo, y los manuscritos emborronados son prueba de lo que poseo. La ley dice que esas tierras son mías, y la ley, nos cuentan, es lo que nos distingue ante Dios de las bestias. Pero la ley no me ayuda a recuperar mis tierras. La ley quiere un acuerdo. La ley cree que el dinero compensa la pérdida. La ley, por encima de todo, teme la deuda de sangre. Pero yo soy Uhtred, hijo de Uhtred, y ésta es la historia de una deuda de sangre. Es la historia de cómo recuperaré de mi enemigo lo que la ley dice que es mío. Y es la historia de una mujer y su padre, un rey.

Era mi rey y todo cuanto tengo se lo debo. La comida que como, la casa en la que vivo, y las espadas de mis hombres: todo procede de Alfredo, mi rey, que me detestaba.

* * *

Esta historia comienza mucho antes de que conociera a Alfredo. Empieza cuando yo tenía nueve años y vi a los daneses por primera vez. Era el año 866 y entonces no me llamaba Uhtred, sino Osbert, pues era el segundo hijo de mi padre y le correspondía al primero el nombre de Uhtred. Mi hermano tenía a la sazón diecisiete años, era alto y de buena complexión, el pelo rubio de la familia y el rostro taciturno de mi padre.

El día que vi a los daneses por primera vez cabalgábamos por la orilla de la playa con halcones en los brazos. Estaba mi padre, el hermano de mi padre, mi hermano, una docena de criados y yo mismo. Había focas en las rocas, y una bandada de aves marinas daba vueltas y gritaba; demasiadas para soltar a los halcones. Cabalgamos hasta que llegamos a las aguas poco profundas y entrecruzadas que ondeaban entre nuestra tierra y Lindisfarena, la isla sagrada, y recuerdo haber mirado al otro extremo los muros desmoronados de la abadía. Los daneses la habían saqueado, pero eso tuvo lugar muchos años antes de que yo naciera, y aunque los monjes habían vuelto a habitarla, el monasterio jamás recuperó su pasada gloria.

También recuerdo aquel hermoso día, y puede que lo fuera. A lo mejor llovió, pero no creo. Brillaba el sol, el mar estaba bajo, las olas eran suaves y el mundo feliz. Las garras del halcón hembra se asían a mi muñeca protegida por una manga de cuero, tenía la cabeza cubierta con una capucha y se movía nerviosa porque escuchaba los graznidos de las aves blancas. Habíamos dejado la fortaleza antes del mediodía, en dirección al norte, y aunque llevábamos halcones no habíamos salido de caza; pero mi padre podía cambiar de idea.

Gobernábamos aquella tierra. Mi padre, el *ealdorman* Uhtred, era señor de todo al sur del Tuede y al norte del Tine, pero teníamos un rey en Northumbria y su nombre, como el mío, era Osbert. Vivía más al sur que nosotros, rara vez venía al norte, pero ahora un hombre llamado Ælla quería el trono, y Ælla, que era un *ealdorman* de las colinas al oeste de Eoferwic, había reunido un ejército para desafiar a Osbert y había enviado regalos a mi padre para animarlo a que lo apoyara. Mi padre, ahora reparo en ello, tenía en sus manos el destino de la rebelión. Yo quería que apoyara a Osbert, por el único motivo de que el legítimo rey compartía mi nombre e, insensatamente, a los nueve años, creía que cualquier hombre llamado Osbert tenía que ser noble, bueno y valiente. En verdad Osbert era un majadero, pero era el rey, y mi padre se mostraba reacio a abandonarlo. Por desgracia, Osbert no había enviado ningún regalo y tampoco había dado muestras de respeto, mientras que Ælla sí, así que mi padre estaba preocupado. Sin tiempo podíamos comandar un centenar y medio de hombres a la guerra, todos bien equipados, y con un mes éramos capaces de aumentar esa fuerza a más de cuatrocientos guerreros, así que quienquiera que apoyásemos sería rey y nos estaría agradecido.

O eso pensábamos.

Y entonces los vi.

Tres barcos.

En mi recuerdo brotan de entre un banco de niebla marina, y puede que lo hicieran, pero los recuerdos no son de fiar y mis otras imágenes del día son de un cielo claro y sin nubes, así que puede que no hubiera niebla, aunque a mí me diera la sensación de que el mar estaba vacío y que de la nada surgieron tres barcos procedentes del sur.

Algo precioso. Parecían descansar sobre el océano como si no pesaran, y cuando los remos se hundían en las olas espumaban el agua. Las proas y popas se enroscaban hacia arriba y estaban coronadas con bestias doradas, serpientes y dragones, y me pareció en aquel lejano día de verano que las tres embarcaciones bailaban sobre el agua, impulsadas por las subidas y bajadas de las alas de plata que eran sus hileras de remos. El sol hacía destellar las palas mojadas, esquirlas de luz, después los remos se sumergían, eran empujados y los barcos con cabeza de bestia avanzaban; yo contemplaba la escena como sumido en trance.

–Cagarros del demonio –gruñó mi padre. No era muy buen cristiano, pero se asustó lo suficiente como para persignarse.

–Y que el demonio se los trague –repuso mi tío. Se llamaba Ælfric y era un hombre esbelto; astuto, oscuro y reservado.

Las tres embarcaciones se dirigían a remo hacia el norte, las velas cuadradas estaban replegadas en las largas vergas, pero cuando nos dimos la vuelta en dirección al sur para volver a medio galope a casa, de modo que las riendas de nuestros caballos se agitaban como lluvia sacudida por el viento y los halcones encapuchados piaban alarmados, los barcos se dieron la vuelta con nosotros. Regresamos al interior por el lugar en el que el acantilado se había derrumbado y había aparecido un terraplén, los caballos treparon por la pendiente y desde allí regresamos al galope por el camino de la costa hasta nuestra fortaleza.

A Bebbanburg. Bebba fue una reina de nuestra tierra muchos años antes, y le había dado su nombre a mi hogar, que para mí es el lugar más querido de todo el mundo. La fortaleza se yergue sobre una roca elevada que se cierne sobre el mar. Las olas sacuden su orilla este y rompen blancas en la punta norte de la roca, y un lago poco profundo de agua de mar ondea en el lado oeste entre la fortaleza y la tierra. Para llegar a Bebbanburg hay que tomar la carretera elevada hacia el sur, una franja de roca y arena no muy alta guardada por una enorme torre de madera, la puerta baja, construida encima de una muralla de tierra, y pasamos a todo correr por el arco de la torre, con los caballos blancos por el sudor, y dejamos atrás los graneros, la herrería, las caballerizas y los establos, todos los edificios de madera con techos de paja de centeno, y enfilamos camino arriba hasta la puerta alta, que protegía la cumbre de la roca y estaba rodeada por una empalizada que circundaba la casa de mi padre. Allí desmontamos, entregamos caballos y halcones a los siervos, y corrimos hasta la muralla este, desde donde observamos el mar.

Los tres barcos se acercaban entonces a las islas que habitan los frailecillos, donde las focas bailan en invierno. Los observamos, y mi madrastra, alarmada por el repicar de los cascos salió de la casa y se nos unió en las murallas.

–El diablo se está aliviando las tripas –la saludó mi padre.

–Que Dios y sus santos nos asistan –exclamó Gytha y se persignó. Jamás conocí a mi madre, la segunda esposa de mi padre que, como la primera, había muerto dando a luz, así que tanto mi hermano como yo, que en realidad éramos medio hermanos, carecíamos de madre, pero yo consideraba a Gytha mi madre y, en general, era amable conmigo, más amable que mi padre, a quien no le gustaban demasiado los niños. Gytha quería que fuese sacerdote, decía que mi hermano mayor heredaría las tierras y se convertiría en guerrero para protegerlas, así que yo tendría que encontrar otro camino en la vida. Le había dado a mi padre dos hijos y una hija, pero ninguno había sobrepasado el año.

Los tres barcos se aproximaban. Parecía que se habían acercado para inspeccionar Bebbanburg, cosa que no nos preocupaba pues la fortaleza se consideraba inexpugnable, así que los daneses podían mirar todo lo que quisieran. El barco más cercano tenía filas gemelas de doce remos cada una y, a medida que el barco recorría la costa a unos cien pasos de la orilla, un hombre saltó por la borda del barco y corrió por encima de la fila más cercana saltando de un remo a otro como si fuera un bailarín, y lo hizo con cota de malla y espada en mano. Todos rezamos para que se cayera, pero no se cayó. Tenía el pelo largo y rubio, muy largo, y cuando hubo recorrido toda la extensión de la fila de remos, se dio la vuelta y volvió a atravesarlos.

–Comerciaba en la desembocadura del Tine hace tan sólo una semana –dijo Ælfric, el hermano de mi padre.

–¿Cómo sabes eso?

–Lo vi –repuso Ælfric–. Reconozco la proa. ¿Ves una franja más clara en la curva? –Escupió–. Entonces no llevaba cabeza de dragón.

–Les quitan esos mascarones de proa cuando comercian –añadió mi padre–. ¿Qué compraban?

–Intercambiaban pieles por sal y pescado seco. Dijeron que eran mercaderes de Haithabu.

–Pues ahora son mercaderes buscando pelea –repuso mi padre, y los daneses de las tres embarcaciones estaban de hecho desafiándonos, haciendo entrechocar las lanzas y espadas contra sus escudos pintados, pero poco podían contra Bebbanburg y hacerles daño nosotros a ellos no estaba en nuestra mano, aunque mi padre ordenó que se alzara su estandarte del lobo. La bandera mostraba la cabeza de un lobo gruñendo y era su estandarte en la batalla, pero no había viento, así que se quedó colgado mustio y su desafío pasó desapercibido a los paganos que, al cabo de un rato, se cansaron de provocarnos, se hicieron a la idea de que eran vanos sus intentos y se marcharon remando en dirección al sur.

–Recemos –dijo mi madrastra. Gytha era mucho más joven que mi padre. Era una mujer pequeña, regordeta, con una buena mata de pelo rubio y mucha devoción por san Cutberto, a quien veneraba porque había obrado milagros. En la iglesia junto a la casa guardaba un peine de marfil que se decía había sido el peine de la barba del santo, y puede que lo fuera.

–Hemos de actuar –replicó mi padre. Se apartó de las murallas–. Tú –se dirigía a mi hermano mayor, Uhtred–. Coge una docena de hombres, cabalga hacia el sur. Observa a los paganos, pero nada más. ¿Lo entiendes? Si amarran en mis tierras quiero saber dónde.

–Sí, padre.

–Pero no te enfrentes a ellos –le ordenó mi padre–. Limítate a observar a esos cabrones y quiero que estés de vuelta al caer la noche.

Envió a otros seis hombres a alzar el país. Todos los hombres libres tenían un deber militar y mi padre estaba reuniendo a su ejército, y para el anochecer del día siguiente esperaba haber convocado a cerca de doscientos hombres, algunos armados con hachas, lanzas o ganchos de la cosecha, mientras que sus vasallos, los hombres que vivían con nosotros en Bebbanburg, estaban equipados con buenas espadas y escudos recios.

–Si superamos en número a los daneses –me contó mi padre aquella noche–, no presentarán batalla. Son como los perros. En el fondo unos cobardes, pero en grupo se dan valor unos a otros.

Era noche cerrada y mi hermano aún no había regresado, pero nadie estaba especialmente nervioso por ello. Uhtred era muy capaz, aunque algo temerario a veces, y sin duda llegaría de madrugada, así que mi padre había ordenado que encendieran un farol en el gancho de arriba de la puerta alta para que lo guiara hasta casa.

Nos considerábamos seguros en Bebbanburg porque nunca había sucumbido ante un asalto enemigo; aun así mi padre y mi tío seguían preocupados porque los daneses hubieran regresado a Northumbria.

–Buscan comida –dijo mi padre–. Esos cabrones muertos de hambre quieren desembarcar, robar algo de ganado y largarse.

Recordé las palabras de mi tío, que los barcos habían estado la semana anterior en la desembocadura del Tine intercambiando pieles por pescado seco, así que, ¿cómo iban a estar hambrientos? Pero no dije nada. Tenía nueve años, ¿y qué sabía yo de daneses?

Sabía que eran salvajes, paganos y terribles. Sabía que sus barcos habían asaltado nuestras costas durante dos generaciones antes de que yo naciera. Sabía que el padre Beocca, el secretario de mi padre y nuestro cura, rezaba todos los domingos para librarnos de la furia de los hombres del norte, pero esa furia a mí me había pasado de largo. Ningún danés había venido a nuestra tierra desde que nací, pero mi padre había luchado contra ellos con frecuencia y aquella noche, mientras esperaba la vuelta de mi hermano, habló de su antiguo enemigo. Llegaron, contó, de las tierras del norte en las que reinan el hielo y la niebla; adoraban a los antiguos dioses, los mismos que nosotros habíamos adorado antes de que la luz de Cristo llegara para bendecirnos, y la primera vez que llegaron a Northumbria, me dijo, fieros dragones habían azotado el cielo del norte, aparecieron grandes rayos como cicatrices en las colinas y el mar se agitó entre remolinos.

–Los envía Dios –intervino Gytha tímidamente–, para castigarnos.

–¿Para castigarnos por qué? –replicó mi padre con brutalidad.

–Por nuestros pecados –respondió Gytha persignándose.

–Al infierno con nuestros pecados –gruñó mi padre–. Vienen aquí porque tienen hambre. –Le irritaba la piedad de mi madrastra, y se negaba a deshacerse de su estandarte con cabeza de lobo que proclamaba que nuestra familia descendía de Woden, el antiguo dios sajón de las batallas. El lobo, me había contado Ealdwulf el herrero, era uno de los animales preferidos de Woden, los otros dos eran el águila y el cuervo. Mi madrastra quería que nuestro estandarte mostrara una cruz, pero mi padre estaba orgulloso de sus ancestros, aunque muy pocas veces hablaba de Woden. Incluso con nueve años comprendía que un buen cristiano no debe vanagloriarse de proceder de la estirpe de un dios pagano, pero también me gustaba la idea de ser descendiente de un dios y Ealdwulf a menudo me contaba historias de Woden, cómo recompensó a nuestra gente al entregarnos la tierra que nosotros llamábamos Inglaterra, cómo arrojó una vez una lanza de guerra que rodeó la luna limpiamente, cómo su escudo podía ensombrecer el cielo estival, y cómo habría podido cosechar todo el grano del mundo con un solo mandoble de su gran espada. Me gustaban aquellas historias. Eran mejores que las de los milagros de Cutberto. Los cristianos, me parecía a mí, estaban todo el día llorando, y no creía que los devotos de Woden lloraran demasiado.

Esperamos en la casa. Era, como de hecho sigue siendo, un gran salón de madera, con un techo de paja espeso y recias vigas, con un arpa encima de una tarima y una chimenea de piedra en el centro del suelo. Mantener aquella hoguera encendida ocupaba a doce siervos al día, arrastraban la madera por el paso elevado y la subían hasta las puertas, y, al final del verano, hacíamos una pila de madera más grande que la iglesia como reserva de invierno. En los extremos del salón había plataformas de madera, rellenas de tierra y cubiertas con alfombras de lana, y era encima de esas plataformas donde vivíamos, por encima de las corrientes de aire. Los perros se quedaban en el suelo cubierto de helechos, donde los hombres de menor rango podían comer en las cuatro grandes fiestas del año.

No había fiesta aquella noche, sólo pan, queso y cerveza, y mi padre esperaba a mi hermano y se preguntaba en voz alta si los daneses se habían alzado en armas de nuevo.

–Normalmente vienen en busca de comida y botín –me dijo–, pero en algunos sitios se han quedado y se han apoderado de tierras.

–¿Crees que quieren nuestras tierras?

–Se harán con cualquier tierra –contestó irritado. Siempre le molestaban mis preguntas, pero aquella noche estaba preocupado, así que siguió hablando–. Su tierra es piedra y hielo, y la amenazan gigantes. –Quería que me contara más cosas sobre los gigantes, pero siguió rumiando–. Nuestros ancestros –prosiguió al cabo de un rato– tomaron esta tierra. La tomaron y la mantuvieron. No vamos a abandonar lo que nos dieron nuestros antepasados. Vinieron del otro lado del mar y aquí lucharon, después construyeron aquí y aquí fueron enterrados. Ésta es nuestra tierra, mezclada con nuestra sangre, reforzada con nuestros huesos. Nuestra. –Estaba enfadado, pero se enfadaba a menudo. Me miraba con ojos enfurecidos, como si se preguntara si era lo suficientemente fuerte para conservar aquella tierra de Northumbria que nuestros antepasados ganaron con espadas, lanzas, sangre y matanzas.

Al cabo de un rato dormimos, o por lo menos yo dormí. Creo que mi padre paseaba arriba y abajo por las murallas, pero al alba había regresado a la casa y fue entonces cuando me despertó el cuerno de la puerta alta y salí a trompicones de la plataforma al exterior de la casa, a la primera luz del día. Había rocío en la hierba, un águila marina daba vueltas en círculos por encima de nuestras cabezas, y los perros de mi padre ladraban desde la puerta de la casa en respuesta a la llamada del cuerno. Vi a mi padre correr hacia la puerta baja y lo seguí hasta que me abrí paso entre los hombres que se apiñaban junto a la muralla de tierra para mirar el paso elevado.

Llegaban jinetes del sur. Serían una docena. Sus caballos levantaban nubecillas de rocío. El caballo de mi hermano los guiaba. Era un semental pinto, de ojos salvajes y paso peculiar. Estiraba las patas delanteras hacia delante cuando corría, y era imposible no distinguir aquel caballo, pero no lo montaba Uhtred. El hombre erguido encima de la silla tenía el pelo largo, largo del color del oro suave, un pelo que saltaba como las colas de los caballos al cabalgar. Vestía malla, una vaina de espada rebotaba a su costado y portaba un hacha colgada del hombro, y era evidente que se trataba del mismo hombre que había danzado encima de los remos el día anterior. Sus compañeros vestían cuero o lana y al acercarse a la fortaleza, el hombre del pelo largo les hizo la señal de que tenían que frenar los caballos mientras él se adelantaba. Estaba a tiro pero nadie en la muralla flechó el arco, después detuvo al caballo y miró arriba, hacia la puerta. Observó toda la fila de hombres, con una expresión de burla en su rostro, después hizo una reverencia, tiró algo en el camino e hizo dar la vuelta al caballo. Lo azuzó con los talones y el caballo regresó al trote hacia donde estaban sus hombres, que se le unieron al galope en dirección sur.

Lo que había tirado en el camino era la cabeza de mi hermano. Se la llevaron a mi padre, que la miró durante un largo espacio de tiempo, pero no dejó vislumbrar nada. No lloró, no gesticuló, no frunció el entrecejo; sencillamente miró la cabeza de su hijo mayor y después me miró a mí.

–A partir de hoy –dijo–, te llamas Uhtred.

Y ésa es la historia de mi nombre.

* * *

El padre Beocca insistió en que me tendrían que volver a bautizar, porque si no, el cielo no sabría quién soy cuando llegara con el nombre Uhtred. Protesté, pero Gytha se empeñó y a mi padre le preocupaba más su satisfacción que la mía, así que trajeron un barril medio lleno de agua de mar a la iglesia y el padre Beocca me hizo poner junto al barril y me echó agua con un cazo por encima del pelo.

–Recibe a tu siervo Uhtred –entonó– en la sagrada compañía de los santos y las filas de los ángeles más luminosos.
–Espero que los santos y los ángeles tengan menos frío del que yo tenía aquel día, y cuando me hubieron bautizado, Gytha lloró por mí, aunque yo no supe por qué. Mejor hubiera sido que llorara por mi hermano.

Descubrimos qué le había sucedido. Las tres embarcaciones danesas hicieron escala en la desembocadura del río Aln, donde vivía una pequeña población de pescadores y sus familias. Aquella gente se había refugiado prudentemente en el interior, aunque unos cuantos se quedaron a vigilar la desembocadura desde los bosques o un lugar elevado y nos contaron que mi hermano había llegado a la caída de la noche y había visto a los vikingos prender fuego a las casas. Los llamábamos vikingos cuando asaltaban, pero daneses o paganos cuando venían a comerciar, y aquellos hombres quemaban y saqueaban, así que los consideramos vikingos. Parecía que había pocos en la población, pues la mayoría permanecía en los barcos, y mi hermano decidió acercarse hasta las granjas y matar a aquellos pocos, pero fue víctima de una trampa. Los daneses lo habían visto acercarse y mantuvieron oculta a la tripulación de uno de los barcos al norte del poblado, y aquellos cuarenta hombres se echaron encima de la partida de mi hermano y los mataron a todos. Mi padre sostenía que la muerte de mi hermano había sido rápida, lo que para él era un consuelo; mas no lo fue en absoluto, dado que vivió lo suficiente para ver que los daneses sabían quién era, porque, de otro modo, ¿por qué habrían traído su cabeza de vuelta a Bebbanburg? Los pescadores dijeron que trataron de avisar a mi hermano, pero yo dudo de que lo hicieran. Los hombres dicen esas cosas para que no les culpen de los desastres, pero fuera o no avisado, murió lo mismo y los daneses se llevaron trece buenas espadas, trece buenos caballos, una cota de malla, un casco y mi antiguo nombre.

Pero eso no fue todo. Una visita fugaz de tres barcos no suponía ningún acontecimiento, pero una semana después de la muerte de mi hermano oímos que una gran flota danesa había remontado los ríos para capturar Eoferwic. Obtuvieron aquella victoria el día de Todos los Santos, cosa que hizo llorar a Gytha porque indicaba que Dios nos había abandonado, pero también había buenas noticias pues al parecer mi antiguo tocayo, el rey Osbert, había forjado una alianza con su rival, el aspirante al trono Ælla, y se habían puesto de acuerdo en suspender su rivalidad, unir fuerzas y rescatar Eoferwic. Suena sencillo, pero está claro que llevó su tiempo. Los mensajeros partieron, los consejeros hicieron las recomendaciones de rigor, los curas rezaron y hasta Navidad Osbert y Ælla no sellaron la paz con juramentos; después convocaron a los hombres de mi padre, mas no podíamos partir en pleno invierno. Los daneses ya estaban en Eoferwic y los dejamos allí hasta principios de la primavera, cuando llegaron noticias de que el ejército de Northumbria se reuniría a las puertas de la ciudad y, para mi alegría, mi padre ordenó que cabalgaría con él hacia el sur.

–Es demasiado pequeño –protestó Gytha.

–Ya casi tiene diez años –repuso mi padre–, y debe aprender a luchar.

–Mejor le iría si continuara con sus lecciones –contestó.

–A Bebbanburg no le sirve de nada un lector muerto –replicó mi padre–, y Uhtred es ahora el heredero, así que tiene que aprender a luchar.

Aquella noche hizo que Beocca me enseñara los pergaminos que se guardaban en la iglesia, aquellos manuscritos que decían que poseíamos la tierra. Beocca llevaba dos años enseñándome a leer, pero yo era mal alumno y, para su desesperación, los escritos no tenían para mí ni pies ni cabeza. Beocca suspiró, después me dijo qué había en ellos.

–Describen la tierra –dijo–, la tierra que posee tu padre, y dicen que la tierra es suya por la ley de Dios y nuestra propia ley. –Y un día, al parecer, las tierras serían mías porque aquella noche mi padre dictó un nuevo testamento en el que decía que si moría, Bebbanburg pasaría a su hijo Uhtred, y yo sería un *ealdorman*, y las gentes entre el Tuede y el Tine me jurarían lealtad.

–Hubo un tiempo en que fuimos reyes –me contó–, y nuestra tierra recibía el nombre de Bernicia. –Estampó su sello sobre el lacre rojo, y dejó impresa la cabeza de un lobo.

–Volveremos a serlo –intervino Ælfric, mi tío.

–No importa cómo nos llamen –replicó sin más mi padre– mientras nos obedezcan. –Y después hizo a Ælfric jurar sobre el peine de san Cutberto que respetaría el nuevo testamento y me reconocería como Uhtred de Bebbanburg. Ælfric juró–. Pero eso no va a suceder –dijo mi padre–. Masacraremos a esos daneses como a ovejas en un redil, y regresaremos cargados de botín y honores.

–Recemos al Señor –repuso Ælfric. Ælfric y treinta hombres se quedarían en Bebbanburg para guardar la fortaleza y proteger a las mujeres. Me hizo algunos regalos aquella noche; una coraza de cuero que me protegería contra las espadas y, lo mejor de todo, un casco ornamentado con una banda de bronce dorado que el herrero Ealdwulf le había colocado alrededor–. Para que sepan que eres un príncipe –dijo.

–No es un príncipe –repuso mi padre–, sino el heredero de un *ealdorman.* –Con todo, le gustaron los regalos que me hizo su hermano y añadió dos más, una espada corta y un caballo. La espada era una hoja vieja, reducida, con una vaina de cuero forrada de borrego. Tenía una empuñadura maciza; era torpe, pero aun así esa noche dormí con ella bajo las mantas.

A la mañana siguiente, mientras mi madrastra lloraba en la fortificación de la puerta alta, bajo un cielo azul y límpido, marchamos hacia la guerra. Doscientos cincuenta hombres en dirección al sur, tras nuestro estandarte con la cabeza de lobo.

Corría el año 867, y fue la primera vez que partí a la guerra.

Ya no he parado desde entonces.

* * *

–No pelearás en el muro de escudos –dijo mi padre.

–No, padre.

–Sólo los hombres pueden resistir el muro de escudos –dijo–, pero observarás, aprenderás y descubrirás que las estocadas más peligrosas no provienen de las hachas y espadas que se ven, sino de las que no son visibles: la hoja que llega por debajo de los escudos dirigida a los tobillos.

A regañadientes me dio muchos otros consejos durante el largo camino al sur. De los doscientos cincuenta hombres que se dirigían hacia Eoferwic desde Bebbanburg, ciento veinte lo hacían a caballo. Eran los hombres de mi padre o los granjeros más ricos los que podían permitirse algún tipo de armadura, portando escudos y espadas. La mayoría de los hombres no eran acaudalados, pero habían jurado lealtad a la causa de mi padre, y marchaban con hoces, arpones, ganchos, garfios y hachas. Algunos llevaban con ellos arcos de caza, y a todos se les había ordenado que cargaran con comida para una semana, la cual consistía fundamentalmente en pan duro, queso aún más duro y pescado ahumado. Muchos iban acompañados de mujeres. Mi padre había ordenado que ninguna mujer marchara al sur, pero tampoco las envió de vuelta, pues consideraba que las mujeres los seguirían igualmente, y que los hombres peleaban mejor cuando sus esposas o amantes los observaban, y estaba seguro de que aquellas mujeres verían a las levas de Northumbria sacarles los tuétanos a los daneses. Aseguraba que éramos los hombres más duros de Inglaterra, mucho más duros que los débiles mercios.

–Tu madre era mercia –añadió, pero no dijo nada más. Nunca hablaba de ella. Sabía que estuvieron casados menos de un año, que había muerto dándome a luz y que era hija de otro *ealdorman*, pero por lo que a mi padre respectaba podría no haber existido nunca. Aseguraba despreciar a los mercios, pero no tanto como se burlaba de los mimados sajones del oeste–. En Wessex no saben qué es la dureza –mantenía, aunque reservaba sus juicios más severos para los anglos del este–. Viven en pantanos –me dijo una vez–, y viven como ranas. –En Northumbria siempre hemos detestado a los anglos del este desde que nos vencieron en la batalla y mataron a Etelfrido, nuestro rey y esposo de la Bebba que dio nombre a nuestra fortaleza. Más tarde descubriría que los anglos del este habían dado cobijo en invierno y caballos a los daneses que capturaron Eoferwic, así que mi padre tenía razones más que sobradas para despreciarlos. Eran ranas traicioneras.

El padre Beocca cabalgó con nosotros hacia el sur. A mi padre no le gustaba demasiado el cura, pero no quería ir a la guerra sin un hombre de Dios que se encargara de rezar. Beocca, a su vez, sentía devoción por mi padre, que lo había liberado de la esclavitud y proporcionado una educación. Mi padre hubiera podido adorar al diablo y Beocca, me parece a mí, se habría hecho el ciego. Se afeitaba con esmero, era joven y extraordinariamente feo, tenía una bizquera que daba miedo, la nariz aplastada, el pelo rojo y rebelde y la mano izquierda paralizada. También era muy inteligente, aunque yo no lo apreciaba entonces, pues me molestaba que me diera lecciones. El pobre hombre había intentado enseñarme las letras por todos los medios, pero yo me burlaba de sus esfuerzos, y prefería recibir una paliza de mi padre que concentrarme en el alfabeto.

Seguimos la calzada romana, cruzamos la gran muralla junto al Tine, y continuamos hacia el sur. Los romanos, me contó mi padre, eran gigantes que construían cosas fabulosas, pero habían vuelto a Roma y los gigantes murieron; los únicos romanos que ahora quedaban eran curas, pero las carreteras de los gigantes allí seguían y, mientras avanzábamos en dirección sur, más hombres se nos fueron uniendo hasta que los páramos a cada lado de la superficie de piedra rota de la calzada constituyeron una horda. Los hombres dormían al raso; sólo mi padre y sus vasallos principales se alojaban durante la noche en abadías o graneros.

También nos rezagábamos. Incluso con nueve años yo reparaba en cuánto nos rezagábamos. Los hombres habían traído con ellos alcohol, o robaban hidromiel o cerveza de los pueblos por los que pasábamos, y a menudo se emborrachaban y acababan por derrumbarse a un lado de la carretera, cosa que a nadie parecía importarle.

–Ya nos alcanzarán –comentaba mi padre despreocupado.

–No está bien –me dijo el padre Beocca.

–¿Qué no está bien?

–Tendría que haber más disciplina. He leído las crónicas de las campañas romanas y sé que tiene que haber más disciplina.

–Ya nos alcanzarán –dije yo, repitiendo las palabras de mi padre.

Esa noche se nos unieron hombres de un lugar llamado Cetreht donde, hacía mucho, habíamos derrotado a los galeses en una gran batalla. Los recién llegados cantaban la batalla, recordando cómo habíamos alimentado a los cuervos con la sangre de los extranjeros, y las palabras alegraron a mi padre, quien me dijo que estábamos cerca de Eoferwic y que al día siguiente nos uniríamos a Osbert y Ælla, y cómo entonces volveríamos a alimentar a los cuervos. Estábamos sentados junto a una hoguera, una de las muchas que se extendían por los campos. Al sur, más allá de la llanura, veía el cielo iluminado por la luz de más hogueras y supe que indicaban el lugar donde se había reunido el ejército de Northumbria.

–El cuervo es una criatura de Woden, ¿verdad? –pregunté nervioso.

Mi padre me miró con acritud.

–¿Quién te ha contado eso? –Yo me encogí de hombros, no respondí–. ¿Ealdwulf? –supuso, pues sabía que el herrero de Bebbanburg, que se había quedado en la fortaleza con Ælfric, era pagano en secreto.

–Lo he oído por ahí –dije, con la esperanza de que la evasiva me sirviera para que no me pegara–, y sé que nosotros descendemos de Woden.

–Y descendemos –reconoció mi padre–, pero ahora tenemos un nuevo Dios. –Dirigió una mirada torva hacia el campamento, donde los hombres bebían–. ¿Sabes quién gana las batallas, chico?

–Nosotros, padre.

–La facción menos ebria –repuso, y tras una pausa agregó–: Pero ayuda estar borracho.

–¿Por qué?

–Porque el muro de escudos es un lugar horrible. –Contempló la hoguera–. He estado en seis muros de escudos –prosiguió–, y todas las veces he rezado porque fuera el último. Pero, mira, tu hermano era un hombre al que le hubiese encantado el muro de escudos. Tenía valor. –Se quedó callado, pensando, después puso ceño–. El hombre que arrojó su cabeza. Quiero su cabeza. Quiero escupirle en los ojos muertos y ensartar su cráneo en un asta encima de la puerta baja.

–La obtendréis –repuse.

Respondió a eso con desdén.

–¿Qué sabrás tú? –preguntó–. Te he traído, chico, para que veas la batalla. Porque nuestros hombres deben ver que estás aquí. Pero no lucharás. Eres como un perro joven que observa a los viejos matando al jabalí, pero que no muerde. Mira y aprende, mira y aprende y puede que algún día seas útil. Pero de momento no eres más que un cachorro. –Me despidió con un ademán de la mano.

Al día siguiente la calzada romana atravesó una llanura, cruzamos acequias y zanjas, hasta que al final llegamos al lugar en que los ejércitos combinados de Osbert y Ælla habían montado sus refugios. Más allá, y sólo visible a través de los árboles desperdigados, estaba Eoferwic, y allí era donde se encontraban los daneses.

Eoferwic era, y sigue siendo, la ciudad más importante del norte de Inglaterra. Posee una gran abadía, un arzobispo, una fortaleza, murallas elevadas y un enorme mercado. Se alza junto al río Ouse, y presumen de puente, pero los barcos pueden llegar a Eoferwic desde el distante mar, y así fue como los daneses habían venido. Debían de saber que Northumbria estaba debilitada por una guerra civil, que Osbert, el rey legítimo, había marchado en dirección oeste para encontrarse con las fuerzas del pretendiente Ælla, y durante la ausencia del rey tomaron la ciudad. No debió de resultarles muy difícil descubrir la falta de Osbert. El problema entre Osbert y Ælla llevaba semanas gestándose, y Eoferwic estaba llena de comerciantes, muchos de ellos del otro lado del mar, los cuales sabrían de la amarga rivalidad entre ambos dignatarios. Una de las cosas que aprendí de los daneses es que saben cómo espiar. Los monjes que escriben las crónicas nos cuentan que vinieron de ninguna parte, los barcos con cabeza de dragón emergieron de repente del vacío azul, pero pocas veces era así. Las tripulaciones vikingas podían atacar inesperadamente, pero las grandes flotas, las flotas de guerra, se dirigían donde sabían de problemas o enconadas rivalidades. Encontraban una herida y hurgaban en ella como gusanos.

Mi padre me llevó cerca de la ciudad, con él y una veintena de sus hombres, todos montados y todos protegidos con malla o cuero. Veíamos al enemigo en la muralla. Parte de la muralla era de piedra, obra romana, pero la mayoría de la ciudad estaba protegida por un muro de tierra, coronado con una elevada empalizada de madera, y hacia el este de la ciudad parte de ésta había desaparecido. Parecía que había ardido porque se apreciaba madera quemada encima del muro de tierra, en el que habían colocado estacas recientes para sostener una nueva empalizada que sustituiría a la destruida por el fuego.

Debajo de las estacas nuevas había un amasijo de techos de paja, los campanarios de madera de tres iglesias y, en el río, los mástiles de la flota danesa. Nuestros exploradores aseguraban que había treinta y cuatro barcos, lo cual significaba que los daneses contaban con un ejército de unos mil hombres. Nuestra fuerza era mayor, se acercaba a los mil quinientos, aunque era difícil de contar. Nadie parecía estar al mando. Los dos jefes, Osbert y Ælla, permanecían en dos campamentos diferentes y aunque oficialmente habían hecho las paces, se negaban a hablar el uno con el otro, comunicándose mediante mensajeros. Mi padre, el tercer hombre más importante del ejército, hablaba con ambos, pero no podía convencer a Osbert y Ælla de que se vieran, por no hablar de ponerse de acuerdo sobre la campaña. Osbert deseaba sitiar la ciudad y vencer a los daneses por hambre, mientras que Ælla instaba a atacar inmediatamente. La muralla estaba rota, dijo, y un asalto podría llegar hasta el enredo de callejuelas donde los daneses serían perseguidos y masacrados. No sé qué curso de acción prefería mi padre, pues nunca lo dijo, pero al final no nos correspondió tomar la decisión.

Nuestro ejército no podía esperar. Habíamos traído algo de comida, pero pronto se terminó, los hombres se estaban adentrando en los campos para encontrar más, y algunos de esos hombres no volvían. Sencillamente, estaban regresando a sus casas. Otros murmuraban que había mucho quehacer en sus granjas y si no volvían a casa se enfrentarían a un año de hambre. Se convocó una reunión entre todos los hombres importantes y pasaron el día discutiendo. Osbert asistió a la reunión, lo que suponía que Ælla no lo hizo, aunque uno de sus mayores partidarios estaba allí y sugirió que las reticencias de Osbert para asaltar la ciudad no eran otra cosa que cobardía. Puede que lo fuera, dado que Osbert no replicó a la pulla, y lo que propuso, en cambio, fue que nosotros levantáramos nuestros propios fuertes fuera de la ciudad. Tres o cuatro de esos fuertes, dijo, dejarían atrapados a los daneses. Nuestros mejores guerreros podrían hacerse cargo de los fuertes, y el resto volver a casa a cuidar de sus campos. Otro hombre propuso construir un nuevo puente sobre el río, un puente que atrapara a la flota danesa, e insistió hasta el aburrimiento en la idea, aunque creo que todos sabíamos que no teníamos tiempo para hacer un puente que cruzara un río tan ancho.

–Además –añadió el rey Osbert–, queremos que los daneses se lleven sus barcos. Que vuelvan al mar. Que se vayan y molesten a otro.

Un obispo defendió que esperaran, esgrimiendo que aún no había llegado el *ealdorman* Egbert, con sus hombres, cuyas tierras estaban al sur de Eoferwic.

–Ni tampoco está Ricsig –comentó un cura, hablando de otro gran señor.

–Está enfermo –dijo Osbert.

–Enfermo de valor –se burló el portavoz de Ælla.

–Dadles tiempo –sugirió el obispo–. Con los hombres de Egbert y Ricsig tendremos suficientes tropas para asustar a los daneses por la sola superioridad numérica.

Mi padre no dijo nada en la reunión, aunque era evidente que muchos hombres querían que hablara, y a mí me dejó perplejo que se quedara callado, pero por la noche Beocca me explicó el porqué.

–Si hubiera dicho que debemos atacar –dijo el cura–, los hombres asumirían que se alinea con Ælla, mientras que si apoya el sitio, se interpretaría que está del lado de Osbert.

–¿Y eso importa?

Beocca me miró desde el otro lado de la hoguera del campamento, o uno de sus ojos me miró mientras el otro vagaba en la noche.

–Cuando hayamos derrotado a los daneses –dijo–, la disputa entre Osbert y Ælla volverá a empezar. Tu padre no quiere saber nada del asunto.

–Pero apoye a la facción que apoye –dije–, ganará.

–¿Pero y si acaban matándose el uno al otro? –preguntó Beocca–. ¿Quién será el rey, entonces?

Lo miré, comprendí y no dije nada.

–¿Y quién será el rey después? –preguntó Beocca, y me señaló–. Tú, y un rey tendría que saber leer y escribir.

–Un rey –respondí desdeñoso–, siempre puede contratar hombres que lean y escriban.

Después, a la mañana siguiente, la decisión de atacar o sitiar fue tomada por nosotros, pues llegaron noticias de que habían aparecido más naves danesas en la desembocadura del Humber, y eso sólo podía significar que el enemigo recibiría refuerzos en unos días, así que mi padre, que había guardado silencio durante tanto tiempo, acabó hablando.

–Hemos de atacar –les dijo a Osbert y a Ælla– antes de que lleguen los nuevos barcos.

Ælla, por supuesto, coincidió con él de manera entusiasta, e incluso Osbert comprendió que los barcos nuevos suponían que todo había cambiado. Además, los daneses de la ciudad tenían problemas con su nueva fortificación. Nos levantamos una mañana para ver un tramo de empalizada completo y nuevo, pero aquel día hizo mucho viento y la nueva obra se derrumbó. Los daneses, decían los hombres, no sabían ni construir una muralla.

–Pero saben construir barcos –me dijo el padre Beocca.

–¿Y?

–Un hombre que sabe construir un barco –me informó el padre Beocca– suele ser capaz de construir una muralla. No es tan difícil.

–¡Se ha caído!

–A lo mejor estaba concebida para que se cayera –repuso Beocca y, cuando yo me lo quedé mirando, me lo aclaró–. Tal vez quieran que ataquemos por ahí.

No sé si le transmitió a mi padre sus sospechas, pero si lo hizo no tengo ninguna duda de que mi padre las desoyó. No confiaba en las opiniones de Beocca sobre la guerra. La utilidad del cura residía en animar a Dios para que atormentase a los daneses y eso era todo y, para ser justos, Beocca vaya si rezó largo y tendido para que Dios nos diera la victoria.

Y al día siguiente de que la muralla se derrumbara, le dimos a Dios la oportunidad de obrar las plegarias de Beocca.

Atacamos.

* * *

No sé si todos los hombres que atacaron Eoferwic estaban borrachos, pero lo habrían estado de haber habido suficiente hidromiel, cerveza y vino de abedul para todos. Habían bebido durante toda la noche y cuando yo me levanté encontré hombres vomitando al alba. Aquellos pocos que, como mi padre, poseían camisas de malla, se las pusieron. La mayoría iban protegidos con cuero, mientras que algunos hombres no llevaban más protección que sus abrigos. Afilaron las armas en muelas. Los curas se pasearon por el campamento repartiendo bendiciones, mientras los hombres se hacían juramentos de lealtad y fraternidad. Algunos hicieron causa común y prometieron repartirse el botín a medias, unos pocos tenían aspecto pálido y bastantes más se escabulleron por las zanjas que atravesaban el paisaje llano y húmedo.

Se les mandó a una veintena de hombres que se quedaran en el campamento y guardaran las mujeres y los caballos, aunque tanto al padre Beocca como a mí se nos ordenó montar.

–Tú no bajes del caballo –me dijo mi padre–, y tú quédate con él –añadió dirigiéndose al cura.

–Por supuesto, mi señor –repuso Beocca.

–Si ocurriera algo –mi padre fue deliberadamente inconcreto–, cabalgad hasta Bebbanburg, cerrad la puerta y esperad allí.

–Dios está de nuestro lado –añadió Beocca.

Mi padre parecía un gran guerrero, cosa cierta, aunque aseguraba estar volviéndose demasiado viejo para pelear. La barba medio canosa sobresalía de su cota de malla sobre la que se había colgado un crucifijo labrado en hueso de buey, regalo de Gytha. El cinto de su espada era de cuero remachado en plata, mientras que su gran espada, *Quebrantahuesos,* descansaba en una vaina de cuero adornada con placas de bronce dorado. Sus botas tenían placas de hierro a ambos lados de los tobillos, lo que me recordó su consejo sobre el muro de escudos; llevaba un casco bruñido que refulgía, y la visera, con unos agujeros para los ojos y que representaba una boca gruñendo, poseía incrustaciones de plata. El escudo redondo era de tilo, tachonado en hierro, cubierto de cuero y pintado con la cabeza del lobo. El *ealdorman* Uhtred se dirigía a la guerra.

Los cuernos convocaron al ejército. Había poco orden en la reunión. Se suscitaron discusiones sobre quién debería cubrir la derecha o la izquierda, pero Beocca me contó que se decidió cuando un obispo lanzó los dados, y ahora el rey Osbert estaba en el flanco derecho, Ælla en el izquierdo, y mi padre en el centro, y los tres estandartes de los jefes ya estaban extendidos cuando los cuernos sonaron. Los hombres se reunieron debajo. Las tropas de la casa de mi padre, sus mejores guerreros, se situaron al frente, y detrás los grupos de *thegn*. Los *thegn* eran hombres importantes, poseían grandes extensiones de tierra, algunas con sus propias fortalezas, y eran los que compartían la plataforma de mi padre en el salón de celebraciones, y hombres a los que había que vigilar por si acaso su ambición provocaba que intentaran usurpar su lugar, pero en ese entonces se reunieron lealmente tras él, y los *ceorls*, los hombres libres del rango más bajo, mezclados entre ellos. Los hombres luchaban en grupos familiares, o con amigos. Había muchos chicos con el ejército, aunque yo era el único a caballo y el único con espada y casco.

Vi un puñado de daneses detrás de las empalizadas intactas a cada lado del agujero que había dejado la que se había desmoronado, pero la mayor parte de su ejército tapaba aquel agujero, y había formado un muro de escudos encima del de tierra, y era un muro alto, aquel de tierra, por lo menos tres o tres metros y medio, y empinado, así que sería un duro ascenso enfrente justo de los que esperaban para matar, pero yo estaba seguro de que ganaríamos. Tenía nueve años, casi diez.

Los daneses nos gritaban, pero estábamos demasiado lejos para oír sus insultos. Sus escudos, redondos como los nuestros, estaban pintados de amarillo, negro, marrón y azul. Nuestros hombres empezaron a golpear sus armas contra los escudos y era un estruendo temible, la primera vez que oí a un ejército tocar la música de la guerra; el entrechocar de lanzas de fresno y hojas de hierro contra madera de escudo.

–Es algo horrible –me dijo Beocca–. La guerra, es algo espantoso.

Yo no dije nada. A mí me parecía que era gloriosa e increíble.

–El muro de escudos es donde mueren los hombres –me explicó Beocca y besó la cruz de madera que pendía de su cuello–. Las puertas del cielo y el infierno estarán abarrotadas de almas antes de que termine el día –prosiguió sombrío.

–¿No se llevan a los muertos a un gran salón de celebraciones? –pregunté.

Me miró muy extrañado, después pareció escandalizado.

–¿Dónde has oído eso?

–En Bebbanburg –contesté, con el buen juicio suficiente para no admitir que era el herrero Ealdwulf el que me contaba aquellas historias mientras lo observaba convertir varas de hierro en espadas.

–Eso es lo que creen los paganos –dijo Beocca con aire severo–. Creen que los guerreros muertos son transportados al salón de cadáveres de Woden hasta el fin del mundo, pero ésa es una creencia terriblemente equivocada. ¡Es un error! Aunque los daneses permanecen en el error. Se postran ante ídolos, niegan al Dios verdadero, están equivocados.

–Pero un hombre debe morir con una espada en la mano –insistí.

–Veo que cuando esto termine habrá que darte las oportunas lecciones de catecismo –concluyó severo el cura.

No dije nada más. Estaba observando, intentando grabar cualquier detalle de aquel día en mi memoria. El cielo era de un azul estival, sólo había unas cuantas nubes al oeste, y la luz del sol reverberaba en las puntas de las lanzas de nuestro ejército como distintos reflejos titilantes sobre el mar de verano. El prado sobre el que se venía el ejército estaba moteado de prímulas, y se oyó un cuco llamar desde los bosques que había detrás de nosotros, desde donde una multitud de mujeres observaba al ejército. Había cisnes en el río, cuya superficie se mostraba tranquila al no soplar mucho viento. El humo de los fuegos de las cocinas dentro de Eoferwic se elevaba casi en línea recta, y esa visión me recordó que habría una fiesta en la ciudad aquella noche, una fiesta de cerdo asado o lo que fuera que encontrásemos en las despensas enemigas. Algunos de nuestros hombres, aquellos situados en vanguardia, se aproximaban para gritarle al enemigo, o a retarlos para que bajaran y se enfrentaran en una batalla individual entre los frentes, uno contra uno, pero ningún danés rompió filas. Sólo observaban, esperaban, sus lanzas componían un seto, sus escudos un muro, y entonces nuestros cuernos volvieron a sonar y el griterío y el fragor de los escudos se diluyó mientras nuestro ejército avanzaba pesadamente.

Lo hacía de forma irregular. Tarde, mucho más tarde, entendería la renuencia de los hombres para lanzarse contra un muro de escudos, no digamos contra un muro de escudos encima de un terraplén inclinado; pero aquel día sólo estaba impaciente porque nuestro ejército ganase terreno y abriera una brecha entre los insolentes daneses, y Beocca tuvo que refrenarme, me agarró las riendas para evitar que me lanzase al galope entre la retaguardia.

–Esperaremos hasta que entren –dijo.

–Quiero matar un danés –protesté.

–No seas estúpido, Uhtred –repuso Beocca furioso–. Si intentas matar a un danés tu padre se quedará sin hijos. Ahora eres su único descendiente, y tu deber es sobrevivir.

Así que cumplí con mi deber y me quedé atrás, mientras observaba cómo, muy, muy lentamente, nuestro ejército encontraba el valor para avanzar hacia la ciudad. El río se hallaba a nuestra izquierda, el campamento vacío detrás, a nuestra derecha, y el incitante hueco en la muralla de la ciudad estaba justo enfrente de nosotros, y allí esperaban los daneses en silencio, con los escudos solapados.

–Los más valientes serán los primeros –me dijo Beocca–, y tu padre estará entre ellos. Harán una cuña, lo que los autores latinos llaman un *porcinum caput.* ¿Sabes qué significa eso?

–No –Ni me importaba.

–Cabeza de cerdo. Como el colmillo de un jabalí. Los más valientes irán los primeros, y si se abren paso, los demás los seguirán.

Beocca tenía razón, se formaron tres cuñas delante de nuestras filas, una por cada casa: la de Osbert, la de Ælla y la de mi padre. Los hombres se apretaron al máximo, con los escudos solapados como los de los daneses, mientras la retaguardia de cada cuña sostenía sus escudos en alto como un techo, y después, cuando estuvieron listos, los hombres de las tres cuñas lanzaron un gran grito y avanzaron. No corrían. Yo había esperado que corrieran, pero no se puede mantener la cuña si los hombres corren. La cuña es la guerra lenta, suficientemente lenta para que los hombres de dentro se pregunten cuán fuerte es el enemigo y para empezar a temer que el resto del ejército no les siga, pero lo hicieron. Las tres cuñas no habían avanzado más de veinte metros antes de que el resto de hombres las siguiera.

–Quiero estar más cerca –dije.

–Esperarás –repuso Beocca.

Oí entonces el clamor: desafíos y gritos para infundir valor, y en ese momento los arqueros en las murallas de la ciudad dispararon los arcos y vi los destellos de las plumas al rasgar las flechas el cielo camino de las cuñas, y un instante más tarde llegaron las lanzas, dibujando una parábola por encima del frente danés para caer encima de los escudos levantados. Para mi sorpresa, me pareció que no hirieron a nadie en nuestras filas, aunque se veían los escudos infestados de flechas y lanzas como las espinas de un puercoespín, y las tres cuñas siguieron avanzando mientras les llegaba el turno a nuestros arqueros de disparar a los daneses y las últimas filas de la formación se separaban para arrojar a su vez sus lanzas al muro de escudos enemigo.

–Ya no queda mucho –dijo Beocca nervioso. Se persignó. Estaba rezando en silencio y le temblaba la mano tullida.

Yo observaba la cuña de mi padre, la central, la que había justo enfrente del estandarte con la cabeza de lobo; vi los escudos que se tocaban desaparecer en el foso frente al terraplén y supe que mi padre estaba peligrosamente cerca de la muerte y lo insté a ganar, a matar, a dar al nombre Uhtred de Bebbanburg más fama todavía, y entonces vi la cuña de escudos emerger de la zanja y, como una bestia monstruosa, reptar por la cara del terraplén.

–La ventaja que poseen –dijo Beocca con la voz paciente que empleaba para enseñar– es que los pies del enemigo son objetivos fáciles cuando llegas desde abajo. –Creo que intentaba tranquilizarse, pero yo le creí igualmente, y debía de ser cierto pues no parecía que el muro de escudos enemigo pudiera contener la formación de mi padre, la primera en subir el terraplén.

En ese momento no veía nada excepto el destello de las armas al subir y bajar, y oí aquel sonido, la auténtica música de la batalla, los tajos del hierro contra la madera, el hierro contra el hierro, pero la cuña seguía moviéndose. Cual colmillo de jabalí afilado como una navaja había perforado el muro de escudos danés y seguía avanzando, y aunque los daneses envolvieron la cuña, parecía que nuestros hombres estaban ganando porque siguieron empujando una vez atravesado el terraplén, y los soldados de detrás debieron presentir que el *ealdorman* Uhtred les había traído la victoria porque repentinamente vitorearon y se abalanzaron en tropel para socorrer a la asediada cuña.

–Loado sea Dios –exclamó Beocca, pues los daneses estaban huyendo. Por un instante habían formado un denso muro de escudos, erizado de armas, pero ahora desaparecían dentro de la ciudad y nuestro ejército, con el alivio de los hombres cuyas vidas han escapado de la muerte, cargaban tras ellos–. Ahora despacio –dijo Beocca, mientras se adelantaba con su caballo y guiaba el mío por las riendas.

Los daneses habían desaparecido. En su lugar, el terraplén se había cubierto de negro; eran nuestros hombres, que se metían desordenadamente en la ciudad por el hueco de las murallas y después bajaban al otro lado hasta las calles y callejuelas más alejadas. Las tres banderas, la cabeza de lobo de mi padre, el hacha de guerra de Ælla y la cruz de Osbert, coronaban Eoferwic. Oí los vítores de los hombres y azucé al caballo, librándome de Beocca.

–¡Vuelve! –me gritó él, pero aunque me siguió, no intentó arrastrarme. Habíamos ganado, Dios nos había dado la victoria y yo quería estar lo suficientemente cerca para oler la sangre.

Ninguno de los dos podíamos introducirnos en la ciudad porque el hueco en la empalizada estaba asfixiado por nuestros soldados, pero volví a azuzar mi yegua y ella se abrió paso entre el montón. Algunos hombres protestaron por lo que estaba haciendo, después vieron el aro de bronce dorado en mi casco y supieron que era de noble cuna, así que intentaron ayudarme a pasar, mientras Beocca, perdido en la retaguardia, gritaba que no debía alejarme demasiado de él.

–¡Alcánzame! –le repliqué.

Entonces volvió a gritar, pero esta vez su tono era frenético, aterrorizado, y me di la vuelta para ver a los daneses lanzarse en manada contra el terreno hasta el que había avanzado nuestro ejército. Era una horda de daneses que debió de salir por la puerta norte de la ciudad para cortar nuestra retirada, y sabían que nos retiraríamos pues, después de todo sí sabían construir muros, y lo habían hecho a lo largo de las calles de la ciudad, después habían fingido huir de la muralla para arrastrarnos hasta el matadero y ahora accionaban el resorte que cerraba la trampa. Algunos de los daneses que venían de la ciudad iban montados, la mayoría a pie, y Beocca sufrió un ataque de pánico. No lo culpo. A los daneses les gusta matar curas cristianos y Beocca debió de ver la muerte, y como no deseaba el martirio le dio la vuelta al caballo, lo espoleó con fuerza y salió al galope junto al río. Y a los daneses, que no les preocupaba el destino de un hombre donde tantos quedaron atrapados, no les importó que se fuera.

Sucede que en la mayoría de los ejércitos, los hombres apocados y con peores armas se refugian en las últimas filas. Los valientes están en la vanguardia, los débiles buscan la parte de atrás, así que quien consigue alcanzar la retaguardia de un ejército enemigo organiza una carnicería.

Ahora soy un hombre anciano y ha sido mi destino el de ver el pánico apoderarse de muchos ejércitos. Ese pánico es peor que el terror de las ovejas en un redil asaltado por lobos, más frenético que los espasmos de un salmón en una red extraída a la superficie. Su sonido debe partir en dos los cielos, pero para los daneses aquel día trajo el dulce sonido de la victoria, y para nosotros la muerte.

Intenté escapar. Dios sabe que también fui presa del pánico. Había visto a Beocca huir a todo correr por los sauces junto al río y conseguí que la yegua se diera la vuelta, pero entonces uno de nuestros propios hombres me agarró, al parecer para hacerse con mi caballo, y yo tuve suficiente seso para sacar la espada corta y hendirla a ciegas mientras azuzaba a la bestia, aunque sólo conseguí salir del gentío aterrorizado para meterme en el camino de los daneses. Por todas partes a mi alrededor había hombres aullando y hachas y espadas danesas volando y cercenando. El trabajo triste, el festival de sangre, la canción de la espada, lo llaman, y es posible que durante un rato me salvara el hecho de que era el único de todo nuestro ejército que iba montado, porque había una veintena de daneses también a caballo y me debieron de confundir con uno de los suyos. Pero entonces uno de ellos me llamó en un idioma que yo no hablaba y cuando lo miré y vi su larga melena, sin casco, su larga y rubia melena, la malla plateada y la sonrisa salvaje en un rostro salvaje y lo reconocí como el hombre que había matado a mi hermano, como el insensato que era empecé a gritarle. Había un portaestandarte detrás del danés de larga cabellera, un ala de águila que ondeaba sobre un largo mástil. Las lágrimas me emborronaban la visión, y puede que la locura de la batalla se apoderara de mí porque, a pesar del pánico, cabalgué hasta el danés de larga cabellera y lancé una estocada con mi pequeña espada, la paró con la suya y mi débil hoja se dobló como la espina de un arenque. Se dobló sin más y el danés ya se preparaba para rematarme cuando se fijó en mi patética arma torcida y empezó a reírse. Yo me estaba meando encima, él se reía, volví a golpearlo con la inútil espada y él siguió riéndose, después se inclinó, me quitó el arma de las manos y la tiró al suelo. De inmediato me agarró a mí. Yo gritaba y le pegaba, pero a él todo aquello le parecía graciosísimo, y me colocó bocabajo en la silla y espoleó su caballo para adentrarse de nuevo en el caos y proseguir con la escabechina.

Y así fue como conocí a Ragnar, Ragnar el Temerario, el asesino de mi hermano y el hombre cuya cabeza se suponía que debía adornar un poste en las murallas de Bebbanburg, el *jarl* Ragnar.

PRIMERA PARTE

Una infancia pagana

CAPÍTULO I

Los daneses actuaron con inteligencia aquel día. Construyeron nuevas fortificaciones dentro de la ciudad, atrajeron a nuestros hombres hasta hacerlos entrar en las calles, los atraparon entre las nuevas empalizadas, los rodearon y los mataron. No mataron a todo el ejército de Northumbria, pues incluso los más fieros guerreros se cansan de la matanza y, además, los daneses sacaban mucho dinero de la esclavitud. La mayoría de los esclavos capturados en Inglaterra eran vendidos a granjeros de las salvajes islas del norte, o en Irlanda, o se los llevaban a través del mar a las tierras danesas; pero algunos, supe, eran llevados a los grandes mercados de esclavos en Francia y unos cuantos más eran embarcados rumbo al sur a un lugar donde no había invierno y hombres con rostros del color de la madera quemada pagaban un buen dinero por los hombres y aún más por las mujeres jóvenes.

Pero mataron a muchos. Mataron a Ælla, a Osbert y a mi padre. Ælla y mi padre tuvieron suerte, pues murieron en la batalla, con las espadas en las manos, pero Osbert fue capturado y torturado esa noche mientras los daneses festejaban en una ciudad que apestaba a sangre. Algunos de los vencedores guardaban las murallas, otros celebraban en las casas capturadas, pero la mayoría se reunió en el salón del rey derrotado de Northumbria al que me llevó Ragnar. No sé por qué me llevó allí, pues esperaba que me matara o, en el mejor de los casos, me vendiera como esclavo; pero Ragnar me hizo sentarme con sus hombres y puso un muslo de pavo al horno, media rebanada de pan y una jarra de cerveza delante de mí, después me dio un jovial coscorrón en la cabeza.

Los demás daneses al principio hicieron caso omiso de mi presencia. Estaban demasiado ocupados emborrachándose y jaleando las peleas que surgieron en cuanto estuvieron borrachos, pero los vítores más escandalosos llegaron cuando el cautivo Osbert fue obligado a pelear contra un joven guerrero que tenía una habilidad extraordinaria con la espada. Bailó alrededor del rey, después le rebanó la mano izquierda antes de rajarle el estómago con un hendiente y, dado que Osbert era un hombre grande, sus tripas se derramaron como anguilas que escapan de un saco roto. Después de aquello algunos de los daneses no se podían ni levantar de la risa. Al rey le llevó bastante tiempo morirse, y mientras gritaba para que le aliviaran el sufrimiento, los daneses crucificaron a un cura que habían capturado mientras peleaba contra ellos. Les intrigaba y repelía nuestra religión, y se enfadaron cuando el cura se liberó las manos de los clavos; algunos afirmaron que era imposible matar a un hombre de esa manera, y discutieron la cuestión violentamente, después intentaron clavar una segunda vez al cura a las paredes de madera hasta que, aburridos, uno de los guerreros le hundió una lanza al religioso en el pecho y le rompió las costillas, amén de hacerle picadillo el corazón.

Un puñado de ellos se volvió hacia mí en cuanto el cura estuvo muerto y, como llevaba un casco con una banda de bronce dorado, me consideraron hijo de un rey, me ataron una cuerda y un hombre se subió a la mesa para mearme encima, pero entonces una voz profunda la emprendió a berridos con ellos para que me dejaran estar y Ragnar se abrió paso entre la multitud de malos modos. Me quitó la cuerda de encima y arengó a los hombres, no sé qué les dijo, pero fuese lo que fuese los detuvo, y Ragnar entonces me rodeó los hombros y me llevó hasta una tarima en un extremo del salón y me indicó que debía subir a ella. Allí había un anciano comiendo solo. Era ciego, tenía los ojos blancos como la leche y un rostro profundamente arrugado enmarcado por pelo gris tan largo como el de Ragnar. Me oyó subir a trompicones, hizo una pregunta, Ragnar respondió y después se alejó.

–Debes de estar hambriento, muchacho –dijo el anciano en inglés.

No respondí. Me aterrorizaban sus ojos ciegos.

–¿Has desaparecido? ¿Se te han llevado los enanos al submundo?

–Tengo hambre –admití.

–Vaya, así que sí estás ahí –dijo–, y aquí hay cerdo, pan, queso y cerveza. Dime tu nombre.

Casi contesté Osbert, después me acordé de que era Uhtred.

–Uhtred –respondí.

–Qué nombre más feo –comentó el anciano–, pero mi hijo me ha dicho que tengo que cuidar de ti, así que lo haré, aunque también tú tendrás que cuidar de mí. ¿Me puedes cortar un pedazo de cerdo?

–¿Vuestro hijo? –pregunté.

–El *jarl* Ragnar –repuso–, a veces llamado Ragnar el Temerario. ¿A quién estaban matando ahí?

–Al rey –contesté–, y a un cura.

–¿A qué rey?

–Osbert.

–¿Ha tenido una buena muerte?

–No.

–Entonces no tendría que haber sido rey.

–¿Sois vos rey? –pregunté.

Se rió.

–Soy Ravn –respondió–, y una vez fui *jarl* y guerrero, pero ahora soy ciego y ya no le sirvo a nadie. Tendrían que romperme la cabeza con un garrote y enviarme a los infiernos. –No dije nada a eso porque no sabía qué decir–. Pero intento ser útil –prosiguió Ravn mientras sus manos palpaban la mesa en busca del pan–. Hablo tu lengua, la lengua de los britanos, la de los sorabos, la de los frisios y la de los francos. Los idiomas son ahora mi ocupación, chico, porque me he convertido en un escaldo.

–¿Un escaldo?

–Un bardo, me llamarías tú. Un poeta, un tejedor de sueños, un hombre que convierte la nada en gloria y te deslumbra con su hacer. Y mi trabajo es ahora contar la historia de este día de manera que los hombres jamás olviden nuestras grandes gestas.

–Pero si no podéis ver –pregunté–, ¿cómo contaréis lo que ha sucedido?

Ravn se rió ante eso.

–¿No has oído hablar de Odín? Pues deberías saber que Odín sacrificó uno de sus ojos para obtener el don de la poesía. Así que puede que sea un escaldo más bueno que Odín, ¿qué dices?

–Yo desciendo de Woden –dije.

–¿En serio? –parecía impresionado pero puede que sólo quisiera ser amable–. ¿Y quién eres tú, Uhtred, descendiente del gran Odín?

–Soy el *ealdorman* de Bebbanburg –contesté, y eso me recordó que era huérfano y mi actitud desafiante se derrumbó. Para mi vergüenza, empecé a llorar. Ravn no me hizo caso mientras escuchaba los gritos y canciones de los borrachos y los chillidos de las muchachas que habían sido capturadas en nuestro campamento y que ahora proporcionaban a los guerreros la recompensa por su victoria, y al observarlos cometiendo toda clase de maldades, se me pasó la pena porque, lo cierto es que nunca había visto esas cosas antes aunque, gracias a Dios, iba yo a recibir muchas de las mismas recompensas en los tiempos venideros.

–¿Bebbanburg? –inquirió Ravn–. Estuve allí antes de que nacieras. Hace veinte años.

–¿En Bebbanburg?

–No en la fortaleza –admitió–, era demasiado fuerte. Pero estuve más al norte, en la isla donde rezan los monjes. Allí maté seis hombres. No monjes, hombres. Guerreros. –Sonrió para sí al recordarlo–. Bueno, *ealdorman* Uhtred de Bebbanburg –prosiguió–, ¿qué está pasando?

Y así me convertí en sus ojos y le conté que los hombres bailaban, desnudaban a las mujeres y lo que les hacían, pero Ravn no mostró interés en aquello.

–¿Qué están haciendo –quería saber– Ivar y Ubba?

–¿Ivar y Ubba?

–Deben de estar en la plataforma elevada. Ubba es bajito y parece un tonel con barba, e Ivar está tan seco que le llaman Ivar Saco de Huesos. Es tan delgado que podrías atarle los pies juntos y lanzarlo con un arco.

Más tarde supe que Ivar y Ubba eran los mayores de tres hermanos y cabecillas conjuntos de aquel ejército danés. Ubba estaba dormido, reposaba la cabeza de pelo negro sobre unos brazos que, a su vez, descansaban sobre los restos de su comida, pero Ivar Saco de Huesos permanecía despierto. Tenía los ojos hundidos, la cara como una calavera, el pelo rubio y recogido en una cola en la nuca, y una expresión de resentida malevolencia. Presentaba los brazos cubiertos con los brazaletes de oro que a los daneses les gusta llevar para demostrar su destreza en la batalla, y portaba una cadena de oro al cuello. Dos hombres hablaban con él. Uno, justo de pie detrás de Ivar parecía susurrarle al oído, mientras que el otro, un hombre de aspecto preocupado, estaba sentado entre los dos hermanos. Le describí todo esto a Ravn, que quiso saber qué aspecto tenía el hombre preocupado sentado entre Ivar y Ubba.

–No lleva brazaletes –dije–, pero sí un aro de oro alrededor del cuello. Pelo castaño, barba larga, bastante viejo.

–A los jóvenes todos os parecen viejos –dijo Ravn–. Ése debe de ser el rey Egberto.

–¿El rey Egberto? –Jamás había oído hablar de dicho personaje.

–Era el *ealdorman* Egbert –me aclaró Ravn–, pero hizo la paz con nosotros en invierno y lo hemos recompensado convirtiéndolo en rey de Northumbria. Él es rey, pero nosotros somos los señores de la tierra. –Dejó escapar una risita, y joven como era entendí la traición que suponía. El *ealdorman* Egbert tenía tierras al sur de nuestro reino y era lo que mi padre había sido en el norte, un poder decisivo. Los daneses lo habían sobornado, lo habían mantenido alejado de la contienda y ahora sería nombrado rey; con todo era evidente que sería un rey con la correa muy corta–. Si vas a vivir –me dijo Ravn–, sería inteligente presentar tus respetos a Egberto.

–¿Vivir? –se me escapó la palabra. De algún modo, me había hecho a la idea de que si había sobrevivido a la batalla, estaba claro que seguiría vivo. Era un niño, la responsabilidad de alguien, pero las palabras de Ravn me devolvieron a la realidad de un mazazo. Jamás tendría que haber confesado mi rango, pensé. Mejor ser un siervo vivo que un *ealdorman* muerto.

–Creo que vas a vivir –dijo Ravn–. A Ragnar le gustas y Ragnar siempre obtiene lo que quiere. Dice que le atacaste.

–Sí, lo hice.

–Eso debió de divertirle. ¿Un chico atacando al *jarl* Ragnar? Menudo chico, pues. Un chico demasiado bueno para desperdiciarlo, eso dice; pero, en fin, mi hijo siempre ha tenido un lamentable lado sentimental. Yo te habría rebanado la cabeza, pero aquí estás, vivo, y creo que sería sabio que te inclinaras ante Egberto.

Ahora, al mirar en un pasado tan lejano, creo que es posible que haya cambiado los acontecimientos de aquella noche. Hubo una fiesta, Ivar y Ubba estaban allí, Egberto intentaba parecer un rey, Ravn fue amable conmigo, pero estoy seguro de que estaba más confundido y asustado de lo que he referido. Con todo, en otros aspectos mis recuerdos de la fiesta son muy precisos. Observa y aprende, me había dicho mi padre, y Ravn me hizo observar, y yo aprendí. Aprendí de la traición, especialmente cuando Ragnar, convocado por Ravn, me cogió del cuello y me llevó hasta la tarima elevada donde, tras un gesto agrio de Ivar, se me permitió acercarme a la mesa.

–Mi señor rey –grazné, después me arrodillé de modo que un sorprendido Egberto tuvo que inclinarse hacia delante para verme–. Soy Uhtred de Bebbanburg –Ravn me había indicado qué decir–, y busco vuestra protección como señor.

Estas palabras produjeron un gran silencio, aparte del murmullo del intérprete a Ivar. Después Ubba se despertó, pareció aturdido durante unos instantes, como si no supiera dónde estaba, después me miró y yo sentí un estremecimiento en la carne pues jamás había visto un rostro que reflejase tanta maldad. Tenía los ojos oscuros y llenos de odio y deseé que se me tragara la tierra. No dijo nada, sólo me miró y se tocó el amuleto con forma de martillo colgado del cuello. Ubba tenía el rostro enjuto de su hermano, pero en lugar de pelo rubio recogido en una coleta en la nuca, poseía una abundante melena morena y una densa barba moteada de restos de comida. Entonces bostezó y fue como observar las fauces de una bestia. El intérprete habló con Ivar, que dijo algo, y después, a su vez, habló con Egberto, que hacía lo imposible por parecer severo.

–Tu padre –dijo– decidió luchar contra nosotros.

–Y está muerto –respondí, con lágrimas en los ojos, y quería decir algo más, pero no me salió, y lo que hice, en cambio, fue gimotear como un niño y sentí las burlas de Ubba como si me quemaran. Furioso, me di un cachete en la nariz.

–Decidiremos tu destino –dijo Egberto con altivez, y se me dio permiso para retirarme. Volví con Ravn, que insistió en que le contara lo que había ocurrido, y sonrió cuando le descubrí el perverso silencio de Ubba.

–Es un hombre temible –coincidió Ravn–, sé de cierto que ha matado a dieciséis hombres en un solo combate, y a docenas de ellos en la batalla, aunque sólo cuando los augurios son buenos, de otro modo no pelea.

–¿Los augurios?

–Ubba es un joven muy supersticioso –dijo Ravn–, pero también peligroso. Si algún consejo he de darte, joven Uhtred, es que jamás de los jamases te enfrentes a Ubba. Hasta Ragnar temería hacerlo, y a mi hijo pocas cosas le dan miedo.

–¿E Ivar? –pregunté–, ¿pelearía vuestro hijo contra Ivar?

–¿Saco de Huesos? –Ravn meditó la pregunta–. También él es temible, porque no tiene piedad, pero posee juicio. Además, Ragnar sirve a Ivar si es que sirve a alguien, y son amigos, así que no van a pelear. ¿Pero Ubba? Sólo los dioses le dicen lo que tiene que hacer, y deberías cuidarte de los hombres que reciben sus órdenes de los dioses. Córtame un trozo de corteza, chico. Me gusta especialmente la corteza de cerdo.

No recuerdo cuánto tiempo pasé en Eoferwic. Me pusieron a trabajar, de eso sí me acuerdo. Me arrebataron mis ricas ropas y se las dieron a algún chico danés, y en su lugar me entregaron una túnica de lana llena de chinches que me até con un pedazo de cuerda. Le hice la comida a Ravn durante unos cuantos días, después los demás barcos daneses llegaron y resultaron contener en su mayoría mujeres y niños, las familias del ejército victorioso, y fue entonces cuando comprendí que aquellos daneses habían venido para quedarse en Northumbria. Llegó la esposa de Ravn, una mujer enorme de nombre Gudrun con una risa que habría tumbado a un buey y que me apartó de los fogones que ahora atendía con la mujer de Ragnar, que se llamaba Sigrid y cuya melena le llegaba a la cintura y era del color de la luz del sol al incidir sobre el oro. Ella y Ragnar tenían dos hijos y una hija. Sigrid había dado a luz a ocho hijos, pero sólo aquellos tres habían sobrevivido. Rorik, su segundo hijo, era un año menor que yo y el primer día que nos conocimos empezó una pelea, se me tiró encima y la emprendió a puñetazos y puntapiés, pero yo lo tumbé sobre su espalda y lo estaba dejando sin aliento cuando Ragnar nos cogió a los dos, nos estrelló una cabeza contra otra y nos dijo que fuésemos amigos. El hijo mayor de Ragnar, también llamado Ragnar, tenía dieciocho años, era ya un hombre, y no lo conocí entonces porque estaba en Irlanda, donde aprendía a pelear y matar para poder convertirse en un *jarl* como su padre. Con el tiempo, conocí a Ragnar el Joven, que era muy parecido a su padre; siempre alegre, escandalosamente feliz, entusiasta con cualquier cosa que hubiera que hacer, y amigable con todos los que le demostraban respeto.

Como todos los demás niños, tenía trabajo para mantenerme ocupado. Siempre había que acarrear madera o agua, y pasé dos días ayudando a quemar la porquería verde adherida a un casco sobre la playa, y lo disfruté, aunque acabé metido en una docena de peleas con chicos daneses, todos mayores que yo, y viví con ojos a la funerala, nudillos amoratados, esguinces de muñeca y dientes sueltos. Mi peor enemigo era un chico llamado Sven dos años mayor que yo, muy grande para su edad y con un rostro redondo y vacío, la mandíbula colgando y un temperamento cruel. Era el hijo de uno de los capitanes de Ragnar, un hombre llamado Kjartan. Ragnar poseía tres barcos, él comandaba uno, Kjartan el segundo y un hombre alto, curtido por el tiempo llamado Egil el tercero. Kjartan y Egil también eran guerreros, por supuesto, y como capitanes de barco conducían a su tripulación a la batalla, así que eran considerados hombres importantes, tenían los brazos cargados de brazaletes, y al hijo de Kjartan, Sven, le desagradé desde el mismo instante en que me vio. Me llamaba escoria inglesa, cagarro de cabra y aliento de perro, y como era más grande y mayor que yo me pegaba palizas con relativa facilidad, pero también estaba haciendo amigos y, por suerte para mí, a Sven le gustaba tan poco Rorik como yo, y entre los dos le hacíamos morder el polvo, así que al cabo de poco tiempo Sven empezó a evitarme a menos que estuviera seguro de que andaba solo. De modo que, aparte de Sven, aquél fue un buen verano. Nunca tenía suficiente para comer, nunca estaba limpio, Ragnar nos hacía reír y pocas veces estuve triste.

Ragnar se ausentaba con frecuencia, pues la mayoría del ejército danés pasó aquel verano cabalgando a lo ancho y largo de Northumbria para aplastar los últimos reductos de resistencia, pero oí pocas noticias, y ninguna de Bebbanburg. Parecía que los daneses estaban ganando, porque cada pocos días llegaba otro vasallo inglés a Eoferwic y se arrodillaba ante Egberto, que ahora vivía en el palacio del rey de Northumbria, aunque era un palacio despojado por los vencedores de cualquier cosa útil. El hueco en la muralla de la ciudad fue reparado en un día, el mismo día que una veintena de nosotros excavó un gran agujero en el terreno sobre el que nuestro ejército había huido despavorido. Llenamos el agujero con los cadáveres corruptos de los muertos de Northumbria. Conocía a algunos de ellos. Supongo que mi padre estaba allí, pero no lo vi. Ni, en retrospectiva, lo eché de menos. Siempre había sido un hombre taciturno, que se esperaba lo peor, y al que no le gustaban los niños.

El peor trabajo que me dieron fue pintar escudos. Primero teníamos que hervir unas pieles de ganado para hacer cola, un adhesivo denso, que removíamos para mezclar con un polvo extraído del cobre machacado con enormes morteros de piedra, y el resultado era una pasta azul viscosa que había que extender sobre los escudos recién hechos. Durante días las manos y los brazos se me quedaron azules, pero colgaron nuestros escudos en un barco y presentaban un aspecto espléndido. Todos los barcos daneses tenían un cintón que recorría los costados del barco y del que pendían los escudos, superpuestos como si los sostuvieran en el muro de escudos, y aquellos eran para la embarcación de Ubba, el mismo barco al que yo le había quemado y rascado la suciedad. Ubba, al parecer, planeaba marcharse, y quería que su barco estuviera espléndido. En la proa había una bestia, una proa que se curvaba como el pecho de un cisne desde el agua, y que después sobresalía hacia fuera. La bestia, mitad dragón y mitad gusano, era la parte más alta, y la cabeza de la bestia entera podía levantarse de su mástil y guardarse en la sentina.

–Les quitamos las cabezas de bestias –me explicó Ragnar– para que no asusten a los espíritus. –Para entonces ya había aprendido algo de danés.

–¿Los espíritus?

Ragnar suspiró ante mi ignorancia.

–Todas las tierras tienen sus espíritus –dijo–, sus pequeños dioses, y cuando nos acercamos a nuestras propias tierras quitamos las cabezas para no asustar a los espíritus. ¿Cuántas peleas has tenido hoy?

–Ninguna.

–Empiezan a tenerte miedo. ¿Qué llevas alrededor del cuello?

Se lo enseñé. Era un rudimentario martillo de hierro, un martillo en miniatura del tamaño del pulgar de un hombre, y al verlo estalló en carcajadas y me dio un coscorrón cariñoso.

–Te vamos a convertir en un danés –me dijo, claramente complacido. El martillo era el símbolo de Thor, dios danés casi tan importante como Odín, como llamaban a Woden, y a veces me preguntaba si Thor no sería el dios más importante, pero nadie parecía saberlo ni que le importara. Los daneses no tenían curas, cosa que me gustaba, porque los curas estaban siempre diciéndonos que no hiciéramos cosas o intentando enseñarnos a leer o exigiendo que rezáramos, y la vida sin ellos era mucho más divertida. Los daneses, de hecho, parecían muy superficiales a propósito de sus dioses, aunque casi todos llevaban un martillo de Thor. Yo le había arrancado el mío del cuello a un chico que se peleó conmigo y lo conservo hasta el día de hoy.

La popa del barco de Ubba, que se curvaba y enroscaba tan alta como la proa, estaba decorada con la cabeza de un águila, y en el palo mayor había una veleta en forma de dragón. Los escudos se colgaban en los costados, aunque más tarde supe que sólo se exponían por motivos decorativos, que cuando el barco se hallaba en ruta los escudos se guardaban dentro. Justo debajo de los escudos estaban los agujeros para los remos, todos forrados de cuero, quince agujeros a cada lado. Los agujeros se cubrían con tapones de madera cuando el barco iba a vela de modo que la nave podía escorarse con el viento sin inundarse. Yo ayudé a rascar el barco entero hasta quedar limpio, pero antes de rascarlo, lo sumergieron en el río para ahogar a las ratas y desanimar a las chinches, y entonces los chicos frotamos cada centímetro de madera y golpeamos cada junta con lana empapada en cera, y al final el barco estuvo listo y ese fue el día en que mi tío Ælfric llegó a Eoferwic.

Tuve la primera noticia de la llegada de mi tío cuando Ragnar me trajo mi casco, aquel con el aro de bronce, una túnica bordada con motivos rojos y un par de zapatos. Me pareció raro volver a andar con zapatos.

–Péinate un poco, chico –me indicó, después se acordó de que llevaba el casco y me lo colocó encima del pelo desordenado–. No te peines –dijo sonriendo.

–¿Adónde vamos? –le pregunté.

–A escuchar un montón de palabras, chico. A perder el tiempo. Pareces una puta franca con esa ropa.

–¿Tan mal voy?

–¡Pero si eso es bueno, muchacho! Tienen unas putas estupendas en Francia; regordetas, bonitas y baratas. Vamos. –Me condujo a palacio desde el río. La ciudad ofrecía un trajín extraordinario: las tiendas estaban llenas, las calles abarrotadas de mulas de carga. Un rebaño de ovejas pequeñas y oscuras era conducido al matadero, y fueron el único obstáculo que no se apartó para dejar pasar a Ragnar, cuya reputación le aseguraba el respeto, pero no era una reputación temible, pues yo veía que los daneses sonreían cuando él los saludaba. Le llamaban *jarl* Ragnar, jefe Ragnar, pero era muy popular, un bromista y un guerrero que se quitaba el miedo de encima como si fuera telarañas. El palacio no era más que una casa grande, construida en parte por los romanos, en piedra, recientemente ampliada con madera y paja. En la parte romana, en una amplia sala con pilares de piedra y muros encalados aguardaba mi tío, y con él estaban el padre Beocca y una docena de guerreros; los conocía a todos y todos se habían quedado en Bebbanburg mientras mi padre iba a la guerra.

Los ojos bizcos de Beocca se abrieron de par en par cuando me vio. Debía de tener un aspecto muy distinto, pues llevaba el pelo largo, estaba tostado por el sol, delgado, más alto y con aspecto más fiero. Yo portaba el amuleto del martillo alrededor del cuello, que vio, pues señaló su crucifijo, después mi martillo y puso cara de reproche. Ælfric y sus hombres fruncieron el ceño como si los hubiera abandonado, pero nadie habló, en parte porque los guardias de Ivar, todos ellos hombres altos y todos protegidos con malla y cascos y armados con hachas de guerra de mango largo, se erguían a lo largo del fondo de la sala donde una silla sencilla, que ahora hacía las veces de trono de Northumbria, se alzaba sobre una plataforma de madera.

Llegó el rey Egberto, y con él Ivar Saco de Huesos y una docena de hombres, incluido Ravn que, como supe, era consejero de Ivar y su hermano. Con Ravn había un hombre alto, de pelo cano y larga barba blanca. Llevaba un hábito largo bordado con cruces y ángeles alados, y más tarde supe que aquél era Wulfhere, el arzobispo de Eoferwic quien, como Egberto, había jurado lealtad a los daneses. El rey se sentó, parecía incómodo, y entonces empezó la discusión.

No estaban allí sólo para hablar de mí. Hablaron sobre los señores de Northumbria en los que se podía confiar, aquellos a los que había que atacar, qué tierras había que otorgar a Ivar y Ubba, qué tributo debían pagar las gentes de Northumbria, cuántos caballos había que llevar a Eoferwic, cuánta comida había que suministrar al ejército, quiénes de entre los *ealdormen* serían retenidos como rehenes, y yo me senté, aburrido, hasta que mencionaron mi nombre. Entonces levanté la vista y oí a mi tío proponer que deberían rescatarme. En esencia estaban allí por aquello, pero nada resulta sencillo cuando una veintena de hombres deciden discutir. Durante mucho tiempo regatearon sobre mi precio, los daneses exigían el imposible pago de trescientas piezas de plata, y Ælfric no quería aflojar más que la mezquina cantidad de cincuenta. No dije nada, sólo me quedé sentado en las rotas losas romanas al borde del salón y escuché. Trescientas se convirtieron en doscientas setenta y cinco, cincuenta en sesenta, y así siguió la cosa; los números iban acercándose pero aún estaban muy lejos, y entonces Ravn, que había permanecido en silencio, habló por primera vez.

–El *jarl* Uhtred –dijo en danés, y fue la primera vez que oí que me describían como *jarl,* que es un título danés– ha jurado lealtad al rey Egberto. En eso tiene una ventaja sobre vos, Ælfric.

Le tradujeron las palabras y vi la ira de Ælfric cuando a él no se le otorgó ningún título. Pero es que tampoco lo tenía, excepto el que se había otorgado a sí mismo, y eso sólo lo supe cuando habló en voz baja con Beocca y éste habló por él.

–El *ealdorman* Ælfric –intervino el joven cura– no cree que el juramento de un niño sea significativo.

¿Había hecho yo un juramento? No lo recordaba, aunque había solicitado la protección de Egberto, y era suficientemente joven para confundir las dos cosas. Con todo, no importaba demasiado, lo realmente importante era que mi tío había usurpado Bebbanburg. Se llamaba a sí mismo *ealdorman.* Me lo quedé mirando, estupefacto, y entonces él me devolvió una mirada cargada de odio.

–Somos del parecer –intervino Ravn, con los ojos ciegos puestos en el techo del salón, al que le faltaban algunas tejas, de modo que una lluvia de luz se derramaba por entre las vigas–, que nos servirá mejor un *jarl* de Bebbanburg que nos ha jurado fidelidad, leal a nosotros, que un hombre cuya lealtad desconocemos.

Ælfric percibió el cambio del viento e hizo lo más obvio. Caminó hasta la tarima, se arrodilló ante Egberto y besó la mano tendida del rey, y, como recompensa, recibió una bendición del arzobispo.

–Ofrezco cien monedas de plata –dijo Ælfric una vez hubo jurado.

–Doscientas –repuso Ravn–, y una fuerza de treinta daneses para proteger Bebbanburg.

–Concedida mi lealtad –replicó Ælfric enfadado–, no tendréis necesidad alguna de daneses en Bebbanburg.

Así que Bebbanburg no había caído y yo dudaba de que lo fuera a hacer. No había fortaleza más poderosa en toda Northumbria, y puede que en toda Inglaterra.

Egberto no había dicho una palabra, ni lo hizo entonces, pero tampoco lo había hecho Ivar y resultaba evidente que el danés alto, delgado y de rostro espectral estaba aburrido con las negociaciones, porque le hizo un gesto con la cabeza a Ragnar, que abandonó mi vera y se dirigió a hablar en privado con su señor. El resto esperamos incómodos. Ivar y Ragnar eran amigos, una amistad improbable porque eran hombres muy distintos, Ivar todo él silencio fiero y amenaza sombría, y Ragnar un hombre abierto y escandaloso; aun así el hijo mayor de Ragnar servía a Ivar e incluso entonces, con dieciocho años, le había sido confiada la capitanía de algunos de los daneses que Ivar había dejado en Irlanda para conservar sus tierras en aquella isla. No era infrecuente que los hijos mayores sirvieran a otro señor, Ragnar contaba en la tripulación de sus barcos con los hijos de dos *jarls* y ambos podían esperar heredar riquezas y posición si aprendían a luchar. Mientras Ragnar e Ivar estaban hablando, Ælfric arrastraba los pies y no dejaba de mirarme, Beocca rezaba y el rey Egberto, no teniendo nada mejor que hacer, intentaba parecer regio.

Al final Ivar habló.

–El chico no se vende –anunció.

–Redime –lo corrigió Ravn con suavidad.

Ælfric tenía aspecto airado.

–He venido aquí... –empezó a decir, pero Ivar lo interrumpió.

–El chico no se redime –gruñó, después se dio la vuelta y salió de la amplia cámara. Egberto parecía incómodo, hizo ademán de levantarse de su trono, se volvió a sentar, y Ragnar se me acercó y se quedó conmigo de pie.

–Eres mío –me dijo en voz baja–, te he comprado.

–¿Me has comprado?

–Por el peso de mi espada en plata –dijo.

–¿Por qué?

–Tal vez quiera sacrificarte a Odín –sugirió, después me revolvió el pelo–. Nos gustas, chico –dijo–, nos gustas lo suficiente para que nos quedemos contigo. Y además, tu tío no ha ofrecido plata suficiente. ¿Por quinientas piezas? Te habría vendido. –Se rió.

Beocca se apresuró al otro lado de la sala.

–¿Estás bien? –me preguntó.

–Perfectamente –dije.

–Eso que llevas –dijo refiriéndose al martillo de Thor. Alargó una mano como para arrancármelo de su correa.

–Toca al chico, cura –dijo bruscamente Ragnar– y te pongo los ojos rectos antes de abrirte en canal esa panza sin mondongo.

Beocca, claro está, no entendió lo que el danés dijo, pero no podía malinterpretar el tono y su mano se detuvo a un palmo del martillo. Parecía nervioso. Bajó la voz de modo que sólo yo pudiera oírlo.

–Tu tío te matará –susurró.

–¿Matarme?

–Quiere ser *ealdorman.* Por eso quería tu rescate. Para poder matarte.

–Pero... –empecé a protestar.

–Chsss –indicó Beocca. Sentía curiosidad por las manos azules, pero no preguntó qué las había vuelto de ese color–. Yo sé que tú eres el *ealdorman* –dijo en cambio–, y nos volveremos a ver. –Me sonrió, miró con cautela a Ragnar y se retiró.

Ælfric se marchó. Más tarde supe que le habían dado un salvoconducto para ir y venir a Eoferwic, promesa que se mantuvo, pero después de aquel encuentro se retiró a Bebbanburg y allí se quedó. Aparentemente era leal a Egberto, lo que significaba que aceptaba el vasallaje a los daneses, pero no confiaban en él. Ése, me explicó Ragnar, era el motivo por el que me había mantenido con vida.

–Me gusta Bebbanburg –me dijo–. Lo quiero.

–Es mío –repliqué cabezón.

–Y tú eres mío –me dijo–, lo que significa que Bebbanburg es mío. Tú eres mío, Uhtred, porque te acabo de comprar, así que puedo hacer contigo lo que quiera. Te puedo meter en una cazuela, si me apetece, sólo que no tienes suficiente carne ni para alimentar a una comadreja. Venga, quítate esa túnica de puta, devuélveme los zapatos y el casco y vuelve a trabajar.

Así que volví a ser un siervo, y feliz. A veces, cuando le cuento a la gente mi historia, me preguntan por qué no huí de los paganos, por qué no escapé al sur, a las tierras en donde los daneses aún no mandaban, pero es que nunca se me ocurrió. Era feliz, estaba vivo, estaba con Ragnar y era suficiente.

* * *

Llegaron más daneses antes del invierno. Vinieron treinta y seis barcos, cada uno de ellos con su contingente de guerreros, y los barcos fueron subidos a la orilla del río durante el invierno mientras las tripulaciones, cargadas con escudos y armas, marchaban dondequiera que pudieran pasar los siguientes meses. Los daneses estaban echando una red por encima de Northumbria, una red ligera, pero aun así una red de guarniciones bien extendida. Con todo, no podrían haberse quedado si no les hubiésemos dejado, pero los *ealdormen* y *thegn* que no murieron en Eoferwic se postraron ante ellos, así que ahora éramos un reino danés, a pesar del patético trono de Egberto y su correa. Sólo en el oeste, en los confines más salvajes de Northumbria, no reinaban los daneses, pero tampoco había en aquella zona nadie lo bastante fuerte para desafiarlos.

Ragnar tomó tierras al oeste de Eoferwic, arriba en las colinas. Su esposa y su familia se unieron con él allí, y Ravn y Gudrun vinieron también, además de las tripulaciones de todos los barcos de Ragnar, que ocuparon las casas de los valles vecinos. Nuestro primer trabajo consistió en ampliar la casa de Ragnar. Había pertenecido a un *thegn* inglés muerto en Eoferwic, pero no era ningún gran edificio, sólo un cobertizo de madera bajo cubierto de paja de centeno y helechos sobre el que la hierba crecía tan espesa que, desde cierta distancia, la casa parecía un largo montículo. Construimos una parte nueva, no para nosotros, sino para el escaso ganado, cabras y ovejas que sobrevivirían al invierno y parirían en año nuevo. El resto fueron sacrificados. Ragnar y los hombres se encargaron de llevar a cabo casi toda la matanza, pero cuando los últimos animales llegaron al redil, le tendió un hacha a Rorik, su hijo pequeño.

–Un golpe limpio y rápido –le ordenó, y Rorik lo intentó, pero no era lo bastante fuerte y tampoco el golpe resultó certero, así que el animal mugió y sangró y seis hombres tuvieron que sujetarlo mientras Ragnar remataba la faena. Los desolladores se encargaron del cadáver y Ragnar me tendió un hacha a mí–. A ver si tú lo puedes mejorar.

Empujaron una vaca hasta donde estaba, un hombre le levantó la cola, ella agachó la cabeza y yo balanceé el hacha, recordando exactamente dónde había golpeado Ragnar cada vez, y la pesada hoja dio justo en la columna, detrás de la nuca, y se derrumbó con estrépito.

–Aún te convertiremos en un guerrero danés –comentó Ragnar complacido.

El trabajo disminuyó tras la matanza de ganado. Los ingleses que aún vivían en el valle le llevaron a Ragnar su tributo de animales y grano, como lo habrían hecho con su señor inglés. Era imposible decir por la expresión de sus rostros qué pensaban de Ragnar y sus daneses, pero no dieron problemas, y Ragnar también procuró no perturbar sus vidas. Se permitió al cura local conservar la vida y oficiar servicios en su iglesia, que era un granero de madera decorado con una cruz, y Ragnar juzgaba las disputas, pero siempre se aseguraba de dejarse aconsejar por un inglés que conociera bien las costumbres locales.

–No se puede vivir en un sitio –me contó–, si la gente no te acepta. Pueden matarte el ganado o envenenarte el agua, y nunca sabríamos quién lo hizo. O los matas a todos o aprendes a vivir con ellos.

El cielo se tornó más pálido y el viento más frío. Las hojas muertas se arremolinaban. Nuestra tarea principal consistía en alimentar al ganado que no se había sacrificado y aumentar la altura de la pila de leña. Una docena de críos subíamos al bosque, y yo me hice un experto con el hacha, aprendí a tumbar un árbol con un mínimo de golpes. Atábamos un buey a los troncos más grandes para arrastrarlos al refugio, los mejores árboles se apartaban para construir y los otros se convertían en leños para la hoguera. También había tiempo para jugar, así que los niños construimos nuestra propia casa arriba en los bosques, una casa de troncos enteros cubierta de helechos y el cráneo de un tejón clavado en el frontispicio que imitaba el cráneo de jabalí que coronaba el hogar de Ragnar, y en nuestra cabaña Rorik y yo peleábamos por quién sería el rey, aunque Thyra, su hermana, que tenía ocho años, siempre fue la señora de la casa. Allí hilaba lana, pues si no reunía suficiente al final del invierno la castigarían, y nos observaba mientras los chicos combatíamos en nuestras batallas fantásticas con espadas de madera. La mayoría de los chicos eran los hijos de los siervos, o niños esclavos, y siempre insistían en que yo era el jefe inglés y Rorik el cabecilla danés, y mi bando en la guerra siempre recibía a los chicos más pequeños y más débiles, así que perdíamos casi siempre, y Thyra, que tenía el pelo claro y dorado de su madre, nos observaba e hilaba, hilaba siempre, con la rueca en la mano izquierda mientras la derecha enroscaba el hilo que salía del copo de lana esquilada.

Todas las mujeres debían hilar y tejer. Ragnar calculaba que se necesitaban cinco mujeres o doce niñas durante un invierno entero para hilar material suficiente para hacer una vela nueva para un barco, y los barcos siempre necesitaban nuevas velas, así que las mujeres trabajaban todas las horas que los dioses daban. Además cocinaban, hervían cáscaras de nuez para teñir el hilo nuevo, recogían setas, curtían las pieles del ganado sacrificado, recogían el musgo que utilizábamos para limpiarnos el culo, enrollaban la cera de abejas para hacer velas, convertían la cebada en malta y aplacaban a los dioses. Había muchísimos dioses y diosas, y algunos eran característicos de nuestra casa y a ellos las mujeres dedicaban sus propios ritos, y otros, como Odín y Thor eran poderosos y omnipresentes, pero pocas veces eran tratados del mismo modo en que los cristianos adoraban a su Dios. Un hombre podía invocar a Thor, o Loki, u Odín, o Vikr, o cualquiera de los grandiosos seres que habitaban Asgard, que parecía ser el cielo de los dioses, pero los daneses no se reunían en una iglesia como nosotros nos habíamos reunido cada domingo y cada festividad de un santo en Bebbanburg, ni había curas entre los daneses, o reliquias y libros sagrados. Yo no eché de menos nada de todo aquello.

Ojalá hubiese echado de menos a Sven, pero su padre, Kjartan, tenía una casa en el valle de al lado y a Sven no le llevó demasiado descubrir nuestro refugio en el bosque, así que en cuanto la primera escarcha invernal volvió crujientes las hojas muertas y las bayas empezaron a brillar en espinos y acebos, nuestros juegos tomaron un cariz violento. Ya no nos dividíamos en dos bandos porque ahora teníamos que pelear contra los chicos de Sven que nos acechaban continuamente, pero durante un tiempo no hubo que lamentar nada. Era un juego, después de todo, sólo un juego, pero uno que Sven ganaba siempre. Robó el cráneo de tejón de nuestro frontispicio, que nosotros reemplazamos con el de un zorro, y Thyra les gritó a los chicos de Sven, ocultos en el bosque, que había impregnado la cabeza del zorro de veneno, cosa que consideramos muy inteligente por su parte, pero a la mañana siguiente descubrimos que nuestra cabaña había ardido por completo.

–Una quema de casas –dijo Rorik con amargura.

–¿Quema de casas?

–Ocurre en nuestra tierra –me explicó Rorik–. Vas a la casa de un enemigo y la arrasas por completo. Pero pasa una cosa con la quema de casas: hay que asegurarse de que todo el mundo muere. Si quedan supervivientes, se vengarán, así que se ataca por la noche, se rodea la casa, y se mata a todos los que intentan escapar de las llamas.

Pero Sven no tenía casa. Estaba la de su padre, por supuesto, y durante un día tramamos cómo vengarnos de aquélla, discutimos cómo quemarla y atravesar a la familia con lanzas cuando huyeran, pero por supuesto eran sólo bravuconadas de muchachos y nada salió de todo aquello. Lo que sí hicimos, en cambio, fue construirnos otra en un punto más elevado del bosque. No quedó tan bien como la primera, ni tan protegida contra las inclemencias; de hecho era poco más que un refugio tosco de ramas y helechos, pero clavamos el cráneo de un armiño en el frontispicio provisional y nos convencimos de que aún conservábamos nuestro reino en las colinas.

Pero nada que no fuera una victoria completa satisfaría a Sven y así, unos días más tarde, al terminar nuestras tareas, Rorik, Thyra y yo subimos solos a nuestra nueva casa. Thyra hilaba mientras Rorik y yo discutíamos sobre dónde se fabricaban las mejores espadas, él decía que en Dinamarca y yo reclamaba el honor para Inglaterra, ninguno de los dos era todavía lo bastante sensato como para saber que las mejores hojas procedían de Francia, y al cabo de un rato nos hartamos de discutir y cogimos nuestras varas afiladas de fresno, que hacían las veces de lanzas de juguete y decidimos salir a buscar al jabalí que de vez en cuando merodeaba de noche por el bosque. No nos habríamos atrevido a matar un jabalí, eran demasiado grandes, pero jugábamos a ser grandes cazadores, y justo cuando nosotros, los dos grandes cazadores, nos disponíamos a adentrarnos en el bosque, Sven atacó. Sólo él y dos de sus seguidores; pero Sven, en lugar de ir con su espada de madera, blandía un arma real, tan larga como el brazo de un hombre, el acero destellaba en la luz invernal, y corrió hacia nosotros, aullando como un loco. Rorik y yo, al ver la furia en sus ojos, huimos. Él nos siguió, rompiendo ramas como el jabalí que habíamos intentado cazar, y sólo conseguimos escapar de aquella espada perversa porque éramos más rápidos. Un momento más tarde oímos el grito de Thyra.

Regresamos a rastras, cautelosos por la espada que Sven debía de haber sacado de la casa de su padre y, cuando llegamos a nuestra patética cabaña, descubrimos que Thyra había desaparecido. La rueca estaba tirada en el suelo y la lana toda manchada de hojas muertas y ramitas.

Sven, a pesar de su fuerza, siempre había sido torpe y dejó un rastro en el bosque muy fácil de seguir. Al cabo del rato oímos voces. Las seguimos, atravesamos la cumbre de la colina donde crecían las hayas, bajamos, adentrándonos en el valle de nuestro enemigo, y Sven no tuvo suficiente cabeza para apostar un guardia a sus espaldas. Lo que hizo en cambio, deleitándose con su victoria, fue dirigirse al claro que debía de ser su refugio en el bosque, porque había una chimenea de piedra en el centro y yo recuerdo haberme preguntado por qué nosotros no habíamos construido nada igual. Había atado a Thyra a un árbol y le había arrancado la túnica de la parte superior del cuerpo. No había nada que ver allí, era una niña, sólo tenía ocho años y por tanto aún le faltaban cuatro o cinco para estar en edad de matrimonio, pero era guapa y ése era el motivo por el que Sven la había desnudado. Se notaba que los compañeros de Sven no estaban muy contentos. Thyra, después de todo, era la hija del *jarl* Ragnar y lo que había empezado como un juego se tornó en algo peligroso, pero Sven quería lucirse. Deseaba demostrar que no tenía miedo. No tenía ni idea de que Rorik y yo acechábamos ocultos en la maleza, y no creo que le hubiese importado de haberlo sabido.

Había dejado la espada junto a la chimenea y entonces se plantó delante de Thyra y se bajó los calzones.

–Tócala –le ordenó.

Uno de sus compañeros dijo algo que no oí.

–No se lo dirá a nadie –repuso Sven seguro de sí–, y no le vamos a hacer daño. –Se volvió para mirar a Thyra–. ¡No te haré daño si la tocas!

Fue entonces cuando yo salí al descubierto. No era valentía. Los compañeros de Sven habían perdido las ganas de jugar. Éste tenía los calzones en los tobillos y había dejado la espada en el centro del claro, así que la cogí y me lancé hacia él.

–¡Yo la tocaré! –grité y dirigí la espada hacia su picha, pero era pesada; yo no había usado nunca antes un arma de hombre y en lugar de darle donde apunté, le metí un tajo en el muslo desnudo, que se abrió, y volví a darle con toda mi fuerza, y la hoja le rasgó la cintura, golpe que quedó amortiguado por su ropa. Cayó al suelo, gritando, y sus dos amigos me apartaron mientras Rorik desataba a su hermana.

Eso fue todo lo que ocurrió. Sven sangraba, pero consiguió subirse los pantalones y sus amigos lo ayudaron a escapar. Rorik y yo llevamos a Thyra a casa, donde Ravn oyó los sollozos de Thyra y nuestras voces excitadas y exigió silencio.

–Uhtred –dijo el anciano con voz severa–, espera junto a la pocilga. Rorik, cuéntame qué ha pasado.

Yo esperé fuera mientras Rorik narraba, después hicieron salir a Rorik y a mí me llamaron dentro para relatar la aventura vivida. Thyra se hallaba en brazos de su madre, y tanto ésta como su abuela se mostraban furiosas.

–Cuentas la misma historia que Rorik –dijo Ravn cuando terminé.

–Porque es la verdad –respondí.

–Eso parece.

–¡La ha violado! –insistió Sigrid.

–No –repuso Ravn con firmeza–, gracias a Uhtred no lo ha hecho.

Ésa fue la historia que Ragnar escuchó cuando volvió de cacería, y como aquélla me convertía en héroe no discutí su falsedad esencial, que era que Sven no habría violado a Thyra porque no se habría atrevido. Su insensatez conocía pocos límites, pero alguno había, y violar a la hija del *jarl* Ragnar, el señor de la guerra de su padre, estaba más allá incluso de la estupidez de Sven. Con todo, se había buscado un enemigo y, al día siguiente, Ragnar condujo seis hombres a casa de Kjartan, en el valle vecino. Se nos dieron caballos a Rorik y a mí y se nos ordenó que acompañásemos a los hombres, y confieso que me asusté. Me sentía culpable. Después de todo, había sido yo el que había empezado los juegos en el bosque, pero Ragnar no lo veía de ese modo.

–Tú no me has ofendido. Sven sí. –Hablaba con tono sombrío, su proverbial alegría había desaparecido–. Lo has hecho muy bien, Uhtred. Te has comportado como un danés. –No me podía dedicar mayor elogio, y me dio la sensación de que le decepcionaba que fuera yo el que cargó contra Sven y no Rorik, pero yo era mayor y mucho más fuerte que el hijo pequeño de Ragnar, así que tenía que ser yo quien peleara.

Cabalgamos por entre los fríos bosques y yo sentía curiosidad porque dos de los hombres de Ragnar cargaban con dos ramas de castaño que eran demasiado débiles para ser usadas como armas, pero no quise preguntar para qué eran porque estaba nervioso.

La casa de Kjartan estaba en un pliegue de las colinas junto a un riachuelo que discurría entre pastos de ovejas, cabras y vacas, aunque la mayoría habían sido sacrificadas, y las que quedaban estaban mordisqueando la última hierba. Era un día soleado, aunque frío. Ladraron perros al acercarnos, pero Kjartan y sus hombres les gritaron y los devolvieron a golpes al patio junto a la casa donde había plantado un fresno que no parecía que fuera a sobrevivir al invierno que se acercaba. Entonces Kjartan, acompañado de cuatro hombres, ninguno de ellos armado, se acercó caminando hacia los jinetes. Ragnar y sus hombres iban armados por completo, espadas, hachas de guerra y escudos, protegidos los pechos con cota de malla. Ragnar lucía además el casco de mi padre, que había comprado tras la batalla de Eoferwic. Era un casco espléndido, la coronilla y la visera estaban decoradas con plata, y yo me sorprendí pensando que le quedaba mejor a Ragnar que a mi padre.

Kjartan el capitán era un hombre grande, más alto que Ragnar, con la cara ancha y plana de su hijo, ojos pequeños y desconfiados y una espesa barba. Miró las ramas de castaño y debió de reconocer qué significaban porque instintivamente se tocó el amuleto martillo que le colgaba en el cuello de una cadena de plata. Ragnar frenó el caballo y, en un gesto que demostraba desprecio absoluto, tiró al suelo la espada que yo había llevado a casa desde el claro en el que Sven había atado a Thyra. Por derecho, la espada pertenecía ahora a Ragnar, y era un arma valiosa con un hilo de plata enroscado alrededor de la empuñadura, pero él lanzó la hoja a los pies de Kjartan como si no fuera más que una hoz.

–Tu hijo dejó eso en mi tierra –dijo–, y me gustaría tener unas palabras con él.

–Mi hijo es un buen chico –repuso Kjartan con firmeza–, y con el tiempo os servirá a los remos y luchará en vuestro muro de escudos.

–Me ha ofendido.

–No pretendía hacer ningún daño, señor.

–Me ha ofendido –repitió Ragnar con aspereza–. Ha visto la desnudez de mi hija y le ha mostrado la suya propia.

–Y fue castigado por ello –contestó Kjartan, al tiempo que me dedicaba una mirada malévola–. Se derramó sangre.

Ragnar hizo un gesto seco, y las ramas de castaño fueron arrojadas al suelo. Evidentemente, aquélla era la respuesta de Ragnar, que para mí no tenía ningún sentido, pero Kjartan la entendió, como Rorik, que se me acercó y me susurró.

–Eso significa que ahora tiene que luchar por Sven.

–¿Luchar por él?

–Marcan un recuadro en el suelo con las ramas, y pelean dentro del recuadro.

Aun así, nadie se movió para colocar las ramas de castaño formando un recuadro. Lo que sucedió en cambio, fue que Kjartan se metió dentro de su casa y llamó a Sven, que salió cojeando por debajo del pequeño dintel, con la pierna derecha vendada. Parecía triste y aterrorizado, y no era para menos, pues Ragnar y sus jinetes habían llegado con toda su gloria guerrera, eran luchadores relucientes, daneses armados.

–Di lo que tengas que decir –le dijo Kjartan a su hijo.

Sven levantó la vista hacia Ragnar.

–Lo siento –murmuró.

–No te oigo –gruñó Ragnar.

–Lo siento, señor –dijo Sven, temblando de miedo.

–¿Sientes el qué? –exigió Ragnar.

–Lo que hice.

–¿Y qué hiciste?

Sven no encontró respuesta, o no encontró ninguna que quisiera dar, y se limitó a arrastrar los pies nervioso y mirar al suelo. Sombras de nubes se cernieron deprisa sobre los lejanos páramos, y dos cuervos levantaron el vuelo hacia el principio del valle.

–Le pusiste las manos encima a mi hija –dijo Ragnar–, la ataste a un árbol y la desnudaste.

–Sólo por la mitad –murmuró Sven, y por respondón se ganó un pescozón de su padre.

–Era un juego –intervino Kjartan en favor de su hijo–, sólo un juego, señor.

–Ningún chico se dedica a esos juegos con mi hija –repuso Ragnar. Pocas veces lo había visto enfadado, pero ahora lo estaba, se mostraba sombrío e inflexible, no quedaba ni rastro del hombre de gran corazón que podía hacer resonar una casa con sus risas. Desmontó y desenvainó su espada, su arma de batalla, llamada *Rompecorazones,* y apuntó con ella a Kjartan–. ¿Y bien? –preguntó–. ¿Cuestionas mi derecho?

–No, señor –contestó Kjartan–, pero es un buen chico, fuerte y trabajador, y os servirá bien.

–Y ha visto cosas que no debería haber visto –repuso Ragnar, y lanzó a *Rompecorazones* al cielo de modo que la larga hoja giró bajo el sol y la recogió en la mano al caer, pero ahora la sostenía hacia atrás, más como si fuera una daga que una espada–. ¡Uhtred! –gritó Ragnar, y pegué un salto–. Dice que estaba sólo medio desnuda. ¿Es eso cierto?

–Sí, señor.

–Entonces tendrá sólo medio castigo –dijo Ragnar y golpeó a Sven en la cara con la empuñadura. Las empuñaduras de nuestras espadas son pesadas, a veces están decoradas con piedras preciosas, pero por bellas que parezcan, son brutales pedazos de metal, y la de *Rompecorazones,* envuelta en plata, le hundió a Sven el ojo derecho. Se lo convirtió en gelatina, lo cegó al instante, y Ragnar le escupió y después volvió a envainarla en su funda forrada de lana.

Sven quedó postrado, echo un ovillo, sollozaba y se cubría el ojo perdido con las manos.

–Ya está –le dijo Ragnar a Kjartan.

Kjartan vaciló. Estaba furioso, avergonzado y descontento, pero no podía vencer en una prueba de fuerza contra el *jarl* Ragnar así que, al final, asintió.

–Ya está –coincidió.

–Y tú ya no me sirves –repuso Ragnar con frialdad.

Regresamos a casa.

* * *

Llegó el crudo invierno, los arroyos se congelaron, la nieve se amontonaba y cubría el lecho de los riachuelos, y el mundo era frío, silencioso y blanco. Los lobos llegaron al límite de los bosques y el sol de mediodía se volvió pálido, como si el viento del norte le quitara una parte importante de su fuerza.

Ragnar me recompensó con un brazalete de plata, el primero que recibí, mientras que Kjartan fue expulsado con su familia. Ya no capitanearía ninguna de las naves de Ragnar ni recibiría su generosidad, pues ahora era un hombre sin señor y se dirigió a Eoferwic, donde se unió a la guarnición que custodiaba la ciudad. No era un trabajo prestigioso, cualquier danés con ambición prefería servir a un señor como Ragnar que lo hiciera rico, mientras que a los hombres que guardaban Eoferwic se les negaba el beneficio del saqueo. Su tarea consistía en observar las llanuras fuera de la ciudad y asegurarse de que el rey Egberto no causara problemas, pero yo me sentí aliviado por la marcha de Sven y absurdamente complacido con mi brazalete. A los daneses les encantaban los brazaletes. Cuantos más poseía un hombre, más se le consideraba, pues los brazaletes provenían del éxito. Ragnar tenía brazaletes de plata y de oro, brazaletes labrados con forma de dragón y brazaletes con brillantes piedras engastadas. Cuando se movía, se oía el tintineo. Las pulseras podían usarse como dinero si no había monedas. Recuerdo haber visto a un danés sacarse una pulsera del brazo y romperla en pedazos con un hacha, después ofrecer a un mercader los pedazos hasta que la balanza indicaba que había pagado suficiente plata. Eso fue en el valle más extenso, en un pueblo grande en el que la mayoría de los hombres jóvenes de Ragnar se había instalado y donde los comerciantes llevaban mercancías desde Eoferwic. Los daneses que llegaban se instalaban en un pequeño asentamiento inglés en el valle, pero necesitaban más espacio para nuevas casas y, para obtenerlo, habían quemado un bosquecillo de castaños. Así fue como llamó Ragnar a ese lugar Synningthwait, que significaba «el lugar despejado por el fuego». Sin duda, la población tenía un nombre inglés, pero ya era cosa del pasado.

–Ahora hemos venido a Inglaterra para quedarnos –me contó Ragnar mientras volvíamos un día a casa después de haber comprado provisiones en Synningthwait. La carretera era una pista de nieve aplastada y nuestros caballos caminaban con cuidado por entre los montones blancos, a través de los cuales asomaban las ramitas negras de los setos. Yo dirigía los dos caballos de carga, hasta los topes de preciosos sacos de sal, y le formulaba a Ragnar mis típicas preguntas; adónde iban las golondrinas en invierno, por qué los elfos provocaban el hipo, y por qué Ivar se llamaba Saco de Huesos–. Porque es muy delgado –contestó Ragnar–, tanto que parece que se puede doblar como una capa.

–¿Por qué Ubba no tiene apodo?

–Sí lo tiene. Le llaman Ubba el Horrible. –Estalló en carcajadas, porque se lo acababa de inventar, y yo me reí porque estaba contento. A Ragnar le gustaba mi compañía y, por mi pelo largo y rubio, los hombres me confundían con su hijo, y a mí eso me gustaba. Rorik tendría que haber venido con nosotros, pero aquel día estaba enfermo, y las mujeres arrancaban hierbas y entonaban ensalmos–. Está enfermo muchas veces –comentó Ragnar–, no como Ragnar. –Se refería a su hijo mayor, que ayudaba a mantener las tierras de Ivar en Irlanda–. Ragnar está hecho un toro –prosiguió–. ¡Nunca se pone enfermo! Es como tú, Uhtred. –Sonrió mientras pensaba en su hijo mayor, al que echaba de menos–. Conseguirá tierras y prosperará. Pero ¿y Rorik? Puede que tenga que dejarle esta tierra. No puede volver a Dinamarca.

–¿Por qué no?

–Dinamarca es mala tierra –me explicó Ragnar–. O es plana y arenosa y no se pueden ni criar pedos, o al otro lado del agua las colinas son tan empinadas y con tan pocos prados que trabajas como un perro y te mueres de hambre.

–¿Al otro lado del agua? –pregunté, y él me explicó que procedía de un país dividido en dos partes, y las dos estaban rodeadas de incontables islas. La parte situada más cerca, de donde él provenía, era muy llana y arenosa, y la otra, que estaba al este al otro lado de una gran extensión de agua, era donde había montañas.

–Y también hay esviones allí –prosiguió.

–¿Esviones?

–Una tribu. Como nosotros. Adoran a Thor y a Odín, pero hablan otra lengua. –Se encogió de hombros–. Nos llevamos bien con los esviones, y con los noruegos. –Los esviones, los noruegos y los daneses eran los hombres del norte, aquellos que se embarcaban en expediciones vikingas, pero eran los daneses los que habían venido a mi tierra, aunque eso no se lo dije a Ragnar. Había aprendido a esconder mi alma, o puede que estuviera confundido. ¿Era de Northumbria o danés? ¿Qué era? ¿Qué quería ser?

–Supón –pregunté– que el resto de los ingleses no quisieran que nos quedáramos aquí. –Usé el plural deliberadamente.

Él se rió.

–¡Los ingleses pueden querer lo que les apetezca! Pero ya viste lo que ocurrió en Yorvik. –Así era como los daneses pronunciaban Eoferwic. Por algún motivo encontraban aquel nombre difícil, así que la llamaban Yorvik–. ¿Quién fue el inglés que luchó con más valentía en Yorvik? –preguntó Ragnar–. ¡Tú! ¡Un niño! ¡Cargaste contra mí con aquella podadera! Era un cuchillo para destripar, no una espada, ¡y tú intentaste matarme! Casi me muero de la risa. –Se inclinó hacia delante y me dio un cachete afectuoso–. Claro que los ingleses no nos quieren aquí –prosiguió–. ¿Pero qué pueden hacer? El año que viene ocuparemos Mercia, al siguiente Anglia Oriental y por último Wessex.

–Mi padre siempre decía que Wessex era el reino más fuerte –dije. Mi padre jamás dijo nada parecido, de hecho despreciaba a los hombres de Wessex porque los consideraba amanerados y santurrones, pero intentaba provocar a Ragnar.

No lo conseguí.

–Es el reino más rico –comentó–, pero eso no lo convierte en el más fuerte. Son los hombres quienes hacen fuerte a un reino, no el oro. –Me sonrió–. Somos los daneses; no perdemos, ganamos, y Wessex caerá.

–¿Sí?

–Tiene un nuevo y débil rey –comentó con desdén–, y si muere y su hijo no es más que un niño, puede que pongan a su hermano en el trono. Eso nos gustaría.

–¿Por qué?

–Porque el hermano es otro alfeñique. Se llama Alfredo.

Alfredo. Ésa fue la primera vez que oí hablar de Alfredo de Wessex. No le di mayor importancia en aquel momento. ¿Por qué tendría que haberlo hecho?

–Alfredo –prosiguió Ragnar cáustico–. Sólo está interesado en horadar muchachas, ¡cosa que está muy bien! No le digas a Sigrid que yo lo he dicho, pero no hay nada de malo en desenvainar la espada cuando se puede, aunque Alfredo se pasa la mitad del tiempo horadando y la otra mitad rezando a su dios para que le perdone por horadar. ¿Cómo puede a un dios parecerle mal un buen revolcón?

–¿Cómo sabes de Alfredo? –pregunté.

–Espías, Uhtred, espías. En su mayoría comerciantes. Hablan con gente en Wessex, así que lo sabemos todo del rey Etelredo y su hermano Alfredo. Y Alfredo está enfermo como un palomo la mitad del tiempo. –Se detuvo, quizá pensara en su hijo pequeño, que estaba malo–. Es una casa débil –prosiguió–, y los sajones del oeste deberían deshacerse de ellos y poner en el trono a un hombre de verdad, pero no lo van a hacer, así que cuando caiga Wessex ya no habrá Inglaterra.

–A lo mejor encuentran a un rey más fuerte –dije.

–No –repuso Ragnar con firmeza–. En Dinamarca –siguió contando–, nuestros reyes son los hombres más duros, y si sus hijos son blandos, un hombre de otra familia se convierte en rey, pero en Inglaterra creen que el trono pasa a través de las piernas de una mujer. Una criatura tan débil como Alfredo podría convertirse en rey sólo porque su padre lo era.

–¿Tenéis reyes en Dinamarca?

–Una docena. Yo mismo, si me apeteciera, podría hacerme llamar rey, pero a Ivar y a Ubba podría no gustarles, y ningún hombre los ofende a la ligera.

Yo cabalgué en silencio, escuchaba el crujir y chirriar de los cascos de los caballos en la nieve. Pensaba en el sueño de Ragnar, el sueño de que Inglaterra terminaría, de que su tierra sería para los daneses.

–¿Qué sucede conmigo? –solté al final.

–¿Contigo? –Parecía sorprendido de que lo preguntara–. Lo que pase contigo, Uhtred, será lo que tú hagas que pase. Crecerás, aprenderás a usar la espada, aprenderás a aguantar en un muro de escudos, aprenderás a remar, aprenderás a honrar a los dioses, y después usarás lo que has aprendido para convertir tu vida en buena o mala.

–Quiero Bebbanburg –dije.

–Entonces debes hacerte con ella. Puede que te ayude, pero aún no. Antes de eso tenemos que ir al sur, y antes de ir al sur, debemos convencer a Odín de que nos vea con buenos ojos.

Aún no entendía la religión danesa. Se la tomaban mucho menos en serio que nosotros los ingleses, pero las mujeres rezaban bastante a menudo y de vez en cuando un hombre mataba algún buen animal, se lo dedicaba a los dioses, y colgaba encima de su puerta la cabeza ensangrentada para indicar que se celebraría en su casa una fiesta en honor a Thor u Odín, pero la fiesta, aunque era señal de adoración, era igual que todas las demás fiestas de borrachos.

Recuerdo la fiesta de Yule mejor porque fue la semana en que vino Weland. Llegó el día más frío del invierno, cuando la nieve estaba amontonada, y lo hizo a pie con una espada en el costado, un arco en el hombro, y harapos a la espalda, y se arrodilló respetuosamente fuera de la casa de Ragnar. Sigrid lo hizo entrar, lo alimentó y le sirvió cerveza, pero cuando terminó de comer, insistió en volver a la nieve a esperar a Ragnar, que estaba arriba en las colinas, cazando.

Weland era un hombre con aspecto de serpiente, ése fue mi primer pensamiento al verlo. Me recordó a mi tío Ælfric, esbelto, astuto y hermético. Me disgustó a primera vista y sentí un escalofrío de miedo cuando lo vi postrarse en la nieve al regreso de Ragnar.

–Me llamo Weland –dijo–, y voy en busca de un señor.

–No eres joven –repuso Ragnar–. ¿Por qué no tienes ya señor?

–Murió, señor, cuando se hundió su barco.

–¿Quién era?

–Snorri, señor.

–¿Qué Snorri?

–El hijo de Eric, hijo de Grimm, de Birka.

–¿Y tú no te ahogaste? –preguntó Ragnar mientras desmontaba y me entregaba las riendas de su caballo.

–Yo estaba en tierra, señor, enfermo.

–¿Tu familia? ¿Tu hogar?

–Soy hijo de Godfred, señor, de Haithabu.

–¡Haithabu! –comentó Ragnar con acritud–. ¿Un comerciante?

–Yo soy guerrero, señor.

–¿Y por qué te diriges a mí?

Weland se encogió de hombros.

–Los hombres dicen que sois un buen señor, dador de brazaletes, pero si me rechazáis, señor, lo intentaré con otros hombres.

–¿Y sabes usar esa espada, Weland Godfredson?

–Como una mujer sabe usar la lengua, señor.

–¿Así de bien? –preguntó Ragnar, como de costumbre incapaz de resistirse a una chanza. Le dio a Weland permiso para quedarse, y lo envió a Synningthwait para que encontrara alojamiento. Después, cuando le dije que no me gustaba Weland, Ragnar se limitó a encogerse de hombros y decir que el extranjero necesitaba amabilidad. Estábamos sentados en la casa, medio asfixiados por el humo que se enroscaba entre las vigas–. No hay nada peor para un hombre, Uhtred –me dijo Ragnar–, que no tener señor. Que no tener dador de brazaletes –añadió tocándose los suyos propios.

–No confío en él –intervino Sigrid desde el fuego donde estaba haciendo unas tortitas encima de una piedra. Rorik, que se recuperaba de su enfermedad, la ayudaba, mientras Thyra, como siempre, hilaba–. Creo que es un forajido –dijo Sigrid.

–Probablemente –concedió Ragnar–, pero a mi barco no le importa que empujen sus remos forajidos. –Alargó la mano para coger una tortita y Sigrid le dio un manotazo diciendo que los pasteles eran para Yule.

La festividad de Yule era la mayor celebración del año, una semana entera de comida, cerveza e hidromiel, peleas, risas y hombres borrachos vomitando en la nieve. Los hombres de Ragnar se reunieron en Synningthwait y hubo carreras de caballos, competición de lucha libre, de lanzamiento de jabalinas, hachas y piedras, y mi favorita, el remolcador de guerra, en el que dos equipos de hombres o chicos intentaban tirar al contrario al agua fría. Vi a Weland observándome mientras peleaba con un chico mayor que yo. Weland ya ofrecía otro aspecto más próspero. Habían desaparecido los harapos y ahora vestía una capa de pelo de zorro. Me emborraché por primera vez durante aquel Yule, tan rematadamente borracho que las piernas no me sostenían y me quedé tirado gimiendo y con la cabeza palpitándome y Ragnar se partió de risa y me hizo beber más hidromiel hasta que vomité. Ragnar, por supuesto, ganó el concurso de beber, y Ravn recitó un largo poema sobre un antiguo héroe que mató a un monstruo y a la madre del monstruo, que aún era más temible que su hijo, pero estaba demasiado borracho para acordarme de mucho más.

Y tras la fiesta de Yule descubrí algo nuevo sobre los daneses y sus dioses, pues Ragnar había ordenado que se excavara un gran foso en los bosques encima de su casa, y Rorik y yo colaboramos para hacer el agujero en un claro. Talamos raíces de árboles, extrajimos la tierra y Ragnar aún lo quería más profundo. No se quedó satisfecho hasta que cupo él entero y desde dentro no se veía el borde. Una rampa conducía hasta el fondo del foso, junto a la que había un enorme montón de tierra extraída.

A la noche siguiente todos los hombres de Ragnar, pero no sus mujeres, fueron hasta el foso andando. Los chicos portábamos antorchas empapadas en brea que ardían bajo los árboles, arrojaban sombras movedizas que se fundían con la oscuridad de alrededor. Los hombres estaban todos vestidos y armados como si fueran a la guerra.

El ciego Ravn esperaba en el foso, de pie, en el extremo más alejado de la rampa, y cantó un gran poema épico sobre Odín. El poema era larguísimo, las palabras duras y rítmicas como el repicar de un tambor, y describía cómo el gran dios había creado el mundo a partir del cadáver del gigante Ymir, y cómo había lanzado el sol y la luna al cielo, y cómo su lanza, *Gungnir,* era el arma más poderosa de la creación, forjada por enanos en las profundidades del mundo, y el poema prosiguió, y los hombres reunidos alrededor del foso parecían balancearse con el latido de la oda, a veces repetían una frase, y yo confieso que me aburrí casi tanto como cuando Beocca nos daba aquellas palizas en su latín tartajoso, así que miré el bosque a mi alrededor, examiné las sombras, preguntándome qué criaturas se moverían en la oscuridad y pensando en los *sceadugengan.*

Pensaba a menudo en los *sceadugengan,* los caminantes de las sombras. Ealdwulf, el herrero de Bebbanburg, fue el primero en hablarme de ellos. Me había advertido de que no le contara a Beocca las historias, y nunca lo hice, así que Ealdwulf me narró cómo, antes de que Cristo llegara a Inglaterra, cuando los ingleses veneraban a Woden y los otros dioses, se sabía bien que había caminantes de las sombras que se movían en silencio y semiocultos por la tierra, misteriosas criaturas que podían cambiar de forma. Un instante eran lobos, y al siguiente hombres, o águilas, y no estaban ni vivos ni muertos, sino que eran criaturas del mundo de las sombras, bestias nocturnas, y miré los oscuros árboles y deseé que hubiera allí *sceadugengan*, algo que fuera mi secreto, algo que asustara a los daneses, algo que me devolviera Bebbanburg, algo tan poderoso como la magia que había dado la victoria a los daneses.

Evidentemente, era el sueño de un niño. Cuando se es joven e impotente se sueña con poseer una fuerza mística, y cuando se crece y se convierte uno en poderoso, se condena a hombres menores al mismo sueño, pero de niño yo quería el poder de los *sceadugengan*. Recuerdo mi emoción aquella noche ante la idea de dominar el poder de los caminantes de las sombras antes de que un gemido devolviera mi atención al foso y viera que los hombres en la rampa se habían dividido, y que llegaba una extraña procesión de la oscuridad. Había un semental, un carnero, un perro, un ganso, un toro y un verraco, cada uno de ellos conducido por uno de los guerreros de Ragnar, y en la cola había un prisionero inglés, un hombre condenado por cambiar de sitio la señal que dividía dos campos, y él, como las bestias, llevaba una cuerda alrededor del cuello.

Conocía el semental. Era el mejor de Ragnar, un enorme caballo negro llamado *Pisallamas,* un caballo que Ragnar adoraba. Con todo, *Pisallamas,* como el resto de los animales, iba a ser entregado aquella noche a Odín. Lo hizo Ragnar. Desnudo de cintura para arriba, mostrando su amplio y marcado pecho a la luz de las antorchas, utilizó un hacha de guerra para matar a los bichos uno a uno, y *Pisallamas* fue el último animal en morir. Los ojos del enorme caballo estaban en blanco cuando lo obligaron a bajar por la rampa. Se resistió, aterrorizado por el hedor a sangre que había salpicado las paredes del foso, y Ragnar se acercó al caballo y en su rostro había lágrimas cuando besó el hocico de *Pisallamas*. Después lo mató, un golpe entre los ojos, directo y certero, de modo que el caballo se desplomó, dando coces pero muerto al instante. El hombre murió el último, y su muerte no fue tan angustiosa como la del caballo. Entonces Ragnar se puso en pie sobre la carnicería de sangre y pelo y alzó su cruenta hacha al cielo.

–¡Odín! –gritó.

–¡Odín! –repitieron todos los hombres y apuntaron sus espadas, lanzas o hachas hacia el foso humeante–. ¡Odín! –volvieron a gritar, y vi a la serpiente Weland mirarme desde el otro lado del agujero de la matanza iluminado por el fuego.

Todos los cadáveres fueron sacados del foso y colgados de las ramas de los árboles. Su sangre había sido entregada a las criaturas bajo la tierra y ahora su carne era ofrecida a los dioses de arriba, y después, rellenamos el foso, bailamos encima para apisonar la tierra, y las jarras de cerveza y los odres de hidromiel corrieron entre nosotros y bebimos bajo los cadáveres colgados. Odín, el dios terrible, había sido invocado porque Ragnar y su gente se preparaban para la guerra.

Pensé en las hojas extendidas sobre el foso de sangre, pensé en el dios desperezándose en su salón de los cadáveres para enviar una bendición a aquellos hombres, y supe que toda Inglaterra caería a menos que encontrara una magia tan poderosa como la de aquellos hombres fuertes. Sólo tenía diez años, pero aquella noche supe en qué me convertiría.

Me uniría a los *sceadugengan*, sería un caminante de las sombras.

CAPÍTULO II

Primavera, año 868, tenía once años y la *Víbora del viento* estaba a flote.

A flote, pero no en el mar. La *Víbora del viento* era el barco de Ragnar, una embarcación preciosa con el casco de roble, la cabeza de una serpiente en la proa, una cabeza de águila en la popa y una veleta triangular de bronce en la que habían pintado un cuervo negro. La veleta estaba montada en el mástil, aunque entonces el palo mayor iba tumbado encima de dos apoyos de madera de forma tal que parecía una viga en el centro del largo barco. Los hombres de Ragnar remaban y sus escudos pintados estaban alineados a los costados de la embarcación. Cantaban mientras remaban, haciendo retumbar el relato de cómo el poderoso Thor salió a pescar a la serpiente de Midgard que yace enroscada en las raíces del mundo, y cómo la serpiente mordió el anzuelo al que clavó la cabeza de un buey, y cómo el gigante Hymir, aterrorizado por la enorme serpiente, cortó el sedal. Es una buena historia y sus ritmos nos llevaron hasta el río Trente, un afluente del Humber que fluye hasta el interior de Mercia. Nos dirigíamos al sur, contra corriente, pero el trayecto fue sencillo, el viaje plácido, el sol cálido y las márgenes del río desbordaban de flores. Algunos hombres iban a caballo, mantenían nuestro paso por la orilla este; detrás de nosotros venía una flota de barcos con bestias en las proas. Aquél era el ejército de Ivar Saco de Huesos y Ubba el Horrible, la hueste de hombres del norte, daneses forjados, que se dirigía a la guerra.

Toda la Northumbria oriental les pertenecía, la Northumbria occidental había aceptado el vasallaje a regañadientes, y ahora planeaban tomar Mercia, que era el reino en el corazón de Inglaterra. El territorio mercio se extendía hacia el sur hasta el río Temes, donde empezaban las tierras de Wessex, hacia el oeste hasta el montañoso país donde vivían las tribus galesas, y hacia el este hasta las granjas y pantanos de Anglia Oriental. Mercia, aunque no tan boyante como Wessex, era mucho más rica que Northumbria y el río Trente discurría hasta el corazón del reino, y la *Víbora del viento* era la punta de la lanza danesa destinada a su corazón.

El río no era muy profundo, pero Ragnar se jactaba de que la *Víbora del viento* podía flotar en un charco, y casi era verdad. Desde lejos parecía largo, esbelto y con forma de cuchillo, pero cuando subías a bordo reparabas en que las cuadernas salían hacia fuera de forma tal que descansaba sobre el agua como un cuenco ancho, e incluso con el vientre cargado con cuarenta o cincuenta hombres, su armas, escudos, comida y cerveza, necesitaba poca profundidad. De vez en cuando la larga quilla rascaba el fondo, pero si nos manteníamos en la orilla de los meandros que formaba el río teníamos agua suficiente. Ése era el motivo por el que habían bajado el mástil, para que, cuando tomáramos las curvas por fuera, no se enredara con las ramas de los árboles.

Rorik y yo íbamos sentados en la proa con su abuelo, Ravn, y nuestro trabajo consistía en relatarle al anciano todo lo que veíamos, que era bastante poco aparte de flores, árboles, juncos, aves acuáticas y señales de truchas que subían a la superficie a alimentarse de bichos primaverales. Las golondrinas habían vuelto de su retiro invernal, sobrevolaban el río mientras los martines pescadores picoteaban en las orillas recogiendo barro para sus nidos. Las currucas armaban escándalo, las palomas sacudían las hojas nuevas y los halcones planeaban majestuosos y amenazantes por entre las nubes dispersas. Los cisnes nos observaban pasar y de vez en cuando veíamos cachorros de nutria jugando bajo los sauces de hojas pálidas y el remolino de agua que provocaban al huir cuando nos acercábamos. Otras, pasábamos junto a alguna población fluvial de madera y paja, pero las gentes y el ganado ya habían huido.

–Mercia nos tiene miedo –dijo Ravn. Alzó sus ojos blancos y ciegos al cielo–, y tienen motivos para temernos. Somos guerreros.

–También ellos tienen guerreros –dije.

Ravn se rió.

–Creo que sólo uno de cada tres hombres es guerrero, y a veces ni eso, pero en nuestro ejército, Uhtred, todos saben luchar. Si no quieres ser guerrero te quedas en casa, en Dinamarca. Cultivas la tierra, crías ovejas, pescas en el mar, pero no te enrolas en un barco dispuesto a pelear. Pero ¿y aquí en Inglaterra? Obligan a pelear a todos los hombres, pero sólo uno de cada tres o uno de cada cuatro tiene agallas para hacerlo. El resto son granjeros que sólo quieren huir. Somos lobos peleando contra ovejas.

Observa y aprende, me había dicho mi padre, y yo aprendía. ¿Qué otra cosa puede hacer un chico al que aún no le ha cambiado la voz? Sólo uno de cada tres hombres es guerrero, recuerda a los caminantes de las sombras, cuidado con los tajos que llegan por debajo del escudo, un río puede ser la carretera de un ejército hacia el corazón del reino, observa y aprende.

–Y tienen un rey débil –prosiguió Ravn–. Burghred, se llama, y no tiene agallas para pelear. Luchará, por supuesto, porque le obligaremos a ello, y llamará a sus amigos de Wessex para que acudan en su ayuda, pero en su débil corazón sabe que no puede ganar.

–¿Cómo lo sabes? –preguntó Rorik.

Ravn sonrió.

–Chico, nuestros comerciantes han pasado en Mercia todo el invierno. Vendiendo pieles, ámbar, comprando hierro, malta, y hablan y escuchan y después vuelven y nos lo cuentan.

«Matar a los comerciantes», pensé.

¿Por qué pensaba así? Me gustaba Ragnar. Me gustaba mucho más de lo que me había gustado mi padre. Yo tendría que estar muerto, por derecho, y aun así Ragnar me había salvado, me mimaba y me trataba como a un hijo, me llamaba danés, y me gustaban los daneses. Con todo, incluso entonces sabía que no era danés. Era Uhtred de Bebbanburg y me aferraba al recuerdo de la fortaleza junto al mar, de las aves gritando por encima de las olas, de los frailecillos batiendo las alas contra las currucas, de las focas en las rocas, del agua blanca rompiendo contra los acantilados. Recordaba a la gente de aquella tierra, los hombres que habían llamado a mi padre «señor» pero hablaban con él de los primos que tenían en común. Los chismes de los vecinos, la comodidad de conocer a todas las familias a medio día a caballo, y eso era, y sigue siendo, Bebbanburg para mí: mi hogar. Ragnar me habría entregado la fortaleza de poder ser tomada, pero entonces pertenecería a los daneses y yo no sería más que su subordinado, *ealdorman* a su conveniencia, no mejor que el rey Egberto, que no era un rey sino un perro mimado con la correa corta, y lo que los daneses dan, los daneses lo pueden quitar. Yo mantendría Bebbanburg con mi propio esfuerzo.

¿Sabía todo aquello a los once años? Algo sí, creo. Residía en mi corazón, informe, inarticulado, pero duro como una piedra. Con el tiempo acabaría cubierto, medio olvidado y a menudo cargado de contradicciones, pero siempre estuvo allí. El destino lo es todo, le gustaba decirme a Ravn, el destino lo es todo. Incluso me lo decía en sajón, *wyrd bið ful aræd.*

–¿En qué estás pensando? –me preguntó Rorik.

–En que estaría muy bien darse un baño –repuse.

Los remos batían y la *Víbora del viento* se deslizaba por Mercia.

* * *

Al día siguiente nos esperaba una pequeña fuerza en el camino. Los mercios habían bloqueado el río valiéndose de unos árboles caídos que no acababan de impedir el paso, pero que desde luego se lo pondrían difícil a nuestros remeros para avanzar a través del pequeño hueco entre las ramas enredadas. Había alrededor de un centenar de mercios con una veintena de arqueros y lanceros esperando junto al bloqueo, listos para liquidar a nuestros remeros, mientras el resto de los hombres había formado detrás de un muro de escudos en la orilla este. Ragnar se rió al verlos. Eso fue otra cosa que aprendí, la alegría con la que los daneses se enfrentaban a la batalla. Ragnar estaba aullando de contento cuando se inclinó sobre el timón para dirigir el barco a la orilla, y las embarcaciones de detrás también estaban siendo varadas mientras los jinetes que nos seguían desmontaban para la batalla.

Yo observaba atentamente desde la proa de la *Víbora del viento* mientras las tripulaciones se apresuraban a bajar a tierra y vestían sus cueros y mallas. ¿Qué veían aquellos mercios? Veían jóvenes de pelo salvaje, barbas feroces y rostros hambrientos. Hombres que se abrazaban a la batalla como a un amante. Si los daneses no podían luchar contra un enemigo, peleaban entre ellos. La mayoría no tenía más que un orgullo monstruoso, cicatrices de guerra y armas bien afiladas, y con aquello se apoderaban de todo cuanto deseaban, y aquel muro de escudos mercio ni siquiera se quedó para presentar batalla; en cuanto vieron que los superaban en número salieron huyendo para alborozo y chanza de los hombres de Ragnar, que entonces se quitaron las protecciones, la emprendieron a hachazos con los árboles caídos y los apartaron con los cabos de la *Víbora del viento.* Costó unas cuantas horas limpiar el río, pero después seguimos nuestro curso. Aquella noche los barcos se apiñaron en la orilla, encendimos hogueras, apostaron centinelas y todos los guerreros dormidos lo hicieron junto a sus armas, pero nadie nos molestó, así que al alba proseguimos y pronto llegamos a una ciudad con muros de tierra y una alta empalizada. Aquél, supuso Ragnar, era el lugar que los mercios no habían conseguido defender, pero no parecía haber señales de soldados guardando la muralla, así que amarró el barco y condujo a su tripulación hacia la ciudad.

El terraplén y la empalizada de madera estaban ambos en buen estado, y a Ragnar le fascinó que la guarnición de la ciudad hubiera preferido enfrentarse a nosotros río abajo en lugar de quedarse tras sus bien atendidas defensas. Quedó bien claro que los soldados mercios habían huido, probablemente al sur, pues las puertas estaban abiertas y una docena de habitantes de la ciudad estaban arrodillados fuera del arco de madera y tendían manos suplicantes para pedir piedad. Tres de aquellos aterrorizados hombres eran monjes, visibles sus coronillas tonsuradas al inclinar la cabeza.

–Odio a los monjes –dijo Ragnar con alegría. Llevaba su espada, *Rompecorazones,* en la mano y la hizo silbar al cortar el aire con un molinete.

–¿Por qué? –le pregunté.

–Los monjes son como hormigas –respondió–, siempre culebreando por todas partes, vestidos de negro y sin hacer nada útil. Los odio. Habla tú por mí, Uhtred. Pregúntales qué sitio es éste.

Pregunté y fui informado de que la ciudad se llamaba Gegnesburh.

–Diles –me indicó Ragnar– que mi nombre es *jarl* Ragnar, me llaman el Temerario y me como a los niños cuando no me dan comida y plata.

Lo transmití con precisión. Los hombres arrodillados levantaron la cabeza hacia Ragnar, que se había soltado el pelo, cosa que siempre era señal, si lo hubieran sabido, de que estaba de un humor excelente para la masacre. Sus hombres, sonrientes, habían formado una fila tras él, una fila bien cargada de hachas, espadas, lanzas, escudos y martillos de guerra.

Traduje la respuesta de un hombre de barba gris.

–La comida que hay es vuestra. Pero dice que no hay demasiada.

Ragnar sonrió, dio un paso al frente y, con la sonrisa todavía en los labios, le dio un tajo al hombre que casi le corta la cabeza. Yo di un salto atrás, no asustado, pero no quería que se me manchara la túnica de sangre.

–Una boca menos que alimentar –comentó Ragnar con alegría–. Ahora pregúntales a los otros cuánta comida hay.

El hombre de la barba gris la tenía ahora roja, y se asfixiaba y retorcía mientras fenecía. Sus esfuerzos se apagaron lentamente y allí se quedó, moribundo, con una mirada reprobadora puesta en mí. Ninguno de sus compañeros intentó ayudarlo, estaban demasiado aterrorizados.

–¿Cuánta comida tenéis? –pregunté.

–Hay comida, señor –repuso uno de los monjes.

–¿Cuánta? –volví a preguntar.

–Suficiente.

–Dice que hay suficiente –le dije a Ragnar.

–Una espada –contestó él– es una excelente herramienta para descubrir la verdad. ¿Qué tal la iglesia del monje? ¿Cuánta plata tiene? –El monje balbuceó que podíamos mirar nosotros mismos, que nos lleváramos todo lo que encontráramos, que era todo nuestro, todo lo que encontráramos era nuestro, todo nuestro. Traduje estas declaraciones presa del pánico y Ragnar volvió a sonreír–. No está diciendo la verdad, ¿a que no?

–¿No? –inquirí yo.

–Quiere que busque porque sabe que no voy a encontrar, y eso significa que han escondido su tesoro o se lo han llevado. Pregúntale si han escondido la plata.

Lo hice y el monje se puso colorado.

–Somos una iglesia pobre –respondió–, con poco tesoro. –Se me quedó mirando con los ojos como platos mientras traducía e intentó ponerse en pie y salir corriendo cuando Ragnar dio un paso adelante, pero tropezó con su hábito y *Rompecorazones* le atravesó la columna de modo que empezó a sacudirse como un pez fuera del agua mientras expiraba.

Claro que había plata, y estaba enterrada. Nos lo contó otro de los monjes, y Ragnar suspiró mientras limpiaba su espada en la túnica del monje muerto.

–Es que son tontos –dijo lastimeramente–. Estarían vivos si hubiesen respondido la verdad desde el principio.

–Pero, ¿y si no hubiera habido ningún tesoro? –le pregunté.

–Habrían dicho la verdad y muerto lo mismo –repuso Ragnar, y le hizo gracia–. Pero, ¿para qué sirven los monjes si no es para acumular tesoros para nosotros los daneses? Son hormigas que atesoran plata. Si encuentras el hormiguero y excavas, eres hombre rico. –Pasó por encima de sus víctimas. Al principio me conmocionó la facilidad con la que era capaz de matar a un hombre indefenso, pero Ragnar no sentía ningún respeto por la gente que se humillaba y mentía. Apreciaba al enemigo que presentaba batalla, que demostraba espíritu, pero los ladinos débiles como los que mató en la puerta de Gegnesburh no merecían siquiera su desprecio, no eran mejor que animales.

Vaciamos Gegnesburh de comida, hicimos que los monjes desenterraran su tesoro. No era demasiado: dos cálices de plata, tres bandejas de plata, un crucifijo de bronce con un Cristo de plata, una talla en hueso de unos ángeles subiendo una escalera y una bolsa de peniques de plata. Ragnar repartió las monedas entre sus hombres, después hizo pedazos las bandejas y los cálices a golpes de hacha y repartió los trozos. La talla no le servía para nada, así que la rompió con la espada.

–Qué religión más rara –dijo–. ¿Sólo adoran un dios?

–Un dios –respondí–, pero está dividido en tres.

Eso le gustó.

–Qué truco más bueno –comentó–, pero no es útil. Ese dios triple tiene una madre, ¿no?

–María –respondí, lo seguía mientras exploraba el monasterio en busca de más botín.

–Me pregunto si tuvo el niño en tres pedazos –prosiguió–. ¿Y cómo se llama ese dios?

–No lo sé. –Sabía que tenía un nombre porque Beocca me lo había dicho, pero no lo recordaba–. Los tres juntos forman la trinidad –amplié–, pero eso no es el nombre de Dios. Por lo común lo llaman sólo Dios.

–Como llamar a un perro por el nombre perro –declaró Ragnar, y estalló en carcajadas–. ¿Y quién es Jesús?

–Uno de los tres.

–Es el que murió, ¿no? ¿Y no volvió a la vida?

–Sí –respondí temeroso de repente por si el dios cristiano me estaba observando, preparando un castigo terrible por mis pecados.

–Los dioses pueden hacer esas cosas –comentó Ragnar con ligereza–. Mueren, vuelven a la vida. Son dioses. –Me miró, presintió mi miedo y me revolvió el pelo–. No te preocupes, Uhtred, el dios cristiano aquí no tiene poder.

–¿No tiene?

–¡Claro que no! –Estaba inspeccionando un cobertizo en la parte de atrás del monasterio y encontró una hoz decente que se colgó del cinturón–. ¡Los dioses luchan unos con otros! Todo el mundo lo sabe. ¡Fíjate en nuestros dioses! Los aesir y los vanir lucharon como gatos antes de hacer las paces. –Los aesir y los vanir eran las dos familias de dioses daneses que ahora compartían el Asgard, aunque hubo un tiempo en que fueron enemigos encarnizados–. Los dioses luchan –prosiguió Ragnar de todo corazón–. Algunos ganan, otros pierden. El dios cristiano está perdiendo, si no, ¿cómo podríamos estar aquí? ¿Por qué estaríamos ganando nosotros? Los dioses nos recompensan si los respetamos, pero el dios cristiano no ayuda a su gente, ¿verdad? Le lloran ríos de lágrimas, le rezan, le entregan su plata, ¡y nosotros venimos y acabamos con ellos! Su dios es patético. Si tuviera algún poder real, no estaríamos aquí, ¿no te parece?

A mí me pareció de una lógica impecable. ¿Qué sentido tenía adorar a un dios si no te ayudaba? Y era un hecho incontestable que los adoradores de Odín y Thor estaban ganando, así que acaricié a escondidas el martillo de Thor colgado de mi cuello mientras regresábamos a la *Víbora del viento*. Dejamos Gegnesburh arrasada, a sus gentes llorando y sus almacenes vacíos, y seguimos remando río abajo con el vientre de nuestra embarcación lleno de cereales, pan, carne salada y pescado ahumado. Tarde, mucho más tarde, supe que Ælswith, la esposa del rey Alfredo, procedía de Gegnesburh. Su padre, el hombre que no consiguió enfrentarse a nosotros, era uno de los *ealdormen* de la ciudad, ella creció allí y siempre lamentó que, después de marcharse, los daneses saquearan el lugar. Dios, afirmaba siempre, se vengaría de los paganos que habían asolado su ciudad natal, y me pareció sensato no comunicarle que yo me contaba entre los saqueadores.

Terminamos el viaje en una ciudad llamada Snotengaham, que significa el hogar de las gentes de Snot, y era un sitio mucho más grande que Gegnesburh, pero su guarnición había huido y los que quedaron recibieron a los daneses con pilas de madera y montones de plata. Hubo tiempo para que un jinete alcanzara Snotengaham con las noticias de los muertos de Gegnesburh, y a los daneses siempre les complacía que dichos mensajeros esparcieran el miedo de su llegada, así que la ciudad más grande, con sus murallas, cayó sin presentar batalla.

Se ordenó a algunas tripulaciones de los barcos que ocuparan las murallas, mientras otras se dedicaban a las incursiones en los alrededores. Lo primero que buscaron fueron más caballos, y cuando las bandas de guerra consiguieron montura, abarcaron más territorio, robando, quemando y desgarrando la tierra.

–Nos quedaremos aquí –me dijo Ragnar.

–¿Todo el verano?

–Hasta que termine el mundo, Uhtred. Esto ahora son tierras danesas.

Al final del invierno Ivar y Ubba enviaron tres barcos de vuelta a Dinamarca para animar a más colonos, y esos nuevos barcos empezaron a llegar de uno en uno y de dos en dos, traían hombres, mujeres y niños. Los recién llegados podían tomar las casas que quisieran, excepto aquellas pocas que pertenecían a los jefes mercios que se habían postrado ante Ivar y Ubba. Uno de ellos era el obispo, un joven llamado Æthelbrid, que predicaba a sus congregaciones que Dios había enviado a los daneses. Jamás dijo por qué Dios había hecho tal cosa, y puede que no lo supiera, pero los sermones significaban que su esposa e hijos vivían, su casa estaba segura y a su iglesia se le permitía conservar un cáliz de plata, aunque Ivar insistió en que los hijos gemelos del obispo fueran retenidos como rehenes por si acaso el dios cristiano cambiaba de idea con relación a los daneses.

Ragnar, como todos los demás cabecillas daneses, salía constantemente de expedición para traer comida, y le gustaba que fuera con él, porque le servía de intérprete, y a medida que fueron pasando los días, oímos más y más historias de un enorme ejército mercio que se reunía al sur, en Ledecestre, de la cual Ragnar decía que era la mayor fortaleza de Mercia. Había sido construida por los romanos, que edificaban mejor de lo que nadie lo hace en nuestros tiempos, y Burghred, el rey de Mercia, estaba reuniendo allí sus fuerzas, así que ése era el motivo por el cual Ragnar se aplicaba tanto en reunir alimentos.

–Nos van a sitiar –dijo–, pero ganaremos; después Ledecestre será nuestra, y también lo será Mercia. –Hablaba con mucha calma, como si no existiese posibilidad alguna de derrota.

Rorik se quedaba en la ciudad mientras yo salía a cabalgar con su padre. De nuevo estaba enfermo, y esta vez lo aquejaban unos calambres tan fuertes en la tripa que a veces las lágrimas de impotencia podían con él. Por la noche vomitaba, estaba pálido, y sólo obtenía alivio de una poción de hierbas que le hervía una vieja sirvienta del obispo. Ragnar se preocupaba por Rorik, pero le complacía que su hijo y yo fuésemos tan buenos amigos. Rorik no cuestionaba el aprecio de su padre por mí, ni tenía celos. Con el tiempo, lo sabía, Ragnar planeaba devolverme a Bebbanburg, a mí se me restituiría mi patrimonio y él suponía que seguiríamos siendo amigos y que la fortaleza se convertiría en un señorío danés. Yo sería el *jarl* Uhtred, y Rorik y su hermano mayor tendrían otros señoríos. Y Ragnar sería un gran señor, apoyado por sus hijos y por Bebbanburg, y todos seríamos daneses, Odín nos sonreiría y así seguiría el mundo hasta la conflagración final, cuando los grandes dioses se enfrentaran a los monstruos, el ejército de los muertos marchara desde el Valhalla, el submundo liberara a sus bestias y el fuego consumiera el gran árbol de la vida Yggdrasil. En otras palabras, todo seguiría igual hasta el fin de los tiempos. Eso era lo que Rorik pensaba, y sin duda Ragnar pensaba lo mismo. El destino, decía Ravn, lo es todo.

Durante la canícula llegaron noticias de que el ejército mercio se había puesto en marcha, y de que el rey Etelredo de Wessex traía su ejército para apoyar a Burghred, así que nos íbamos a enfrentar a dos de los tres reinos ingleses restantes. Detuvimos nuestros asaltos a los territorios colindantes y preparamos Snotengaham para el inevitable asedio. Se reforzó la empalizada sobre el terraplén y se aumentó la profundidad del foso exterior al muro. Se amarraron los barcos en la orilla del río alejada de las murallas para que no fueran reducidos a cenizas por flechas incendiarias disparadas desde fuera de las defensas, y se arrancó la paja del techo de las casas más cercanas a la muralla para que no prendieran.

Ivar y Ubba decidieron soportar un sitio porque consideraban que éramos lo bastante fuertes para mantener lo que habíamos tomado, pero que si ganábamos más territorio, las fuerzas danesas se debilitarían y seríamos derrotados pedazo a pedazo. Era mejor, pensaban, dejar que el enemigo viniera y se estrellara contra las defensas de Snotengaham.

Y aquel enemigo llegó como florecen las amapolas. Los exploradores mercios fueron los primeros, pequeños grupos de jinetes que rodeaban la ciudad con cautela, y a mediodía apareció la infantería de Burghred, banda tras banda de hombres con lanzas, hachas, espadas, hoces y guadañas. Acamparon bien lejos de las murallas, utilizaron ramas y tierra para construir una aldea de toscos refugios que surgían de entre las bajas colinas y los prados. Snotengaham quedaba en la orilla norte del Trente, lo que significaba que el río se interponía entre la ciudad y el resto de Mercia, pero el ejército enemigo llegó del oeste, había cruzado el Trente en algún punto al sur de la ciudad. Algunos de sus hombres se quedaron en la orilla sur para asegurarse de que nuestros barcos no cruzaban el río para desembarcar refuerzos en expediciones de abastecimiento, y la presencia de aquellos contingentes significaba que el enemigo nos rodeaba, pero no hizo ningún intento por atacarnos. Los mercios esperaban la llegada de los sajones del oeste, y aquella primera semana sólo registró un episodio emocionante, cuando un puñado de los arqueros de Burghred se acercaron ocultos hasta la ciudad y nos lanzaron algunas flechas. Los proyectiles se clavaron contra la empalizada y sirvieron de apoyo para los pájaros, pero ésa fue toda su beligerancia. Después de aquello fortificaron su campamento, que rodearon con una barricada de árboles talados y arbustos de espinos.

–Tienen miedo de que salgamos y nos los carguemos a todos –dijo Ragnar–, así que se van a quedar ahí fuera sentados a ver si nos matan de hambre.

–¿Lo conseguirán?

–No conseguirían matar de hambre a un ratón en un tarro –contestó Ragnar con alegría. Había colgado su escudo en la cara externa de la empalizada, uno de los más de mil doscientos escudos brillantes allí expuestos. No teníamos mil doscientos hombres, pero casi todos los daneses poseían más de un escudo y los colgaron todos en la muralla para que el enemigo pensara que nuestra guarnición era igual al número de escudos. Los grandes señores entre los daneses emplazaron sus estandartes en la muralla; la bandera del cuervo de Ubba y el ala de águila de Ragnar entre ellas. El estandarte del cuervo era un triángulo de paño blanco, ribeteado con borlas del mismo color, el cual mostraba un cuervo negro con las alas extendidas, mientras que el pendón de Ragnar representaba el ala de un águila real, clavada a un asta, y estaba quedándose tan ajada que Ragnar había ofrecido un brazalete de oro a quien pudiera reemplazarla–. Si quieren sacarnos de aquí –prosiguió–, mejor que nos ataquen, y mejor que lo hagan en las próximas tres semanas, antes de que sus hombres vuelvan a casa para recoger la cosecha.

Pero los mercios, en lugar de atacarnos, intentaron sacarnos de Snotengaham mediante rezos. Una docena de curas, todos vestidos con hábitos y portando varas coronadas con cruces, seguidos por una veintena de monjes que esgrimían estandartes sagrados en astas con forma de cruz, salieron de detrás de las barricadas y desfilaron lejos del alcance de los arcos. Las banderas mostraban santos. Uno de los curas esparcía agua bendita, y el grupo al completo se detenía cada tantos metros para maldecirnos. Ése fue el día que las fuerzas de los sajones del oeste llegaron para apoyar a Burghred, cuya esposa era hermana de Alfredo y del rey Etelredo de Wessex, y ése fue el primer día que yo vi el estandarte del dragón de Wessex. Era una enorme bandera de pesado paño verde en la que un dragón escupía fuego, y el portaestandarte galopó para llegar hasta donde estaban los curas, y el dragón flameaba detrás.

–Ya te llegará el momento –dijo Ragnar en voz baja, hablando con el dragón ondulante.

–¿Cuándo?

–Sólo los dioses lo saben –repuso Ragnar, contemplando aún el estandarte–. Este año deberíamos acabar con Mercia, después iremos a Anglia Oriental, y después de eso a Wessex. Para conquistar toda la tierra y el tesoro de Inglaterra, ¿cuánto, Uhtred, tres, cuatro años? Aunque necesitaremos más barcos. –Quería decir que necesitábamos más tripulaciones, más daneses de escudo, más espadas.

–¿Por qué no al norte? –le pregunté.

–¿A Dalriada y la tierra de los pictos? –se rió–. Allí arriba no hay nada, Uhtred, excepto rocas desnudas, campos yermos y culos al aire. Aquella tierra no es mejor que la de casa. –Hizo un gesto con la cabeza hacia el campamento enemigo–. Pero ésta es buena tierra. Rica y profunda. Aquí se pueden criar niños. Aquí se puede crecer fuerte. –Se quedó callado cuando un grupo de jinetes apareció desde el campamento enemigo y siguió al que portaba el estandarte del dragón. Incluso desde tan lejos era posible ver que aquellos eran grandes hombres, pues montaban caballos excelentes y bajo sus capas de color rojo oscuro emitía destellos la cota de malla–. ¿El rey de Wessex? –preguntó Ragnar.

–¿Etelredo?

–Probablemente sea él. Lo descubriremos enseguida.

–¿Descubrir el qué?

–De qué están hechos estos sajones del oeste. Los mercios no se deciden, así que veamos si los hombres de Etelredo son mejores. Al alba, Uhtred, es cuando deberían atacar. Directamente contra nosotros, escalas en la muralla, perderían algunos hombres, pero el resto nos masacrarían. –Estalló en carcajadas–. Eso es lo que yo haría, ¿pero esa panda? –Escupió a modo de burla.

Ivar y Ubba debieron de pensar lo mismo, pues enviaron a dos hombres para espiar a las fuerzas mercias y sajonas y comprobar si había señal de que estuvieran construyendo escalas. Los dos salieron por la noche y se suponía que tenían que rodear el campamento de los sitiadores y encontrar un lugar desde el cual observar al enemigo fuera de las fortificaciones, pero de algún modo consiguieron detectarlos y los capturaron. Los dos hombres fueron llevados frente a la muralla y allí los hicieron arrodillarse con las manos atadas a la espalda. Un inglés alto se colocó detrás de ellos con la espada desenvainada y presta. Vi cómo le daba un golpe en la espalda, el danés levantaba la cabeza y la espada volaba. El segundo danés murió de la misma manera, y los dos cuerpos quedaron a merced de los cuervos.

–Cabrones –dijo Ragnar.

Ivar y Ubba también observaron las ejecuciones. Yo veía pocas veces a los hermanos. Ubba pasaba en su casa la mayor parte del tiempo, mientras que Ivar, tan delgado y espectral, se hacía más evidente, paseaba por las murallas al anochecer y al alba componía expresiones horribles ante el enemigo y decía pocas cosas, aunque ahora hablaba a Ragnar con premura, señalando al sur, hacia los verdes campos al otro lado del río. Nunca parecía hablar sin gruñir, pero a Ragnar no le ofendía.

–Está enfadado –me dijo después– porque necesita saber si planean asaltarnos. Ahora quiere que algunos de mis hombres espíen en el campamento, pero ¿y después de eso qué? –Hizo un gesto hacia los dos cuerpos sin cabeza en el campo–. Mejor que vaya yo.

–Estarán buscando más espías –dije yo, que no quería que Ragnar acabara sin cabeza al pie de las murallas.

–Un cabecilla encabeza –repuso Ragnar–, y no les puedes pedir a los hombres que se arriesguen a morir si tú no estás dispuesto a jugarte la vida.

–Déjame ir a mí –le dije.

Estalló en carcajadas.

–¿Qué tipo de jefe es aquel que envía a un chico a hacer el trabajo de un hombre, eh?

–Soy inglés –dije–, y no sospecharán de un chico inglés.

Ragnar me sonrió.

–Si eres inglés –repuso–, ¿cómo sabremos que nos dirás la verdad acerca de lo que has visto?

Aferré mi martillo de Thor.

–Diré la verdad –repliqué–. Lo juro. ¡Y ahora soy danés! ¡Tú me lo dijiste! ¡Tú dijiste que soy danés!

Ragnar empezó a tomarme en serio. Se arrodilló para mirarme a la cara.

–¿Eres danés de verdad? –preguntó.

–Soy danés –respondí, y en ese momento lo sentía. En otros momentos estaba seguro de que pertenecía a Northumbria, un *sceadugengan* secreto oculto entre los daneses, y en verdad estaba confundido. Quería a Ragnar como a un padre, apreciaba a Ravn, peleaba, competía y jugaba con Rorik cuando se encontraba bien, y todos ellos me trataban como a uno de los suyos. Sólo era de otra tribu. Había tres grandes tribus entre los hombres del norte; los daneses, los noruegos y los esviones, pero Ragnar dijo que había otros, como los gépidos, y que no estaba seguro dónde empezaban los hombres del norte y terminaban los demás, pero en ese momento estaba preocupado por mí–. Soy danés –repetí con firme convicción–, ¿y quién mejor que yo para espiarles? ¡Hablo su idioma!

–Eres un chico –contestó Ragnar, y pensé que se estaba negando a dejarme ir, pero en realidad se estaba acostumbrando a la idea–. Nadie sospechará de un muchacho como tú –prosiguió. Seguía escudriñándome, después se puso en pie y volvió a mirar los dos cuerpos cuyas cabezas picoteaban los cuervos–. ¿Estás seguro, Uhtred?

–Totalmente.

–Preguntaré a los hermanos –dijo, y lo hizo, e Ivar y Ubba debieron de estar de acuerdo porque me dejaron ir.

Cuando cayó la noche la puerta se abrió y yo me escabullí. Ahora, pensé, soy por fin un caminante de las sombras, aunque en verdad el trayecto no necesitaba de ninguna habilidad sobrenatural porque había un montón de hogueras en las líneas mercias y sajonas para iluminar el camino. Ragnar me había recomendado rodear el campamento grande y ver si había alguna salida fácil por detrás, pero lo que hice fue caminar directamente hacia las primeras hogueras que quedaban tras los árboles talados que servían de muro protector para los ingleses, y al otro lado de la maraña negra vi las siluetas oscuras de unos centinelas frente al fuego. Estaba nervioso. Durante meses había acariciado la idea del *sceadugengan*, y ahí estaba, en la cerrada oscuridad de las tinieblas exteriores, y no demasiado lejos se encontraban los cuerpos sin cabeza y mi imaginación inventó un destino similar para mí mismo. ¿Por qué? Una pequeña parte de mí sabía que podía entrar en el campamento y decir quién era, después exigir que me llevaran ante Burghred o ante Etelredo. Con todo, no había mentido a Ragnar. Regresaría, y les contaría la verdad. Lo había prometido, y para un chico las promesas son algo solemne, respaldadas por el temor a la venganza divina. Escogería mi propia tribu a su debido tiempo, pero ese tiempo aún no había llegado, así que repté por el campo sintiéndome muy pequeño y vulnerable, mi corazón latía contra las costillas, y el alma se me consumía por la importancia de lo que estaba haciendo.

Y a mitad del campo mercio sentí que se me erizaba el vello de la nuca. Tuve la sensación de que alguien me seguía y me di la vuelta, escuché y observé, pero no vi nada salvo las formas negras que se estremecen en la noche, pero como una liebre salí corriendo a un lado, me dejé caer de repente, y esta vez acabé convencido de que había oído sonidos de pasos en la hierba. Esperé, observé, no vi nada, y seguí reptando hasta alcanzar la barricada mercia y allí volví a esperar, pero no oí nada más a mis espaldas y decidí que me había dejado sugestionar por mi propia imaginación. También me preocupaba no ser capaz de atravesar los obstáculos mercios, pero al final fue bastante fácil porque un árbol grande talado concede suficiente espacio a un chico para pasar por entre sus ramas, y lo hice poco a poco, sin hacer ningún ruido, y después corrí hasta el campo y casi al punto me interrogó un centinela.

–¿Quién va? –me gruñó un hombre, y vi la luz de la hoguera reflejarse en una punta de lanza brillante que se dirigía hacia mí.

–Osbert –dije, usando mi antiguo nombre.

–¿Un chico? –comprobó el hombre sorprendido.

–Tenía que mear.

–Coño, chico, ¿y qué hay de malo en mear fuera de tu cabaña?

–A mi amo no le gusta.

–¿Quién es tu amo? –Había levantado el arma y el hombre me examinaba a la escasa luz de las hogueras.

–Beocca –dije. Fue el primer nombre que me vino a la cabeza.

–¿El cura? –Eso me sorprendió, y vacilé, pero después asentí y eso satisfizo al hombre–. Pues vuelve enseguida con él –dijo.

–Me he perdido.

–Pues entonces no deberías haber recorrido todo este camino para mear en mi puesto de vigía –exclamó y después señaló–. Por ahí, muchacho.

Así que caminé abiertamente por el campamento, pasadas las hogueras y las pequeñas cabañas en las que roncaban los hombres. Un par de perros me ladraron. Los caballos se agitaron. En algún lugar sonaba una flauta y una mujer cantaba en voz baja. Las chispas salían volando de las hogueras en ascuas.

El centinela me había señalado las líneas sajonas. Lo sabía porque el estandarte del dragón estaba colgado fuera de una gran tienda iluminada por una hoguera más grande, y me desplacé hacia esa tienda por no tener mejor lugar adonde ir. Buscaba escalas, pero no veía ninguna. Se oía el llanto de un niño en un refugio, una mujer gemía, y algunos hombres cantaban junto a un fuego. Uno de los cantantes me vio, me amenazó y cuando se dio cuenta de que sólo era un chico me dejó ir. Ahora estaba cerca de la gran hoguera, la que ardía frente a la tienda del estandarte, y la rodeé, en dirección hacia la oscuridad tras la tienda, que estaba iluminada por dentro con velas o lámparas. Dos hombres montaban guardia frente a la puerta y dentro se oían murmullos, pero nadie reparó en mí cuando me escabullí hacia las sombras, tratando de hallar escalas. Ragnar había dicho que las escalas estarían guardadas todas juntas, o en el centro del campamento o cerca de sus límites, pero no vi ninguna. Aunque sí oí un sollozo.

Había llegado a la parte trasera de la gran tienda y estaba oculto junto a una gran pila de leña y, a juzgar por el hedor, estaba cerca de una letrina. Me agaché y vi a un hombre arrodillado en el espacio abierto entre la pila de leña y la gran tienda y era aquel hombre el que estaba llorando. También rezaba y en ocasiones se golpeaba el pecho con los puños. Conmocionado, alarmado casi por lo que estaba haciendo, me quedé tumbado sobre el vientre como una serpiente y me retorcí entre las sombras para acercarme más y ver qué más hacía.

Gemía como dolorido, levantaba las manos al cielo, después se doblaba hacia delante como si adorara la tierra.

–Sálvame, Dios –le oí decir–, sálvame. Soy un pecador. –Entonces vomitó, aunque no parecía borracho, y después de que escupiera, gimió. Presentí que era un hombre joven, después alguien levantó una lona de la tienda y la luz de las velas se derramó sobre la hierba. Yo me quedé helado, quieto como un tronco, vi que el apenado era de hecho un joven, y también vi, para mi sorpresa, que quien había levantado la lona era el padre Beocca. Supuse coincidencia el que hubiera dos curas con el mismo nombre, pero no era ninguna coincidencia. Era de hecho el pelirrojo y bizco Beocca, y estaba allí, en Mercia.

–Mi señor –dijo Beocca, dejando caer la lona y cubriendo de oscuridad al joven.

–Soy un pecador, padre –dijo el hombre. Había dejado de llorar, puede que porque no quisiera que Beocca viera semejante prueba de debilidad, pero tenía la voz llena de tristeza–. Soy un profundo pecador.

–Todos somos pecadores, mi señor.

–Un profundo pecador –repitió el joven, haciendo caso omiso del solaz que le ofrecía Beocca–. ¡Y estoy casado!

–La salvación reside en el arrepentimiento, mi señor.

–Entonces, Dios lo sabe, tengo que ser redimido, pues mi arrepentimiento llenaría el cielo. –Levantó la cabeza para mirar las estrellas–. La carne, padre –gimió–, la carne.

Beocca caminó hacia mí, se detuvo y se dio la vuelta. Estaba tan cerca que casi lo habría podido tocar, pero no tenía ni idea de que yo estaba allí con ellos.

–Dios dispone la tentación para probarnos, mi señor –dijo en voz baja.

–Nos envía las mujeres para probarnos –repuso con dureza el joven–, y fracasamos y después nos envía a los daneses para castigarnos por nuestro fracaso.

–Su camino es duro –contestó Beocca–, y jamás nadie ha dudado de él.

El joven, arrodillado aún, agachó la cabeza.

–Jamás tendría que haberme casado, padre. Tendría que haberme unido a la Iglesia. Ingresar en un monasterio.

–Y Dios habría encontrado un gran sirviente en vos, mi señor, pero tenía otros planes. Si vuestro hermano muere...

–¡Rezad al cielo para que tal cosa no suceda! ¿Qué clase de rey sería?

–El rey de Dios, mi señor.

Así que éste, pensé, era Alfredo. Ésa fue la primera vez que lo vi y oí su voz, y él nunca lo supo. Yo estaba tumbado en la hierba, escuchando, mientras Beocca consolaba al rey por caer en la tentación. No parecía sino que Alfredo se había cepillado a una sirvienta e, inmediatamente después, le habían sobrecogido el dolor físico y lo que él llamaba tormento espiritual.

–Lo que tenéis que hacer, mi señor –le dijo Beocca– es poner a la chica a vuestro servicio.

–¡No! –protestó Alfredo.

Un arpa empezó a sonar en la tienda y ambos hombres se detuvieron para escuchar, después Beocca se agachó junto al infeliz príncipe y le puso una mano en el hombro.

–Poned a la chica a vuestro servicio –repitió Beocca–, y resistíos a ella. Rendid ese tributo a Dios, permitidle ver vuestra fuerza, y os recompensará. Dadle gracias a Dios por tentaros, señor, y alabadlo cuando resistáis la tentación.

–Dios me matará –repuso Alfredo con amargura–. Juré que no lo volvería a hacer. No después de Osferth. –¿Osferth? El nombre no significaba nada para mí. Más tarde, mucho más tarde, descubrí que Osferth era el hijo bastardo de Alfredo, traído al mundo por otra joven sirvienta–. Recé para que se me evitara la tentación –prosiguió Alfredo–, que me afligiera un dolor físico como recordatorio, y como distracción, y Dios en su misericordia me hizo vomitar, pero yo persistí. Soy el más miserable de los pecadores.

–Todos somos pecadores –repuso Beocca, su buena mano aún encima del hombro de Alfredo–, y todos caemos frente a la gloria de Dios.

–Nadie ha caído tanto como yo –gimió Alfredo.

–Dios ve vuestro remordimiento –contestó Beocca–, y os ayudará a levantaros. Dad la bienvenida a la tentación, señor –prosiguió con rapidez–, dadle la bienvenida, resistidla, y dad gracias a Dios cuando lo logréis. Y Dios os recompensará, señor, os lo aseguro.

–¿Llevándose a los daneses? –preguntó Alfredo lleno de amargura.

–Lo hará, mi señor, lo hará.

–Pero no lo hará si esperamos –repuso Alfredo, y en su voz había una dureza repentina que hizo que Beocca se apartara de él. Alfredo se puso en pie, era mucho más alto que el cura–. ¡Hemos de atacar!

–Burghred sabe lo que se hace –comentó Beocca con tono tranquilizador–, como vuestro hermano. Los paganos morirán de hambre, mi señor, si ésa es la voluntad de Dios.

Así que ya tenía mi respuesta, y era que los ingleses no planeaban ningún asalto, sino que más bien confiaban en matar de hambre a Snotengaham hasta que se rindiera. No me atreví a llevar la respuesta directamente a la ciudad, no mientras Beocca y Alfredo siguieran tan cerca de mí, así que me quedé y escuché a Beocca rezar con el príncipe, y después, cuando Alfredo logró calmarse, los dos volvieron a la tienda y se metieron dentro.

Y yo regresé. Me llevó un tiempo, pero no me vio nadie. Aquella noche era un auténtico *sceadugengan*, me movía entre las sombras como un espectro, trepé por la colina hasta la ciudad, corrí los últimos cien pasos y grité el nombre de Ragnar. La puerta se abrió con un crujido y yo estaba de vuelta en Snotengaham.

Ragnar me llevó a ver a Ubba cuando se levantó el sol y, para mi sorpresa, Weland estaba allí, Weland la serpiente, y me miraba con amargura, aunque no con tanta como presentaba el ceño en el rostro oscuro de Ubba.

–Así pues, ¿qué has hecho? –gruñó.

–No he visto escaleras... –empecé a decir.

–¿Qué has hecho? –rugió Ubba, así que les relaté mi historia desde el principio, cómo crucé los campos y tuve la sensación de que me seguían, me eché a un lado como una liebre, crucé la barricada y hablé con un centinela. Ubba me detuvo entonces y miró a Weland–. ¿Y bien?

Weland asintió.

–Lo vi pasar por la barricada, señor, lo oí hablar con un hombre.

¿Así que Weland me había seguido? Miré a Ragnar, que se encogió de hombros.

–Mi señor Ubba quería que fuera un segundo hombre –me aclaró–. Y Weland se ofreció.

Weland me sonrió, el tipo de sonrisa que dedicaría el diablo a un obispo al verlo entrar en el infierno.

–No pude pasar la barrera, señor –le dijo a Ubba.

–¿Pero viste pasar al chico?

–Y lo oí hablar con el centinela, señor, aunque no sé lo que le dijo.

–¿Has visto escaleras? –le preguntó Ubba a Weland.

–No, señor, pero sólo rodeé la valla.

Ubba miró a Weland, lo hizo sentir incómodo, después fijó sus oscuros ojos en mí, y me hizo sentir incómodo.

–Así que tú pasaste la barrera –dijo–, ¿y qué viste? –Le conté cómo había encontrado la gran tienda, y la conversación que había escuchado, cómo Alfredo lloraba por haber pecado, y cómo él quería atacar la ciudad y el cura le decía que Dios haría morir de hambre a los daneses si ésa era su voluntad, y Ubba me creyó porque pensaba que un jovenzuelo no podía inventarse la historia de la sirvienta y el príncipe.

Además, a mí me divertía, y se notaba. Alfredo, pensaba, era un debilucho meapilas, un penitente llorón, un insignificante patético, y hasta Ubba sonrió mientras describía al príncipe llorica y al sincero cura.

–Bueno –me preguntó Ubba–, ¿nada de escaleras?

–No vi ninguna, señor.

Él me observó con su tremendo rostro barbudo y entonces, para mi asombro, se quitó uno de los brazaletes y me lo lanzó.

–Tienes razón –le dijo a Ragnar–, es danés.

–Es un buen chico –repuso Ragnar.

–A veces, los mil leches que te encuentras por el campo resultan útiles –contestó Ubba, después le hizo una seña a un anciano que estaba sentado sobre un taburete en una esquina de la sala.

El viejo se llamaba Storri y, como Ravn, era un escaldo, pero también un hechicero, y Ubba no hacía nada sin su consejo, y entonces, sin decir una palabra, Storri cogió un haz de finas varillas blancas, todas del tamaño de la mano de un hombre, y las sostuvo justo encima del suelo, murmuró una oración a Odín y las soltó. Repiquetearon en el suelo al caer, y entonces Storri se inclinó hacia delante para ver el dibujo que habían conformado.

Eran palillos de runas. Muchos daneses consultaban las runas, pero la habilidad de Storri para leer los signos era legendaria, y Ubba era un hombre tan atrapado por la superstición que no hacía nada a menos que creyera que los dioses estaban de su lado.

–¿Y bien? –preguntó con impaciencia.

Storri hizo caso omiso de Ubba, se dedicó en cambio a examinar la veintena de palillos, intentando detectar una letra rúnica o un dibujo significativo en su disposición al azar. Dio la vuelta a la pequeña pila, mirando aún, después asintió lentamente.

–No podía ser mejor –dijo.

–¿Ha dicho el chico la verdad?

–El chico ha dicho la verdad –repuso Storri–, pero las runas hablan de hoy, no de anoche, y dicen que todo está en orden.

–Bien. –Ubba se puso en pie y cogió su espada de un gancho en la pared–. No hay escalas –le dijo a Ragnar–, así que no hay asalto. Vamos.

Les preocupaba que los mercios y los sajones del oeste pudieran lanzar un ataque a las murallas mientras ellos dirigían una expedición al otro lado del río. La orilla sur estaba custodiada por los sitiadores con pocos efectivos, no era mucho más que un cordón de hombres para detener las partidas de aprovisionamiento al otro lado del Trente, pero esa tarde Ubba cruzó el río con seis barcos y atacó a los mercios, y las runas no habían mentido, porque no murió ni un danés y trajeron caballos, armas, armaduras y prisioneros.

Veinte prisioneros.

Los mercios habían decapitado a dos de nuestros hombres, así que Ubba mató a veinte de los suyos, y lo hizo frente a ellos, para que pudieran ver su venganza. Los cuerpos sin cabeza fueron arrojados al foso frente a la muralla, y las veinte cabezas ensartadas en lanzas y colocadas encima de la puerta norte.

–En la guerra –me dijo Ragnar–, tienes que ser implacable.

–¿Por qué enviasteis a Weland a que me siguiera? –le pregunté, dolido.

–Porque Ubba insistió en ello –repuso.

–¿Porque no confiáis en mí?

–Porque Ubba no confía en nadie salvo Storri –dijo–. Y yo confío en ti, Uhtred.

Las cabezas encima de la puerta de Snotengaham fueron picoteadas por los pájaros hasta que no quedó nada de ellas salvo cráneos con mechones de pelo que ondeaban por efecto de la brisa estival. Aun así, los mercios y los sajones del oeste siguieron sin atacar. El sol brillaba. El río discurría lento y majestuoso junto a la orilla de la ciudad donde los barcos estaban varados.

A Ravn, aunque ciego, le gustaba subir a las almenas donde me pedía que le describiera todo cuanto veía. No hay cambios, le decía, el enemigo sigue detrás de su seto de árboles talados, se divisan nubes por encima de las colinas lejanas, un halcón caza, el viento hace ondear la hierba, los vencejos se agrupan, no hay cambios, y háblame de las runas, le supliqué.

–¡Las runas! –estalló en carcajadas.

–¿Funcionan?

Meditó un instante al respecto.

–Si sabes leerlas, sí. Yo era bueno leyendo runas antes de perder la vista.

–Así que funcionan –insistí ansioso.

Ravn señaló hacia el paisaje que no podía ver.

–Ahí fuera, Uhtred –dijo–, hay por lo menos una docena de señales de los dioses, y si sabes leer las señales sabes qué quieren los dioses. Las runas proporcionan el mismo mensaje, pero yo he reparado en una cosa. –Se detuvo y tuve que atosigarle, y suspiró como si supiera que no debía decir más. Pero lo hizo–. Un hombre inteligente lee mejor las señales –prosiguió–, y Storri es listo. Me atrevería a decir que tampoco yo soy ningún tonto.

No comprendí muy bien lo que estaba diciendo.

–¿Pero Storri no tiene siempre razón?

–Storri es cauteloso. No se arriesga, y a Ubba, aunque no lo sabe, eso le gusta.

–¿Pero las runas no son mensajes de los dioses?

–El viento es un mensaje de los dioses –repuso Ravn–, como lo es el vuelo de un pájaro, la caída de una pluma, el ascenso de un pez, la forma de una nube, el grito de una zorra; todo son mensajes, pero al final, Uhtred, los dioses sólo hablan en un lugar. –Me dio unos golpecitos en la cabeza–. Aquí.

Seguía sin entenderlo y me sentía oscuramente decepcionado.

–¿Podría yo leer las runas?

–Por supuesto –contestó–, pero sería sensato que esperaras a crecer un poco. ¿Cuántos años tienes ahora?

–Once –contesté, con la tentación de decir doce.

–Quizá sea mejor que esperes un año o dos antes de empezar a leer las runas. Cuando tengas edad de casarte. ¿Qué te quedan, cuatro, cinco años?

Eso me pareció una proposición improbable, pues no tenía ningún interés en el matrimonio por aquel entonces. Ni siquiera me interesaban las chicas, aunque aquello no iba a tardar en cambiar.

–¿Thyra, a lo mejor? –sugirió Ravn.

–¡Thyra! –Pensaba en la hija de Ragnar como compañera de juegos, no como esposa. De hecho, la sola idea me daba risa.

Ravn sonrió ante mi regocijo.

–Dime, Uhtred, por qué te hemos dejado vivir.

–No lo sé.

–Cuando Ragnar te capturó –dijo–, pensaba que podía pedir un buen rescate por ti; pero decidió quedarse contigo. Decidí que era un insensato, pero él tenía razón.

–Me alegro –respondí, y lo decía de corazón.

–Porque necesitamos a los ingleses –prosiguió Ravn–. Somos pocos, los ingleses son muchos, a pesar de haberles arrebatado la tierra sólo podremos mantenerla con su ayuda. Un hombre no puede vivir en un hogar que siempre está sitiado. Necesita paz para cosechar y criar ganado, y te necesitamos. Cuando los hombres vean que el *jarl* Uhtred está de nuestro lado, no se enfrentarán a nosotros. Y tienes que casarte con una chica danesa para que cuando vuestros hijos crezcan sean tanto daneses como ingleses y no vean la diferencia. –Se detuvo, mientras contemplaba el futuro lejano, y dejó escapar una risita–. Tú sólo asegúrate de que no se vuelvan cristianos, Uhtred.

–Adorarán a Odín –repuse, y lo decía en serio.

–El cristianismo es una religión blanda –comentó Ravn con brutalidad–, el credo de una mujer. No ennoblece a los hombres, los convierte en gusanos. Oigo pájaros.

–Dos cuervos –le aclaré–, volando hacia el norte.

–¡Eso sí es un mensaje! –repuso encantado–, Huginn y Muminn vuelven a Odín.

Huginn y Muminn eran los cuervos gemelos que se posaban sobre el hombro del dios para susurrarle al oído. Hacían por Odín lo que yo hacía por Ravn, observaban y le contaban todo cuanto veían. Él los enviaba a volar por todo el mundo para luego traerles noticias, y las noticias que transportaron aquel día fueron que el humo del campamento mercio era menos denso. Había menos hogueras por la noche. Los hombres abandonaban aquel ejército.

–Tiempo de cosecha –comentó Ravn disgustado.

–¿Importa algo?

–Llaman a su ejército el *fyrd* –me aclaró, olvidando por un instante que yo era inglés–, y se supone que todos los hombres capaces han de servir en él, pero cuando la cosecha madura temen el hambre del invierno y vuelven a casa para recoger la cebada y el centeno.

–¿Que después nosotros les quitamos?

Lanzó una carcajada.

–Estás aprendiendo, Uhtred.

A pesar de todo los mercios y los sajones del oeste aún confiaban en poder matarnos de hambre y, aunque perdían hombres cada día, no desistieron hasta que Ivar cargó un carro de comida con quesos, pescado ahumado, pan recién hecho, cerdo salado y una cuba de cerveza y, al alba, una docena de hombres lo arrastraron hasta el campamento inglés. Se detuvieron justo en el límite de los arcos y gritaron a los centinelas enemigos que la comida era un regalo de Ivar Saco de Huesos al rey Burghred.

Al día siguiente llegó un jinete mercio hasta la ciudad con una rama con hojas como símbolo de tregua. Los ingleses querían hablar.

–Lo que significa –me contó Ravn– que hemos ganado.

–¿En serio?

–Cuando un enemigo quiere hablar –repuso–, significa que no quiere luchar. Así que hemos ganado.

Y tenía razón.

CAPÍTULO III

Al día siguiente construimos un pabellón en el valle entre la ciudad y el campamento inglés, extendimos dos velas y las amarramos a estacas de madera. El tinglado se sostenía con sogas de piel de foca amarradas a piquetas, y allí los ingleses colocaron tres sillas de respaldo alto para el rey Burghred, el rey Etelredo y el príncipe Alfredo, y cubrieron las sillas con paños rojos. Ivar y Ubba se sentaron en taburetes de ordeñar.

Ambas partes trajeron treinta o cuarenta hombres para presenciar las discusiones, que empezaron con un acuerdo mediante el cual todas las armas debían ser depositadas a veinte pasos detrás de las dos delegaciones. Yo ayudé a transportar espadas, hachas, escudos y lanzas, y regresé para seguir el transcurso de las negociaciones.

Beocca estaba allí y me vio. Sonrió. Yo le devolví la sonrisa. Estaba de pie justo detrás del joven que yo tomé por Alfredo, pues aunque lo había oído durante la noche, no lo había visto bien. Era el único de los tres cabecillas ingleses no coronado con un aro de oro, aunque llevaba un enorme broche enjoyado en la capa que Ivar sopesó con ojos rapaces. Vi, cuando Alfredo tomó asiento, que el príncipe era delgado, de largas piernas, inquieto, pálido y alto. Su rostro era alargado, la nariz pronunciada, la barba corta, las mejillas hundidas y los labios apretados. Tenía el pelo de un castaño incierto, los ojos preocupados, la frente surcada, manos nerviosas y ceño puesto. Sólo contaba diecinueve años, supe después, pero aparentaba veintinueve. Su hermano, el rey Etelredo, era mucho mayor, tenía más de treinta, y también el rostro alargado, pero era más fornido y tenía un aspecto aún más nervioso, mientras que Burghred, rey de Mercia, era un retaco, de espesa barba, estómago prominente y calvo.

Alfredo le dijo algo a Beocca, que extrajo una hoja de pergamino y una pluma que le dio al príncipe. Beocca le tendió después un pequeño frasco de tinta para que Alfredo mojara en él la pluma y escribiera.

–¿Qué está haciendo? –preguntó Ivar.

–Toma nota de nuestras conversaciones –respondió el intérprete inglés.

–¿Nota?

–Para que quede registro, claro está.

–¿Es que ha perdido la memoria? –preguntó Ivar, mientras Ubba sacaba un cuchillito y empezaba a limpiarse las uñas. Ragnar fingió escribir sobre su palma, lo que divirtió a los daneses.

–¿Sois Ivar y Ubba? –preguntó Alfredo a través de su intérprete.

–Lo son –respondió nuestro traductor. La pluma de Alfredo discurrió por el pergamino, mientras su hermano y su cuñado, ambos reyes, parecían complacidos de permitir al joven príncipe que interrogara a los daneses.

–¿Sois hijos de Lothbrok? –prosiguió Alfredo.

–Desde luego –respondió el intérprete.

–¿Y tenéis un hermano? ¿Halfdan?

–Dile a ese hijoputa que se meta el pergamino por el culo –rugió Ivar–, que se meta después la pluma, y luego la tinta hasta que cague plumas negras.

–Mi señor indica que no estamos aquí para hablar de la familia –suavizó el intérprete–, sino para decidir vuestro destino.

–Y el vuestro –habló Burghred por primera vez.

–¿Nuestro destino? –replicó Ivar, y provocó con la intensidad y penetración de su mirada que el rey mercio se echara a temblar–. Nuestro destino es anegar los campos de Mercia con vuestra sangre, abonar la tierra con vuestra carne, empedrarla con vuestros huesos y liberarla de vuestro hedor putrefacto.

La discusión prosiguió en esta línea durante largo tiempo, ambas partes amenazaban, ninguna rendía nada, pero habían convocado la reunión los ingleses, y los ingleses querían la paz, así que las condiciones se fueron ajustando a martillazos poco a poco. Llevó dos días, y la mayoría de los que escuchábamos acabamos sumamente aburridos y tumbados en la hierba al sol. Ambas partes comían en el campo, y fue durante una de esas comidas cuando Beocca se acercó con cautela hasta el lado danés y me saludó con temor.

–Estás creciendo mucho, Uhtred –dijo.

–Me alegro de veros, padre –respondí con diligencia. Ragnar me observaba, pero no parecía preocupado en lo más mínimo.

–¿Sigues siendo prisionero, entonces? –preguntó Beocca.

–Lo soy –mentí.

Miró mis dos brazaletes de plata que, al ser demasiado grandes, tintineaban en mi muñeca.

–Un prisionero privilegiado –comentó con acidez.

–Saben que soy un *ealdorman* –repuse.

–Cosa que eres, Dios lo sabe, aunque tu tío lo niegue.

–No he sabido nada de él –respondí con sinceridad.

Beocca se encogió de hombros.

–Manda en Bebbanburg. Se casó con la esposa de tu padre y ahora está embarazada.

–¡Gytha! –Me quedé sorprendido–. ¿Embarazada?

–Quieren un hijo –prosiguió Beocca–, y si lo tienen... –No terminó el pensamiento, pero tampoco necesitaba hacerlo. Yo era el *ealdorman* y Ælfric había usurpado mi lugar; aun así, yo era su heredero y seguiría siéndolo hasta que tuviera un hijo–. El niño debe de estar a punto de nacer –dijo Beocca–, pero no tienes por qué preocuparte. –Sonrió y se me acercó para poder hablar en un susurro conspiratorio–. He traído los pergaminos.

Lo miré sin comprender una palabra.

–¿Los pergaminos?

–¡El testamento de tu padre! ¡Los títulos de propiedad! –Estaba escandalizado de que no hubiera comprendido al punto qué había hecho–. ¡Tengo las pruebas de que tú eres el *ealdorman*!

–Soy el *ealdorman* –dije como si las pruebas no importaran–. Y siempre lo seré.

–No si Ælfric se sale con la suya –repuso Beocca–, y si tiene un hijo querrá que el niño herede.

–Los hijos de Gytha siempre se mueren –repliqué.

–Tienes que rezar para que todos los niños vivan –me reprendió Beocca–, pero sigues siendo el *ealdorman.* Le debo eso a tu padre, que Dios lo tenga en Su gloria.

–¿Así que habéis abandonado a mi tío? –pregunté.

–¡Sí, me fui! –respondió con ímpetu, claramente orgulloso por haber huido de Bebbanburg–. Soy inglés –prosiguió mientras bizqueaba al sol–, así que vine al sur, Uhtred, para encontrar ingleses dispuestos a luchar contra los paganos, ingleses capaces de obrar la voluntad de Dios, y los encontré en Wessex. Son buenos hombres, hombres píos, ¡hombres inquebrantables!

–¿Ælfric no pelea contra los daneses? –pregunté. Sabía que no lo hacía, pero quería oír la confirmación.

–Tu tío no quiere problemas –dijo Beocca–, y por eso los paganos prosperan en Northumbria y la luz de nuestro señor Jesucristo es más débil cada día. –Unió las manos en un gesto de oración, la mano izquierda paralizada temblaba contra la derecha, manchada de tinta–. Y no es sólo Ælfric el que ha sucumbido. Ricsig de Dunholm les organiza fiestas, Egberto se sienta en su trono, y por esa traición habrá llanto en el cielo. Hay que poner fin a todo esto, Uhtred, y me fui a Wessex porque el rey es un hombre de Dios y sabe que sólo con Su ayuda podemos derrotar a los paganos. Veré si Wessex está dispuesto a pedir un rescate por ti. –Esa última frase me cogió de sorpresa, así que en lugar de parecer complacido, puse cara de desconcierto, y Beocca, ceño–. ¿No me has oído? –preguntó.

–¿Queréis rescatarme?

–¡Por supuesto! Eres noble, Uhtred, ¡debes ser rescatado! Alfredo es muy generoso con esas cosas.

–Eso me gustaría –dije, pues era lo que se suponía que tenía que decir.

–Tendrías que conocer a Alfredo –exclamó entusiasmado–. ¡Disfrutarías mucho!

No sentía ningún deseo de conocer a Alfredo, no después de oírle lloriquear por la sirvienta que se había beneficiado, pero Beocca parecía muy insistente, así que me acerqué a Ragnar y le pedí permiso. A Ragnar le hizo gracia.

–¿Y por qué quiere ese cabrón bisojo que conozcas a Alfredo?

–Quiere que me rescaten. Piensa que Alfredo podría pagar.

–¡Pagar dinero por ti! –Ragnar estalló en carcajadas–. Venga, ve –dijo sin asomo alguno de preocupación–, nunca hace daño ver al enemigo de cerca.

Alfredo estaba con su hermano, a cierta distancia, y Beocca hablaba conmigo mientras me dirigía al grupo real.

–Alfredo es el principal ayudante de su hermano –explicó–. El rey Etelredo es un buen hombre, pero algo nervioso. Tiene hijos, por supuesto, pero ambos son muy jóvenes... –Su voz se apagó.

–Así que si muere –dije–, ¿el hijo mayor se convierte en rey?

–¡No, no! –Beocca parecía sorprendido–, Etelwoldo es todavía muy joven. ¡No es mayor que tú!

–Pero es el hijo del rey –insistí.

–Cuando Alfredo era un niño –Beocca se agachó y bajó la voz, aunque no redujo su emoción–, su padre lo llevó a Roma. ¡A ver al Papa! Y el Papa, Uhtred, ¡lo invistió como futuro rey! –Se me quedó mirando como si eso demostrara su argumentación.

–Pero no es el heredero –dije, desconcertado.

–¡El Papa lo convirtió en heredero! –silbó Beocca. Más tarde, mucho más tarde, conocí a un cura que había formado parte de la corte del antiguo rey y me contó que Alfredo jamás había sido investido como futuro rey, que sólo le habían otorgado algún honor romano de rango menor, pero Alfredo, hasta el día de su muerte, insistió en que el Papa le había entregado la sucesión a él, y así justificó la usurpación del trono que por derecho tendría que haber correspondido al hijo mayor de Etelredo.

–Pero si Etelwoldo crece... –empecé a decir.

–Entonces claro que se convertirá en rey –me interrumpió Beocca impaciente–, pero si su padre muere antes de que Etelwoldo crezca, lo será Alfredo.

–Entonces Alfredo tendrá que matarlo –dije–, a él y a su hermano.

Beocca me miró sorprendido y horrorizado.

–¿Por qué dices eso? –preguntó.

–Tiene que matarlos –respondí–, como mi tío quería matarme a mí.

–Sí quería matarte. ¡Probablemente aún lo quiera! –Beocca se persignó–, ¡pero Alfredo no es Ælfric! No, no. Alfredo tratará a sus sobrinos con misericordia cristiana, claro que sí, otro de los motivos por los cuales debería ser rey. Es un buen cristiano, Uhtred, como yo rezo porque tú lo seas, y es la voluntad de Dios que Alfredo se convierta en rey. ¡El Papa lo ha demostrado! Y debemos obedecer la voluntad de Dios. Sólo obedeciendo a Dios podemos esperar la derrota de los daneses.

–¿Sólo con la obediencia? –pregunté. Pensé que las espadas ayudarían.

–Sólo con la obediencia –repuso Beocca con firmeza–, y con la fe. Dios nos dará la victoria si le rezamos con todo nuestro corazón, si enmendamos nuestras faltas y le proporcionamos gloria. ¡Y Alfredo se encargará de todo eso! Con él a la cabeza hasta las propias huestes celestiales vendrán en nuestra ayuda. Etelwoldo no puede hacerlo. Es perezoso, arrogante, un chiquillo cansino. –Beocca me cogió de la mano y nos abrimos paso entre el cortejo de señores mercios y sajones–. Ahora recuerda arrodillarte frente a él, hijo, es un príncipe. –Me condujo hasta donde Alfredo estaba sentado y yo me arrodillé debidamente cuando Beocca me presentó–. Éste es el chico del que os hablé, señor –dijo–, es el *ealdorman* Uhtred de Northumbria, un prisionero de los daneses desde que cayó Eoferwic, pero un buen chico.

Alfredo me observó intensamente, cosa que, para ser sincero, me hizo sentir incómodo. Con el tiempo descubriría que era un hombre inteligente, muy inteligente, y pensaba dos veces más rápido que la mayoría de los demás, y también que era un hombre serio, tan serio que lo entendía todo excepto los chistes. Alfredo se lo tomaba todo a pecho, incluso un crío, y me inspeccionó durante largo rato y detenidamente como si intentara medir las profundidades de mi alma ingenua.

–¿Eres un buen chico? –acabó preguntándome.

–Intento serlo, señor –respondí.

–Mírame –me ordenó, pues había bajado los ojos. Me sonrió cuando cruzamos nuestra mirada. No había señal alguna de la enfermedad de la que se quejaba cuando lo escuché a escondidas y me pregunté si, después de todo, no estaría borracho aquella noche. Habría justificado sus patéticas palabras, pero ahora era todo fervor–. ¿Cómo intentas ser bueno? –preguntó.

–Intento resistir a la tentación, señor –dije, al recordar las palabras de Beocca detrás de la tienda.

–Eso está bien –me dijo–, muy bien, ¿y lo consigues?

–No siempre –dije, después vacilé, tentado de mentir, y entonces, como de costumbre, caí en la tentación–. Pero lo intento, señor –dije con tono sincero–, y me digo a mí mismo que debería dar gracias a Dios por tentarme, y lo alabo cuando me da fuerzas para resistir la tentación.

Tanto Beocca como Alfredo me miraron como si me hubieran salido alas de ángel. Sólo repetía las tonterías que le había escuchado a Beocca aconsejar a Alfredo en la oscuridad, pero ellos pensaron que revelaba mi enorme santidad, y yo los animé intentando parecer manso, inocente y pío.

–Eres una señal de Dios, Uhtred –intervino Alfredo fervientemente–. ¿Dices tus oraciones?

–Cada día, señor –contesté, y no añadí que esas oraciones iban dirigidas a Odín.

–¿Y qué es eso que llevas colgado del cuello? ¿Un crucifijo? –Había visto la cuerda de cuero y, cuando no respondí, se inclinó hacia delante y me sacó el martillo de Thor que llevaba oculto bajo la camisa–. Dios santo –exclamó y se persignó–. Y también llevas eso –añadió mientras hacía muecas a mis dos brazaletes labrados con runas. Debía de tener el aspecto perfecto de un pequeño pagano.

–Me obligan a llevarlos, señor –respondí, y sentí su impulso de arrancar el símbolo pagano de la cuerda–, y me pegan si no lo hago –añadí con rapidez.

–¿Te pegan a menudo?

–Todo el tiempo, señor –mentí.

Sacudió la cabeza con tristeza, después dejó caer el martillo.

–Una imagen tallada –dijo– debe de ser una carga muy pesada para un niño pequeño.

–Confiaba, señor –intervino Beocca–, en que pudiéramos rescatarlo.

–¿Pudiéramos? –preguntó Alfredo–. ¿Rescatarlo?

–Es el auténtico *ealdorman* de Bebbanburg –le aclaró Beocca–, aunque su tío le ha arrebatado el título, pero no está dispuesto a luchar contra los daneses.

Alfredo me miró, pensativo, después frunció el ceño.

–¿Sabes leer, Uhtred? –preguntó.

–Empezó sus lecciones –respondió Beocca–. Yo le enseñé, señor, aunque, con franqueza, era un alumno reacio. Me temo que no demasiado bueno con las letras. Sus eths eran estirados y sus aescs, escasos.

He dicho que Alfredo no entendía los chistes, pero éste le gustó, aunque era malo como la leche aguada y rancio como el queso viejo. Pero le encantaban todos los que enseñaban a leer, y tanto Beocca como Alfredo rieron la gracia como si la chanza fuera fresca como el rocío al alba. La eth, ð, y la aesc, æ, eran dos letras de nuestro alfabeto.

–Sus eths estirados –repitió Alfredo, casi sin poder hablar de la risa–, y sus aescs escasos. Bes que no balan e íes. –Y se calló, avergonzado de repente. Había estado a punto de decir que mis íes eran bizcas, pero entonces se acordó de Beocca y puso cara de afligido–. Mi querido Beocca.

–No os preocupéis, mi señor, no me ofende. –Beocca seguía contento, tan contento como cuando se encontraba inmerso en algún tedioso texto sobre cómo san Cutberto bautizaba frailecillos o predicaba el evangelio a las focas. Había intentado hacerme leer aquello, pero jamás pasé de las palabras más cortas.

–Tienes suerte de haber empezado pronto tus estudios –me dijo Alfredo al tiempo que recuperaba su seriedad–. ¡A mí no se me permitió leer hasta que tuve doce años! –Su tono sugería que debería mostrarme conmocionado y sorprendido ante tamaña noticia, así que puse la correspondiente cara de espanto–. Eso fue un error terrible por parte de mi padre y mi madrastra –prosiguió Alfredo con toda severidad–, tendría que haber empezado mucho antes.

–Sin embargo, ahora leéis tan bien como cualquier erudito, mi señor –comentó Beocca.

–Lo intento –comentó Alfredo modesto, pero estaba claramente satisfecho con el cumplido.

–¡Y también en latín! –añadió Beocca–. ¡Y su latín es mucho mejor que el mío!

–Creo que es verdad –añadió Alfredo, mientras le dirigía al cura una sonrisa.

–Y escribe con caligrafía clara –me contó Beocca–, ¡tan clara y fina que ni te lo imaginas!

–Como tú debes hacer –me dijo Alfredo con firmeza–, fin por el que, joven Uhtred, vamos a rescatarte, y si Dios nos ayuda en dicho empeño, servirás en mi casa y lo primero que harás será convertirte en un maestro de lectura y escritura. ¡Eso te gustará!

–Sí, señor –contesté, con la intención de que sonara como una pregunta, aunque salió como un apagado consentimiento.

–Aprenderás a leer bien –me prometió Alfredo–, y aprenderás a rezar bien, y a ser un cristiano honesto y bueno, ¡y cuando seas mayor de edad, decidirás lo que quieres ser!

–Querría serviros, señor –mentí, con la convicción de que era un debilucho pálido, aburrido e infestado de curas.

–Eso es muy loable –dijo–, ¿y cómo crees que me servirías?

–Como soldado, señor, luchando contra los daneses.

–Si Dios quiere –respondió él, claramente decepcionado por mi respuesta–, y Dios sabe que necesitamos soldados, aunque rezo cada día para que los daneses conozcan a Cristo y así descubran sus pecados y pongan fin a sus pérfidas costumbres. La oración es la respuesta –dijo con vehemencia–, la oración, el ayuno y la obediencia, y si Dios responde a nuestras plegarias, Uhtred, no necesitaremos soldados y sí, en cambio, buenos sacerdotes, porque un reino siempre los necesita. Yo quería ese cargo para mí mismo, pero Dios lo ha dispuesto de otro modo. No hay vocación más elevada que el servicio religioso. Puede que yo sea un príncipe, ¡pero a los ojos de Dios Beocca es una joya de valor incalculable!

–Sí, señor –dije, porque no tenía otra cosa que decir. Beocca intentó parecer modesto.

Alfredo se inclinó hacia delante, escondió el martillo de Thor tras mi camisa y me puso una mano en la cabeza.

–Que la bendición de Dios todopoderoso sea contigo, niño –dijo–, y que Su rostro brille sobre ti y te libere de tu esclavitud y te traiga a la luz bendita de la libertad.

–Amén –contesté.

Me dejaron ir y volví con Ragnar.

–Pégame –le dije.

–¿Qué?

–Que me pegues una colleja.

Levantó la mirada y vio que Alfredo seguía observándome, así que me atizó más fuerte de lo que esperaba. Yo me caí, sonriendo.

–¿Y por qué acabo de hacer esto? –preguntó Ragnar.

–Porque les he contado que sois crueles conmigo –le conté–, y me pegáis constantemente. –Sabía que eso iba a divertir a Ragnar y lo hizo. Me volvió a sacudir, por si acaso.

–¿Y qué querían esos cabrones? –me preguntó.

–Quieren ofrecer un rescate –dije–, para poderme enseñar a leer y a escribir, y después convertirme en cura.

–¿En cura? ¿Como ese mamón del pelo rojo?

–Como ése.

Ragnar estalló en carcajadas.

–A lo mejor te tendría que canjear. Te serviría de castigo por decir mentiras sobre mí.

–Por favor, no –le supliqué ardorosamente, y en ese momento me pregunté por qué habría querido volver al lado inglés. Cambiar la libertad de Ragnar por la piedad fervorosa de Alfredo me parecía un destino de lo más miserable. Además, estaba aprendiendo a despreciar a los ingleses. No lucharían, rezaban en lugar de afilar las espadas, y no era nada extraño que los daneses se estuvieran quedando con sus tierras.

Alfredo sí ofreció un rescate por mí, pero se plantó ante el precio escandalosamente alto que Ragnar había pedido, aunque no tan elevado como el que Ivar y Ubba le sacaron a Burghred.

Mercia iba a ser engullida. Burghred no tenía fuego en su enorme panza, ningún deseo de seguir luchando contra los daneses, que se fortalecían a medida que él se volvía más débil. A lo mejor se dejó engañar por todos aquellos escudos en las murallas de Snotengaham, pero debió decidir que no podía vencer a los daneses y acabó rindiéndose. No fueron sólo nuestras fuerzas en Snotengaham lo que lo convencieron. Había más daneses asaltando la frontera con Northumbria, asolando las tierras mercias, quemando iglesias, degollando monjes y monjas, y esos jinetes estaban ahora cerca del ejército de Burghred y acosaban sin descanso a sus expediciones de aprovisionamiento, así que Burghred, cansado de la interminable derrota, accedió débilmente a todas las exigencias por escandalosas que fueran, y a cambio se le permitió seguir como rey en Mercia, pero eso fue todo. Los daneses tomarían sus fortalezas y las dotarían de guarnición, eran libres de quedarse con las propiedades mercias que desearan, y el *fyrd* de Burghred tenía que luchar con los daneses si lo requerían. Burghred, además, pagaría una inmensa cantidad en plata por el privilegio de perder su reino y mantener el trono. Etelredo y Alfredo, como no tenían que tomar parte en las discusiones, al ver que su aliado se había derrumbado como una vejiga pinchada, se marcharon al segundo día en dirección al sur con lo que quedaba de su ejército, y así cayó Mercia.

Primero Northumbria, después Mercia. En sólo dos años media Inglaterra había desaparecido y los daneses no habían hecho más que empezar.

* * *

Volvimos a asolar la tierra. Las bandas de daneses se adentraban hasta los últimos rincones de Mercia y aniquilaban a todo el que se resistía, llevándose cuanto apetecían. Después ocuparon las fortalezas principales antes de enviar mensajes a Dinamarca en busca de más barcos. Más barcos, más hombres, más familias y más daneses que ocuparan la excelente tierra que les había caído del cielo.

Empezaba a pensar que nunca lucharía por Inglaterra porque cuando fuese mayor para luchar por mi patria ya no quedaría Inglaterra. Así que decidí ser danés. Evidentemente, me sentía confundido, pero no pasaba demasiado tiempo preocupado en aquella confusión. En cambio, estando a punto de cumplir los doce años, dio comienzo mi auténtica educación. Me hicieron aguantar durante horas con una espada y un escudo extendidos hasta dolerme los brazos, me enseñaron los lances de la espada, me hicieron practicar con las lanzas, y me entregaron un cerdo para que lo matara con una lanza de guerra. Aprendí a parar con un escudo, a dejarlo caer para detener la embestida por debajo del borde, y a estampar los pesados tachones del escudo en la cara de un enemigo para romperle la nariz y cegarlo con las lágrimas. Aprendí a remar. Crecí, gané musculatura, empecé a hablar con voz de hombre y me abofeteó mi primera chica. Tenía aspecto de danés. Los extraños seguían tomándome por hijo de Ragnar pues tenía el mismo pelo claro y lo llevaba largo y recogido con una tira de cuero en la nuca, y a Ragnar le complacía que aquello sucediera, aunque dejaba claro que no reemplazaría a Ragnar el Joven o a Rorik.

–Si Rorik vive –decía con tristeza, pues Rorik seguía siendo un muchacho enfermizo–, tendrás que aprender a luchar por tu herencia –me dijo Ragnar, así que aprendí a luchar y, aquel invierno, a matar.

Regresamos a Northumbria. A Ragnar le gustaba aquello y, aunque habría podido obtener mejores tierras en Mercia, adoraba las montañas del norte, los profundos valles y los oscuros bosques colgantes, y cuando las primeras escarchas tendieron un manto crujiente sobre las mañanas, me llevó de caza. Una veintena de sus hombres y el doble de perros batían los bosques, intentando cazar un jabalí. Yo me quedé con Ragnar, armados ambos con pesadas lanzas para jabalíes.

–Un jabalí te puede matar, Uhtred –me avisó–, te puede rajar desde la ingle al cuello a menos que claves la lanza en el lugar justo.

La lanza, lo sabía, debía clavarse en el pecho del bicho o, con suerte, en su garganta. Sabía que no podía matar un jabalí, pero si venía uno, tendría que intentarlo. Un jabalí adulto puede suponer dos veces el peso de un hombre, y yo no tenía la fuerza para repelerlo, pero Ragnar estaba decidido a dejarme dar el primer golpe y ayudarme desde detrás. Y así ocurrió. He matado cientos de jabalíes desde entonces, pero siempre me acordaré de aquel primer animal; los ojos pequeños, su terrible furia, la determinación, el hedor, las cerdas cubiertas de barro, y el dulce golpe de la lanza al clavarse profundamente en su pecho, y me empujó hacia atrás como si me hubiera coceado el caballo de ocho patas de Odín, y Ragnar hincó su propia lanza en la gruesa piel, y el animal chilló, rugió y pateó, los perros aullaron, y yo conseguí apuntalar los pies, apreté los dientes, dejé caer todo mi peso sobre la lanza y sentí los últimos latidos de la vida del jabalí en el asta. Ragnar me concedió uno de los colmillos del animal y me lo colgué al lado del martillo de Thor, y en los días que siguieron no quise hacer otra cosa que no fuera cazar, aunque no se me permitía ir tras un jabalí a menos que Ragnar estuviera conmigo; sin embargo, cuando Rorik se encontraba bien, él y yo cogíamos los arcos y salíamos al bosque a buscar ciervos.

Fue en una de esas expediciones, bien arriba, en el límite del bosque, justo debajo de los páramos cubiertos de nieve en deshielo, cuando la flecha casi acabó con mi vida. Rorik y yo reptábamos entre la maleza, y la flecha falló por unos centímetros, pasó silbando por encima de mi cabeza y se clavó en un fresno. Me di la vuelta, con una flecha en mi propia cuerda, pero no vi a nadie, después oí pies corriendo colina abajo a través de los árboles, y los seguimos, pero quienquiera que hubiese disparado corría demasiado para nosotros.

–Un accidente –comentó Ragnar–, vio movimiento, pensó que erais ciervos y disparó. A veces pasa. –Miró la flecha que habíamos recuperado, pero no tenía señales de propiedad. No era más que una flecha de plumas de ganso, astil de carpe y punta de hierro–. Un accidente –aseguró.

Más adelante, aquel invierno, regresamos a Eoferwic y pasamos días reparando las embarcaciones. Aprendí a partir troncos para remos con cuñas y mazos, a extraer las largas y claras planchas que cubrían los cascos podridos. La primavera trajo más barcos, más hombres, y con ellos venía Halfdan, hermano pequeño de Ivar y Ubba. Llegó a tierra aullando de energía, un hombre alto con amplia barba y mirada temible. Abrazó a Ragnar, me dio un golpe en el hombro, le pegó un puñetazo a Rorik, juró que mataría todos los cristianos de Inglaterra y se fue a ver a sus hermanos. Los tres juntos planearon la nueva guerra que, prometieron, despojaría a Anglia Oriental de sus tesoros y, a medida que fue mejorando el clima, nos preparamos para ella.

La mitad del ejército marcharía por tierra, mientras que la otra mitad, que incluía a los hombres de Ragnar, iría por mar, así que esperaba con emoción mi primera travesía auténtica, pero antes de que zarpáramos Kjartan vino a ver a Ragnar, y llevaba detrás a su hijo Sven, el ojo que le faltaba era un agujero rojo en un rostro airado. Kjartan se arrodilló ante Ragnar e inclinó la cabeza.

–Yo iría con vos, señor –le dijo.

Kjartan había cometido un error al permitir que Sven lo siguiera, pues Ragnar, por lo común tan generoso, miró con muy malos ojos al chico. Lo llamo chico, pero en realidad Sven era casi un hombre ya y apuntaba a convertirse en uno de los grandes, de amplios pectorales, alto y fuerte.

–Vendrías conmigo –repitió Ragnar sin entonación alguna.

–Os lo suplico, señor –añadió Kjartan, y debió de costarle mucho decir esas palabras, pues Kjartan era un hombre orgulloso, pero en Eoferwic no había encontrado botín, no había ganado brazaletes y no se había labrado ninguna reputación.

–Tengo los barcos llenos –repuso Ragnar con frialdad, y se dio la vuelta. Vi la mirada de odio en el rostro de Kjartan.

–¿Por qué no embarca con algún otro? –le pregunté a Ravn.

–Porque todos saben que ofendió a Ragnar, y ofrecerle un puesto entre los remeros es arriesgarse a desairar a mi hijo. –Ravn se encogió de hombros–. Kjartan debería volver a Dinamarca. Cuando un hombre pierde la confianza de su señor, lo ha perdido todo.

Pero Kjartan y su hijo tuerto se quedaron en Eoferwic en lugar de regresar a Dinamarca, y nosotros zarpamos, al principio discurrimos con la corriente hasta el Ouse, y después nos adentramos en el Humber, donde pasamos la noche. A la mañana siguiente sacamos los escudos de las bordas de los barcos, y esperamos hasta que la marea levantó los cascos y pudimos remar hasta el este hacia los primeros grandes mares.

Ya había estado en alta mar en Bebbanburg, había ido con los pescadores a echar las redes a las islas Farne, pero aquello era una sensación distinta. La *Víbora del viento* remontaba aquellas olas como un pájaro en lugar de romper contra ellas como un nadador. Remamos hasta salir del río, después aprovechamos un viento del noroeste, izamos la vela mayor y recogimos los remos de sus agujeros, los cubrimos con tapones de madera y la ráfaga se quedó en la cubierta mientras la vela crujía, se hinchaba, atrapaba el viento y nos conducía hacia el sur. Había ochenta y nueve barcos en total, una flota de asesinos con cabeza de dragón, compitiendo unos con otros, insultándose cada vez que iban más rápidos que cualquier otro barco. Ragnar se inclinaba sobre el timón, con el pelo al viento y una sonrisa tan amplia como el océano dibujada en el rostro. Los cabos de piel de foca crujían, el barco parecía saltar los mares, bullir a lo largo de su superficie y deslizarse despidiendo una estela volante que les salpicaba la cara. Al principio me asusté, pues la *Víbora del viento* escoraba con aquel viento, casi hasta sumergir sotavento bajo el inmenso y verde mar, pero no vi miedo en los rostros de los demás hombres y aprendí a disfrutar del desbocado viaje, vitoreando de alegría cuando la proa se estrellaba contra una ola potente y el agua verde volaba como una ducha de flechas sobre el puente.

–¡Qué maravilla! –me gritó Ragnar–. ¡En el Valhalla espero encontrar un barco, un mar y viento!

La orilla siempre permanecía a la vista, una línea verde a nuestra derecha, a veces rota por las dunas, pero jamás por árboles o colinas, y cuando el sol se ponía regresábamos a esa tierra y Ragnar ordenaba que bajáramos la vela y sacáramos los remos.

Remamos hasta un terreno pantanoso, un lugar de marismas y juncos, de chirlidos de pájaros y garzas de patas largas, de trampas para anguilas y zanjas, de canales poco profundos y lagos extensos, y recordé que mi padre decía que en Anglia Oriental sólo había ranas. Ya estábamos en la frontera con el país, en la cual terminaba Mercia y empezaba Anglia Oriental a lo largo de una maraña de agua, barro y salinas.

–Lo llaman el Gewæsc –dijo Ragnar.

–¿Has estado aquí?

–Hace dos años –dijo–. Es un buen país para asaltar, Uhtred, pero el agua es traicionera. Muy poco profunda.

El Gewæsc eran aguas bajas y Weland estaba en la proa de la *Víbora del viento*, sondeando la profundidad mediante un pedazo de hierro atado a una cuerda. Los remeros sólo bogaban si Weland decía que había agua suficiente, así que avanzamos como orugas hacia el oeste en la luz moribunda, seguidos por el resto de la flota. Las sombras eran alargadas, el sol rojo se partía entre las fauces abiertas de las cabezas de dragones, serpientes y águilas de las proas de los barcos. Los remos trabajaban lentamente, de las palas chorreaba agua cada vez que avanzaban en una nueva halada, y nuestra estela se esparcía en lentas y largas ondas ribeteadas de rojo por el radiante sol moribundo.

Echamos el ancla aquella noche y dormimos en los barcos, y al alba Ragnar nos hizo subir a Rorik y a mí al mástil. El barco de Ubba también se hallaba cerca y por él también trepaban unos hombres hasta la veleta pintada en la cima.

–¿Qué veis? –nos gritó Ragnar.

–Tres hombres a caballo –respondió Rorik, señalando al sur–, nos observan.

–Y un pueblo –añadí yo señalando también hacia el sur.

Para los hombres de la orilla éramos la viva encarnación de sus peores temores. Todo cuanto veían era un amasijo de mástiles y las salvajes bestias esculpidas en las altas proas y popas de nuestros barcos. Éramos un ejército, arribado hasta allí en nuestros barcos de dragones, y sabían qué venía después. Mientras los miraba, los tres jinetes se dieron la vuelta y galoparon en dirección sur.

Proseguimos. El barco de Ubba encabezaba ahora la expedición, siguiendo un canal poco profundo y con muchos meandros, y vi al hechicero de Ubba, Storri, de pie en la proa y supuse que había leído las runas y predicho el triunfo.

–Hoy –me dijo Ragnar ansioso–, aprenderás el estilo vikingo.

Ser vikingo significaba ser saqueador, y Ragnar hacía muchos años que no dirigía un saqueo al frente de un barco. Se había convertido en un invasor, en un colono, pero la flota de Ubba tenía la misión de arrasar la costa y dirigir al ejército de Anglia Oriental a través del mar, mientras su hermano, Ivar, conducía al ejército de tierra hacia el sur por Mercia, y así aprendí aquel verano el estilo vikingo. Llevamos los barcos hasta tierra firme, donde Ubba encontró una franja de tierra de cuello estrecho que podía defenderse fácilmente y, una vez subimos los barcos a la playa y puestos a buen recaudo, excavamos un terraplén que cruzara el cuello a modo de muralla. Después, numerosas partidas de hombres desaparecieron en los alrededores y regresaron a la mañana siguiente con caballos, y esos caballos sirvieron como montura a otra banda guerrera que se adentró en el territorio mientras Ragnar guiaba a sus hombres a pie por la intrincada orilla.

Llegamos a una población de la que jamás supe su nombre, y la quemamos arrasándola por completo. No había nadie. Ardieron las granjas, una iglesia, y proseguimos, siguiendo una carretera que se separaba de la orilla, y al anochecer vimos una población más grande y nos escondimos en el bosque, no encendimos hogueras y atacamos al alba.

Llegamos gritando desde la media luz. Éramos una pesadilla del alba; hombres cubiertos de cuero con cascos de hierro, hombres con escudos redondos pintados, hombres con hachas, espadas y lanzas. Los habitantes de aquel lugar no tenían armas, ni armadura, y puede que ni siquiera supieran que había daneses en su zona, porque no estaban preparados para recibirnos. Murieron. Unos cuantos hombres valerosos trataron de resistir frente a su iglesia, pero Ragnar condujo una carga contra ellos y los dejaron secos allí donde estaban. Ragnar abrió la iglesia y encontró el pequeño edificio lleno de mujeres y niños. El cura estaba en frente del altar y maldijo a Ragnar en latín mientras el danés recorría a grandes zancadas la reducida nave. Seguía maldiciendo cuando Ragnar le abrió las tripas.

Sacamos un crucifijo de bronce, una bandeja de plata abollada y algunas monedas de la iglesia. Encontramos una docena de buenas ollas en las casas y algunas podadoras, hoces y espetones de hierro. Capturamos ganado, cabras, ovejas, bueyes, ocho caballos y dieciséis mujeres jóvenes. Una de las mujeres gritó que no podía dejar a su hijo y yo observé cómo Weland ensartaba al niño en una lanza y arrojaba el cadáver ensangrentado a los brazos de la mujer. Ragnar la dejó ir, pero no porque sintiera compasión alguna por ella, sino porque siempre se dejaba con vida a una persona para esparcir las noticias del horror vivido a otros lugares. La gente debía temer a los daneses, decía Ragnar; sólo así estarían dispuestos a rendirse. Me dio una astilla de madera ardiendo que había sacado de una hoguera.

–Quema los techos, Uhtred –me ordenó, y yo fui de casa en casa prendiéndole fuego a los techos de junco. Quemé la iglesia y entonces, cuando me acercaba a la última casa, un hombre salió por la puerta con un chuzo de tres puntas para cazar anguilas y se abalanzó sobre mí. Yo me hice a un lado, evité el golpe más por suerte que por sensatez, y le arrojé el leño ardiendo a la cara. Las llamas provocaron que se agachara mientras yo reculaba. Entonces Ragnar me lanzó una lanza, una pesada lanza de guerra más propia para embestir que para arrojar; el arma patinó sobre el polvo y comprendí que me estaba permitiendo luchar al recogerla. No me dejaría morir, pues tenía dos de sus arqueros preparados, pero no interfirió cuando el hombre corrió hacia mí y volvió a atacar.

Paré la embestida, le hice perder el chuzo para anguilas y di un paso atrás para tener más espacio. El hombre me sobrepasaba dos veces en altura y peso. Me maldecía, me llamaba bastardo del diablo, gusano del infierno, me volvió a atacar y yo hice lo que había aprendido en la caza del jabalí. Di un paso a la izquierda, esperé hasta que se niveló con la lanza, volví a dar un paso a la derecha y se la clavé.

No fue un golpe limpio, ni tampoco tenía peso suficiente como para hacerlo recular, pero la punta de la lanza le agujereó el estómago y su peso me empujó hacia atrás mientras gruñía e intentaba tomar aire. Yo caí, y él cayó encima de mí, intentó echarme mano al cuello, pero conseguí escabullirme de debajo, cogí su chuzo para anguilas y se lo clavé en la garganta. Había chorros de sangre en el suelo, gotas que se esparcían por el aire, y se sacudía y se asfixiaba, la sangre manaba de su garganta herida, y yo intenté sacar la lanza, pero los garfios del chuzo se le habían quedado enganchados en el gaznate, así que le arranqué la lanza de guerra del estómago e intenté que dejara de sacudirse clavándosela en el pecho, pero sólo rebotó en las costillas. Hacía un ruido horrible, y supongo que me entró un ataque de pánico porque no me di cuenta de que Ragnar y sus hombres casi no se podían mover del ataque de risa que les sacudía mientras me miraban intentando matar al hombre. Al final lo conseguí, o se murió desangrado, porque para entonces lo había pinchado y cortado hasta parecer que se había topado con una manada de lobos.

Pero obtuve un tercer brazalete, y había soldados adultos en la banda de Ragnar que sólo tenían tres. Rorik estaba celoso, pero era más joven y su padre lo consoló diciéndole que ya le llegaría el momento.

–¿Cómo te sientes? –me preguntó Ragnar.

–Bien –repuse, y que Dios me ayude, vaya si me sentía bien.

Fue entonces la primera vez que vi a Brida. Tenía mi edad, el pelo negro, y era delgada como una ramita, con enormes ojos oscuros y un espíritu tan salvaje como el de un halcón en primavera; estaba entre las mujeres capturadas y, cuando los daneses empezaron a repartirse a las cautivas entre ellos, una mujer mayor empujó a la chica hacia delante, como si se la entregara a los vikingos. Brida agarró un pedazo de madera, se dio la vuelta y sacudió con él a la mujer, cosa que la hizo desistir mientras le gritaba que era una zorra con cara de amargada y una madeja seca de cartílagos, y la mujer tropezó y se cayó encima de una mata de ortigas, donde Brida siguió atizándole. Ragnar se desternillaba, pero al final apartó a la chica y, como adoraba a todo aquel que mostraba presencia de ánimo, me la entregó.

–Mantenla a salvo –dijo–, y quema la última casa.

Y así lo hice.

Y aprendí otra cosa.

Inicia jóvenes a tus asesinos antes de que se les desarrolle una conciencia. Inícialos jóvenes y serán letales.

Trasladamos el botín hasta los barcos y aquella noche, mientras bebía cerveza, me consideré danés. No inglés, ya no. Era danés y había recibido una infancia perfecta, perfecta, al menos, para las ideas de un muchacho de mi edad. Me habían criado entre hombres, era libre, corría a mi aire, no me estorbaba ninguna ley, no me incordiaba ningún cura, se me animaba a la violencia, y rara vez estaba solo.

Y era eso precisamente, el hecho de que rara vez estaba solo, lo que me mantenía vivo.

* * *

Cada expedición traía más caballos, y más caballos significaban más hombres que podían adentrarse y arrasar más territorios, robar más plata y hacer más prisioneros. Ahora teníamos exploradores, que vigilaban la llegada del ejército del rey Edmundo. Edmundo gobernaba Anglia Oriental y, a menos que deseara derrumbarse con tanta debilidad como Burghred en Mercia, debía enviar hombres contra nosotros para conservar su reino, así que vigilábamos las carreteras y nos manteníamos al acecho.

Brida no se alejaba de mí. Ragnar le tomó mucho afecto, probablemente porque lo trataba de manera desafiante y porque fue la única que no lloró cuando la capturaron. Era huérfana y había vivido en casa de su tía, la mujer a la que había pegado y a la que odiaba, y en pocos días Brida fue más feliz entre los daneses de lo que lo había sido entre su propia gente. Ahora era sierva, una sierva obligada a quedarse en el campamento para cocinar, pero una madrugada, al partir en una expedición, ella llegó corriendo detrás y se encaramó a la parte trasera de mi silla. A Ragnar le hizo gracia y la dejó venir.

Fuimos muy al sur aquel día, salimos de las tierras llanas dominadas por los pantanos y nos adentramos en unas colinas bajas cubiertas de árboles en las que encontramos opulentas granjas, así como un más opulento monasterio. Brida se partió de risa cuando Ragnar mató al abad, y después, mientras los daneses se hacían con el botín, me cogió de la mano y me llevó a una pequeña elevación en la que aparecía una granja que ya había sido saqueada por los hombres de Ragnar. La granja pertenecía al monasterio y Brida conocía el lugar porque su tía acudía allí a rezar con frecuencia.

–Quería hijos –me contó Brida–, y sólo me tenía a mí. –Después señaló la granja y observó mi reacción.

Era una granja romana, me contó, aunque al igual que yo apenas si tenía una idea de quiénes fueron en realidad los romanos; sólo sabía que habían vivido en Inglaterra y que después se marcharon. Yo había visto antes muchos de sus edificios, había algunos en Eoferwic, pero la mayoría de ellos se había derrumbado y reparado después con adobe y cubierto con paja, mientras que aquella granja parecía recién abandonada por los romanos.

Era impresionante. Los muros eran de piedra, perfectamente cortados, cuadrados y unidos con mortero, y el tejado era de tejas, mostraba un motivo y encajaba a la perfección. Pasando la puerta había un patio rodeado de un claustro con pilares, y en la estancia más grande una imagen nunca vista en el suelo, hecha de miles de piedrecitas de colores. Yo me quedé boquiabierto ante los peces saltarines que tiraban de un carro en el que un barbudo sostenía un chuzo para anguilas como aquel al que me había enfrentado en el pueblo de Brida. Unas liebres rodeaban la imagen, persiguiéndose unas a otras entre ramales enroscados de hojas. Había otros retratos pintados por las paredes, pero se habían desvanecido o descolorido por el agua que se colaba por el viejo tejado.

–Era la casa del abad –me dijo Brida, y me llevó a una pequeña estancia en la que había un catre junto al cual yacía muerto uno de los criados del abad sobre su propia sangre–. Aquí me trajo –añadió.

–¿Qué dices que hizo el abad?

–Y me dijo que me quitara la ropa.

–¿Qué dices que hizo el abad? –volví a preguntar.

–Yo salí corriendo –dijo con total naturalidad–, y mi tía me sacudió. Me dijo que tendría que haberlo complacido y nos habría recompensado.

Vagamos por la casa y me extrañé de que ya no pudiéramos construir así. Sabíamos cómo hincar postes en el suelo, construir vigas y cubrirlas de techado de centeno o juncos, pero los postes se pudrían, la paja se llenaba de hongos y las casas se tambaleaban. En verano nuestras casas eran tan oscuras como en invierno, y todo el año se asfixiaba uno dentro por el humo, y en invierno apestaban a ganado. Pero esta casa era clara y limpia, y dudaba mucho de que ninguna vaca hubiera ensuciado nunca al tipo del carro de peces. Era un pensamiento inquietante, de algún modo volvíamos a la oscuridad llena de humo y el hombre jamás volvería a construir algo tan perfecto como aquel pequeño edificio.

–¿Los romanos eran cristianos? –le pregunté a Brida.

–No sé –contestó–. ¿Por qué?

–Por nada –respondí, pero había estado pensando que los dioses recompensan a aquellos a los que aman, y me habría gustado saber qué tipo de dioses velaban por los romanos. Confiaba en que adoraran a Odín, aunque ya sabía que eran cristianos porque el Papa vivía en Roma y Beocca me había enseñado que el Papa era el jefe de todos los cristianos, y era un hombre muy santo. Me acordaba de su nombre, Nicolás. A Brida nada le importaban los dioses de los romanos, pues se arrodilló para explorar un agujero en el suelo que sólo parecía conducir a una bodega tan estrecha que no cabía nadie dentro–. A lo mejor ahí viven elfos –Sugerí.

–Los elfos viven en los bosques –insistió ella. Decidió que el abad había podido esconder tesoros en aquel espacio y me pidió la espada para poder ensanchar el agujero. No era una espada de verdad, más bien un *sax*, es decir, un cuchillo largo, pero me lo había dado Ragnar y yo lo llevaba orgulloso.

–No rompas la hoja –le dije, y me sacó la lengua y después empezó a rascar el mortero en el borde del agujero mientras yo volvía al patio para mirar el verde estanque elevado y lleno de porquería, aunque de algún modo supe que en otros tiempos estuvo lleno de agua clara. Una rana croó en la pequeña isla de piedra situada en el centro y yo volví a recordar el juicio de mi padre sobre las gentes de Anglia Oriental; simples ranas.

Weland entró por la puerta. Se detuvo justo en el dintel y se relamió los labios, la lengua vibrante. Después dijo con media sonrisa:

–¿Has perdido tu cuchillo, Uhtred?

–No –repuse.

–Me envía Ragnar –dijo–, nos vamos.

Asentí, no dije nada, pero sabía que Ragnar habría hecho sonar un cuerno de haber estado listos para partir.

–Venga pues, chico –dijo.

Yo volví a asentir, seguí sin decir nada.

Sus ojos oscuros miraron las ventanas vacías del edificio, después el estanque.

–¿Eso es una rana –preguntó–, o un sapo?

–Una rana.

–En Francia –dijo–, la gente dice que te puedes comer las ranas. –Se acercó hasta el estanque y yo me desplacé para quedarme bien lejos, la estructura de piedra elevada quedaba entre los dos–. ¿Te has comido alguna rana, Uhtred?

–No.

–¿Te gustaría?

–No.

Echó mano a una bolsa de cuero que colgaba de su tahalí, abrochado por encima de una ajada cota de malla. Ahora tenía dinero, llevaba dos brazaletes, botas adecuadas, un casco de hierro, espada larga y la cota de malla que necesitaba ser reparada, pero sin duda constituía mejor protección que los trapos que vestía cuando apareció por vez primera en casa de Ragnar.

–Te doy esta moneda si cazas la rana –dijo mientras lanzaba al aire un penique de plata.

–No quiero coger ninguna rana –contesté enfurruñado.

–Yo sí –dijo sonriendo, y sacó la espada, la hoja silbó al salir de la garganta de madera de la vaina, y se metió en el estanque. El agua no le llegaba a la parte de arriba de las botas, la rana saltó, se zambulló en la porquería verde y Weland no miraba a la rana, sino a mí, y supe que me iba a matar, pero por algún motivo no me podía mover. Estaba asombrado, y al mismo tiempo no lo estaba. Nunca me había gustado, nunca confié en él, y comprendí entonces que había sido enviado para matarme y que no lo había conseguido aún porque hasta ese momento, en que había permitido que Brida me separara de la banda de Ragnar, siempre estuve acompañado. Así que Weland tenía ahora su oportunidad. Me sonrió, llegó al centro del estanque, se acercó más, levantó la espada y yo al fin encontré mis pies y salí corriendo por el claustro. No quería entrar en la casa porque Brida estaba allí, y sabía que la mataría si la encontraba. Él salió de un salto del estanque y empezó a perseguirme, yo aceleré por el claustro, giré la esquina y él me salió al paso, reculé, intentando llegar a la puerta, pero él conocía mis intenciones, y se aseguró de colocarse entre mi vía de escape y yo. Sus botas dejaron huellas húmedas en las losas romanas.

–¿Qué pasa, Uhtred? –preguntó–. ¿Te asustan las ranas?

–¿Qué es lo que quieres? –le pregunté yo.

–Ahora no somos tan gallitos, ¿eh, *ealdorman*? –Avanzaba hacia mí, cambiándose la espada de mano–. Tu tío te manda recuerdos y está seguro de que arderás en el infierno mientras él vive en Bebbanburg.

–Vienes de... –Pero era tan obvio que Weland venía de parte de Ælfric que no me molesté en terminar la frase, echándome atrás.

–La recompensa por tu muerte será el peso de su hijo recién nacido en plata –contestó Weland–, y el niño debe de haber nacido ya a estas alturas. Tu tío tiene prisa por matarte, vaya que sí. Casi conseguí seguirte aquella noche en Snotengaham, casi acabo contigo de un flechazo el invierno pasado, pero te agachaste. Esta vez no, pero será rápido, chico. Tu tío me dijo que lo hiciera rápido, así que arrodíllate, muchacho, arrodíllate y no lo demoremos más. –Paseó la hoja a izquierda y derecha, con un golpe seco de muñeca, de manera que la espada silbaba–. Aún no le he puesto nombre –dijo–. Puede que después de esto se la conozca como *Degüellahuérfanos*.

Amagué a derecha, luego a izquierda, pero era rápido como un armiño y me bloqueó. Sabía que estaba arrinconado, él también lo sabía y sonrió.

–Será rápido –dijo–. Lo prometo.

Entonces la primera teja le dio en el casco. No le dolió demasiado, pero el inesperado golpe lo hizo recular confundiéndolo, y la segunda teja le dio en la cintura y la tercera en el hombro, y Brida gritó desde el tejado.

–¡Entra en la casa! –Corrí, la espada que se abalanzaba sobre mí falló por unos centímetros, me enrosqué para meterme por la puerta, pasé corriendo por encima del carro tirado por peces, por una segunda puerta, otra más, vi una ventana abierta y salté por ella, y Brida saltó a mi lado desde el tejado y juntos corrimos por los bosques cercanos.

Weland me siguió, pero abandonó la búsqueda cuando desaparecimos entre los bosques. Se dirigió al sur, él solo, huyendo de la venganza de Ragnar, y por algún motivo me eché a llorar cuando me reuní de nuevo con él. ¿Por qué lloraba? No lo sé, tal vez fuera la confirmación de que Bebbanburg ya no era mío, de que mi querido refugio estaba en poder de mi enemigo, y un enemigo que, a estas alturas, tendría un hijo.

Brida recibió un brazalete, y Ragnar hizo saber que si algún hombre la tocaba, él, Ragnar, caparía personalmente a dicho hombre valiéndose de un mazo y un serrucho. Regresó a casa montada en el caballo de Weland.

Y al día siguiente apareció el ejército enemigo.

* * *

Ravn había navegado con nosotros, ciego como estaba, y como de costumbre me mandó llamar para ser sus ojos, así que le describí la formación del ejército de Anglia Oriental en una cresta baja de tierra seca al sur de nuestro campamento.

–¿Cuántos estandartes? –me preguntó.

–Veintitrés –respondí tras una pausa para contarlos.

–¿Qué representan?

–En su mayoría cruces –dije–, y algunos santos.

–El rey Edmundo es un hombre muy pío –comentó Ravn–, incluso intentó convencerme de que me convirtiera al cristianismo. –El recuerdo le dio risa. Estábamos sentados en la proa de uno de los barcos varados en la playa, Ravn en una silla, Brida y yo a sus pies, y los gemelos mercios, Ceolnoth y Ceolberht, en el otro extremo. Eran hijos del obispo Æthelbrid de Snotengaham, y estaban allí como rehenes a pesar de que su padre había dado la bienvenida al ejército danés. Pero, como Ravn decía, tener a los hijos de rehenes aseguraría la honestidad del padre. Docenas de rehenes, de Mercia y Northumbria, todos hijos de hombres importantes, se hallaban bajo pena de muerte si sus padres daban problemas. También había ingleses en el ejército que servían como soldados y, de no ser por el idioma que hablaban, resultaría imposible distinguirlos de los daneses. Casi todos ellos eran forajidos u hombres sin señor, pero todos luchadores encarnizados, exactamente el tipo de hombres que los ingleses necesitaban para enfrentarse a su enemigo. Aunque aquellos hombres peleaban entonces con los daneses contra el rey Edmundo–. Y un mentecato –añadió Ravn burlón.

–¿Un mentecato? –pregunté.

–Nos dio refugio durante el invierno antes de atacar Eoferwic –me aclaró Ravn–, y le prometimos no matar a ninguno de sus hombres de la Iglesia. –Dejó escapar una risita–. Qué condición más tonta. Si su dios sirviera de algo no los habríamos podido matar de todos modos.

–¿Por qué os dio refugio?

–Porque era más fácil que enfrentarse a nosotros –repuso Ravn. Utilizaba el inglés porque los otros tres niños no entendían el danés, aunque Brida aprendía rápido. Tenía la mente de un zorro, rápida y ladina. Ravn sonrió–. El tonto del rey Edmundo creía que nos iríamos en primavera y no volveríamos, y aquí estamos.

–No tendría que haberlo hecho –intervino uno de los gemelos. No podía desdeñarlos, pero me aburrían muchísimo porque eran fieros patriotas mercios, a pesar del cambio de fidelidades de su padre. Tenían diez años de edad y siempre estaban reprendiéndome por idolatrar a los daneses.

–Pues claro que no tendría que haberlo hecho –coincidió Ravn.

–¡Tendría que haberos atacado! –dijo Ceolnoth o Ceolberht.

–Habría perdido de haberlo hecho –señaló Ravn–, montamos un campamento, lo protegimos con murallas y nos quedamos allí. Y él nos pagó para que no diésemos problemas.

–Yo vi una vez al rey Edmundo –intervino Brida.

–¿Dónde fue eso, niña? –preguntó Ravn.

–Vino al monasterio a rezar –relató–, y se tiró un pedo al arrodillarse.

–Sin duda su dios apreció el tributo –comentó Ravn con altivez, y algo de ceño porque los gemelos estaban haciendo ruidos de pedos.

–¿Los romanos eran cristianos? –le pregunté al recordar mi curiosidad en la granja romana.

–No siempre –contestó Ravn–. Durante un tiempo tuvieron sus propios dioses, pero los abandonaron para convertirse en cristianos y después de aquello ya no conocieron otra cosa que la derrota. ¿Dónde están nuestros hombres?

–En el pantano, todavía –respondí.

Ubba había confiado en quedarse en el campamento y así obligar al ejército inglés a atacar por el estrecho cuello de tierra y morir ante nuestra primera muralla, pero los ingleses permanecieron al sur del traicionero terreno bajo invitándonos a iniciar las hostilidades. Ubba se sentía tentado. Le había pedido a Storri que lanzara las runas y los rumores decían que el resultado parecía incierto; eso alimentaba la cautela de Ubba. Era un guerrero temible, pero muy cuidadoso al escoger las peleas. En cualquier caso, las runas no habían predicho el desastre, así que dirigió el ejército al pantano, donde ahora aguardaba en los rodales de tierra seca que encontraron, y desde allí dos caminos conducían a la pequeña cresta. El estandarte de Ubba, el famoso cuervo sobre el paño triangular, se encontraba en medio de los dos caminos, ambos fuertemente custodiados por muros de escudos de Anglia Oriental, y un ataque por cualquiera de ellos significaría que unos cuantos de los nuestros tendrían que enfrentarse a muchos de los suyos, así que Ubba debía de estar pensándolo bien porque vacilaba. Se lo describí todo a Ravn.

–No conviene perder hombres –me dijo–, incluso aunque ganemos.

–¿Ni aunque matemos a muchos de los suyos? –pregunté.

–Ellos tienen más, y nosotros somos pocos. Si matamos a mil de los suyos, mañana vendrán otros mil, pero si nosotros perdemos cien, tendremos que esperar a que vengan más barcos para reemplazarlos.

–Vienen más barcos –dijo Brida.

–Dudo de que vengan más este año –respondió Ravn.

–No –insistió ella–, ahora. –Y señaló, y yo vi cuatro barcos asomando la nariz por la maraña de islas y arroyos poco profundos.

–Cuéntame –pidió Ravn con urgencia.

–Cuatro barcos –dije–, del oeste.

–¿Del oeste, no del este?

–Del oeste –repetí, lo cual significaba que no venían del mar, sino de uno de los cuatro ríos que surcaban el Gewæsc.

–¿Las proas? –me urgió Ravn.

–No llevan bestias como nosotros –respondí–, son simples postes de madera.

–¿Remos?

–Diez a cada lado, creo, puede que once. Pero hay muchos más hombres que remeros.

–¡Barcos ingleses! –Ravn parecía asombrado, porque salvo embarcaciones de pesca y alguna barcaza carguera, los ingleses tenían pocos barcos. A pesar de todo, aquellos cuatro eran barcos de guerra, construidos como los largos y esbeltos barcos daneses, y se aproximaban lentamente por el laberinto de canales de agua para atacar la flota de Ubba en la playa. Vi que el primero de los barcos despedía humo y supe enseguida que llevaban un brasero a bordo porque planeaban quemar los barcos daneses y atrapar a Ubba.

Pero Ubba también los había visto, y el ejército danés ya regresaba a toda prisa al campamento. El primer barco inglés empezó a disparar flechas incendiarias al navío danés más próximo, y aunque había vigilancia en las embarcaciones, ésta se hallaba compuesta por los enfermos y los cojos, los cuales no se hallaban en las mejores condiciones para defenderlas contra un ataque por mar.

–¡Chicos! –gritó uno de los guardias.

–Id –nos dijo Ravn–, venga, id. –Y Brida, que se consideraba a sí misma tan buena como cualquier chico, vino con los gemelos y conmigo. Saltamos hasta la playa y corrimos por la orilla hasta allí donde el humo se espesaba encima del barco danés. En ese momento había ya dos barcos ingleses disparando flechas, mientras que los otros dos estaban intentando sobrepasar a sus compañeros para tener más de los nuestros a tiro.

Nuestra tarea consistía en apagar el fuego mientras los guardias arrojaban lanzas a las tripulaciones inglesas. Yo utilicé un escudo para recoger arena que echaba encima del fuego. Los barcos ingleses estaban cerca y pude ver que su madera era nueva. Una lanza se clavó cerca de mí, yo la recogí y la arrojé de vuelta, aunque con poca fuerza porque repiqueteó contra un remo y cayó al mar. Los gemelos ni siquiera trataban de apagar el fuego, y yo sacudí a uno y lo amenacé con pegarle más fuerte si no hacía un esfuerzo, pero llegamos tarde para salvar el primer barco danés, ardiendo ya como una tea, así que intentamos rescatar el siguiente, pero una veintena de flechas incendiarias se clavaron en los bancos de los remeros, otra aterrizó en la vela recogida, y dos de los daneses acabaron muertos en la orilla. El barco inglés viró entonces hacia la playa, con la proa rebosante de hombres provistos de lanzas, hachas y espadas centelleantes.

–¡Edmundo! ¡Edmundo! –gritaban–. ¡Edmundo! –La proa varó en la playa y los guerreros saltaron dispuestos a masacrar a los centinelas daneses. Las enormes hachas empezaron a repartir y la sangre salpicó la arena o fue sorbida por las pequeñas olas que bañaban la arena. Yo cogí a Brida de la mano y tiré de ella, atravesamos un riachuelo en el que los pececillos huían espantados.

–¡Tenemos que salvar a Ravn! –le dije.

Reía. Brida siempre disfrutaba del caos.

Tres de los barcos ingleses ya habían llegado a la playa, sus tripulaciones desembarcado y rematado a los guardias daneses. El último barco se deslizaba por la bajamar, disparando flechas incendiarias, pero entonces regresaron los hombres de Ubba al campamento y se abalanzaron sobre los ingleses profiriendo espantosos rugidos. Algunos hombres se quedaron con el estandarte del cuervo en la muralla de tierra para asegurarse de que las fuerzas del rey Edmundo no ocuparían el cuello de tierra para tomar el campamento, pero el resto se abalanzó gritando y sediento de venganza. Los daneses adoraban sus barcos. Un barco, decían, es como una mujer o una espada, afilado y hermoso, algo por lo que vale la pena morir, y desde luego algo por lo que vale la pena luchar, y los anglos del este, que lo habían hecho tan bien, cometieron entonces un error, porque la marea estaba bajando y no podían navegar con olas pequeñas. Algunos de los daneses protegieron sus botes intactos mediante el método de lanzar una lluvia de hachas, lanzas y flechas a la tripulación del único barco enemigo en el agua, mientras el resto atacaba a los ingleses de la orilla.

Fue una carnicería. Así peleaban los daneses. Aquella fue una batalla digna de ser celebrada por los escaldos. La sangre teñía la orilla, una sangre lamida por el vaivén de las pequeñas olas, los hombres gritaban y caían, y a su alrededor el humo de las embarcaciones en llamas se arremolinaba frente a un turbio sol carmesí sobre la arena teñida de rojo, y en aquella humareda, la ira de los daneses causó estragos terribles. Fue entonces la primera vez que vi a Ubba luchar, y me maravillé, pues era la viva imagen de la muerte, un guerrero sombrío, el amante de las espadas. No peleaba en un muro de escudos, sino que corría contra sus enemigos; por un lado estampaba el escudo, por el otro su hacha repartía golpes letales, y parecía indestructible porque, en determinado momento, lo rodearon unos cuantos guerreros anglos, pero se oyó un rugido de odio, un estrépito de armas, y Ubba salió de la maraña de hombres con la hoja encarnada, crúor en la barba, pisoteando a sus enemigos en la marea de sangre, y buscando más hombres que matar. Ragnar se le unió, y con él sus hombres. Segaron al enemigo junto al mar, lanzaron palabras de odio a quienes habían quemado sus barcos, y cuando los alaridos y la matanza concluyeron contamos sesenta y ocho cadáveres ingleses, más otros que no pudimos contar porque huyeron por el mar y se ahogaron, arrastrados por el peso de armas y armadura. El único barco anglo que escapó fue el de los moribundos, con las bordas de madera chorreando sangre. Los daneses victoriosos bailaron encima de los cadáveres del enemigo, después reunieron en un montón las armas capturadas. Había treinta daneses muertos, y aquellos hombres fueron quemados en un barco a medio incendiar; otros seis barcos más quedaron destruidos, pero Ubba capturó las tres embarcaciones inglesas que Ragnar catalogó como pedazos de mierda.

–Parece increíble que floten –dijo lanzando una patada contra unas planchas del casco mal calafateadas.

Aun así los anglos lo habían hecho bien, pensé. Habían cometido errores, pero consiguieron herir el orgullo de los daneses al quemar barcos dragón, y si el rey Edmundo hubiera atacado la muralla que protegía el campamento, habría convertido la escabechina en una masacre de daneses, pero el rey Edmundo no atacó. Lo que sí hizo, mientras sus hombres morían bajo la humareda, fue retirarse.

Pensó que se enfrentaba a los daneses por mar, hasta descubrir que el auténtico ataque venía por tierra. Enseguida supo que Ivar Saco de Huesos estaba invadiendo su territorio.

Y Ubba se mostró colérico e implacable. Los pocos prisioneros ingleses que se hicieron fueron sacrificados a Odín, y sus horribles gritos fueron una petición de ayuda al dios. Y a la mañana siguiente abandonamos las embarcaciones quemadas como esqueletos negros en la playa y condujimos la flota de dragones a golpe de remo hacia el oeste.

CAPÍTULO IV

El rey Edmundo de Anglia Oriental es recordado ahora como un santo, como una de esas almas benditas que viven para siempre a la sombra de Dios. O eso me cuentan los curas. En el cielo, dicen, los santos ocupan un lugar privilegiado, habitan en la elevada plataforma del gran salón de Dios donde pasan el tiempo cantando alabanzas al Señor. Por siempre y para siempre. Sólo cantando. Beocca solía decir que sería una existencia extática, pero a mí me parece bastante aburrida. Los daneses están convencidos de que sus guerreros son transportados al Valhalla, el salón de los muertos de Odín, donde pasan los días luchando y las noches de fiesta, bailando como peonzas, y yo no me atreví a decirles a los curas que ésa me parecía mejor manera de transcurrir la vida después de la muerte que cantando al son de arpas doradas. Una vez le pregunté a un obispo si había mujeres en el cielo.

–Claro que las hay, mi señor –respondió, feliz de que mostrara algo de interés por la doctrina–, la mayoría de las santas más benditas son mujeres.

–Mujeres que nos podamos cepillar, obispo.

Dijo que rezaría por mí. A lo mejor lo hizo.

No sé si el rey Edmundo era un santo. Era un insensato, eso seguro. Les había proporcionado a los daneses refugio antes de que atacaran Eoferwic, y les había dado algo más que refugio. Les había pagado en moneda, les había proporcionado comida y abastecido de caballos su ejército, todo con dos condiciones, que se marcharan de Anglia Oriental en primavera y que no hicieran daño a ningún hombre de la Iglesia. Mantuvieron sus promesas, pero ahora, dos años después y mucho más fuertes, los daneses habían vuelto, y el rey Edmundo parecía decidido a enfrentarse a ellos. Pudo comprobar qué les había ocurrido a Mercia y Northumbria y debía de saber que su propio reino iba a sufrir el mismo destino, así que levó a su *fyrd*, rezó a su dios y marchó a la batalla. Primero se enfrentó a nosotros por mar, y después, al saber que Ivar merodeaba alrededor de los inmensos páramos acuáticos al oeste del Gewæsc, se dio la vuelta para enfrentarse a él. Ubba condujo entonces nuestra flota por el Gewæsc, donde tanto nos adentramos en uno de los ríos de cauce estrecho que los remos no cabían, momento en el cual los hombres remolcaron los barcos por aguas que cubrían por la cintura, hasta que no pudimos avanzar más, y allí dejamos los barcos vigilados. El resto seguimos senderos embarrados por un pantanal interminable hasta que al fin logramos alcanzar terreno elevado. Nadie sabía dónde estábamos, sólo que si seguíamos hacia el sur acabaríamos encontrando la carretera por la que Edmundo había marchado para enfrentarse a Ivar. Si cortábamos la carretera podríamos atraparlo entre nuestras fuerzas y las del ejército de Ivar.

Que es precisamente lo que sucedió. Ivar luchó contra él, muro de escudos contra muro de escudos, y nosotros no supimos nada de aquello, hasta que los primeros fugitivos anglos llegaron en manada en dirección este para toparse con otro muro de escudos en su retirada. Prefirieron desperdigarse antes que presentar batalla, nosotros avanzamos y por los pocos prisioneros que hicimos supimos que Ivar los había derrotado con facilidad. La confirmación llegó al día siguiente, cuando los primeros jinetes que mandó Ivar nos alcanzaron.

El rey Edmundo huyó al sur. Anglia Oriental era un país grande, así que halló cobijo sin problemas en una fortaleza; quizá pudo haberse marchado a Wessex, pero en lugar de eso decidió poner su fe en Dios refugiándose en un pequeño monasterio de Dic. El monasterio se encontraba perdido en medio de los marjales y tal vez creyera que jamás lo atraparían allí, o incluso, como me contaron, que uno de los monjes le hubiese prometido que Dios envolvería el monasterio en una niebla perpetua en la que los paganos se perderían, pero la niebla no llegó nunca y los daneses, en cambio, sí.

Ivar, Ubba y su hermano Halfdan cabalgaron hasta Dic, llevando consigo a la mitad de sus ejércitos mientras la otra mitad se dedicaba a pacificar Anglia Oriental, lo que no significaba otra cosa que violar, quemar y matar hasta que la gente se sometiera, cosa que la mayoría hacía con rapidez. Anglia Oriental, resumiendo, cayó con tanta facilidad como Mercia, y las únicas malas noticias para los daneses fueron que una oleada de descontento recorría Northumbria. Los rumores hablaban de revuelta; habían muerto daneses, e Ivar quería sofocar aquel levantamiento, pero no se atrevía a abandonar Anglia Oriental cuando hacía tan poco que había sido capturada, así que en Dic le propuso al rey Edmundo mantenerlo como rey para que siguiera gobernando del mismo modo que Burghred lo hacía en Mercia.

El encuentro tuvo lugar en la iglesia del monasterio, un edificio extraordinario de madera y paja, pero con grandes paneles de cuero colgados de las paredes. Los paneles estaban pintados con escenas abigarradas. Una de las imágenes representaba una multitud desnuda que bajaba a trompicones al infierno, donde una gigantesca serpiente afilaba sus colmillos para tragárselos.

–Comecadáveres –comentó Ragnar con un escalofrío.

–¿Comecadáveres?

–Una serpiente que espera en el Niflheim –me aclaró, y se tocó su amuleto martillo. Niflheim, eso lo sabía, era una especie de infierno nórdico, pero a diferencia del infierno cristiano, el Niflheim estaba helado–. Comecadáveres se alimenta de los muertos –prosiguió Ragnar–, pero también mordisquea el árbol de la vida. Quiere matar el mundo entero y que el tiempo acabe. –Volvió a tocarse el martillo.

Otro panel, detrás del altar, mostraba a Cristo en la cruz, y junto a él había un tercer panel pintado que fascinó a Ivar. Un hombre, desnudo salvo por un taparrabos de paño, estaba atado a una estaca y era utilizado como diana por unos arqueros. Al menos una veintena de flechas habían perforado su blanca piel, pero aún tenía fuerzas para componer una expresión beatífica y una sonrisa secreta como si, a pesar de la situación, estuviera disfrutando del tormento.

–¿Quién es ése? –quiso saber Ivar.

–El bendito san Sebastián. –El rey Edmundo estaba sentado enfrente del altar, y su intérprete proporcionó la respuesta. Ivar, con los ojos clavados en el cuadro, quiso saber toda la historia, y Edmundo le relató cómo el bendito san Sebastián, un soldado romano, se negó a renunciar a su fe, de modo que el emperador ordenó acribillarlo a flechas.

–¡Y aun así sobrevivió! –exclamó entusiasmado Edmundo–, vivió porque Dios lo protegió. Alabado sea Dios por aquella gracia.

–¿Sobrevivió? –preguntó Ivar con desconfianza.

–De tal manera que el emperador lo remató a mazazos –concluyó el intérprete la historia.

–Así que no sobrevivió.

–Fue al cielo –respondió el rey Edmundo–, así que sobrevivió.

Ubba intervino, dado que quería que se le explicase el concepto de cielo, y Edmundo entonces se las prometió muy felices, pero Ubba escupió con desprecio cuando reparó en que el cielo cristiano era el Valhalla, pero sin la diversión del mismo.

–¿Y los cristianos quieren ir al cielo? –preguntó incrédulo.

–Por supuesto –respondió el intérprete.

Ubba mostró su desdén. Él y sus dos hermanos eran asistidos por tantos guerreros daneses como cupieron en la iglesia, mientras el rey Edmundo contaba con un séquito de dos curas y seis monjes que escuchaban todos mientras Ivar proponía su asentamiento. El rey Edmundo podía seguir viviendo, podía gobernar Anglia Oriental, pero las principales fortalezas quedarían guardadas por daneses, y a los daneses se les debían conceder todas las tierras que quisieran, excepto las reales. Se esperaba de Edmundo que proveyera de caballos al ejército danés, así como de salarios y comida a sus guerreros, y su *fyrd*, o lo que quedaba de él, marcharía a las órdenes de los invasores. Edmundo no tenía hijos, pero sus hombres más importantes, los que habían sobrevivido, tenían hijos que se convertirían en rehenes para asegurarse de que los anglos mantuvieran las condiciones que Ivar proponía.

–¿Y si no acepto? –preguntó Edmundo.

A Ivar le divirtió aquello.

–Invadiremos el país igualmente.

El rey lo consultó con sus curas y monjes. Edmundo era un hombre alto, enjuto, y calvo como un huevo aunque sólo tuviera treinta años. De ojos saltones, morro arrugado y ceño perpetuo. Vestía una túnica blanca que también lo hacía parecer un cura.

–¿Y qué pasa con la iglesia de Dios? –se decidió, por fin, a preguntarle a Ivar.

–¿Qué pasa con ella?

–¡Vuestros hombres han profanado los altares de Dios, masacrado a sus servidores, deshonrado su imagen y robado su tributo! –El rey se mostraba furioso. Apretaba una de las manos contra el brazo de su silla, colocada delante del altar, y la otra era un puño que marcaba el ritmo de sus acusaciones.

–¿Vuestro dios no puede cuidarse él solo? –preguntó Ubba.

–Nuestro Dios es un Dios poderoso –declaró Edmundo–, el creador del mundo, y que no obstante permite que el mal exista para ponernos a prueba.

–Amén –murmuró uno de los curas cuando el intérprete de Ivar nos tradujo las palabras.

–¡Os ha traído a vosotros! –escupió el rey–, ¡paganos del norte! ¡Jeremías lo predijo!

–¿Jeremías? –preguntó Ivar, que ya estaba bastante perdido.

Uno de los monjes tenía un libro, el primero que yo veía en muchos años, y desenvolvió sus tapas de cuero, hojeó las tiesas páginas y se lo entregó al rey, quien usó un pequeño puntero de marfil para indicar las palabras que le interesaban.

–*Quia malum ego* –tronó, y el claro puntero de marfil se desplazó por las líneas– *adduco ab aquilone et contritionem magnam!*

Aquí se detuvo, observó con inmensa furia a Ivar, y algunos de los daneses, impresionados por la fuerza de las palabras del rey –aunque ninguno entendió una sola– se tocaron los amuletos martillo. Los curas que rodeaban a Edmundo nos miraban con ojos reprobadores. Un gorrión pasó volando por una elevada ventana y se posó un instante en uno de los brazos de la enorme cruz de madera que se erguía en el altar.

El rostro terrorífico de Ivar no mostró reacción alguna ante las palabras de Jeremías, y al final el intérprete anglo, que era uno de los curas, cayó en la cuenta de que la apasionada lectura del rey no había significado nada para ninguno de nosotros.

–Porque yo traigo una calamidad del norte –tradujo–, y un quebranto grande.

–¡Está en el libro! –exclamó Edmundo airado, y le devolvió el volumen al monje.

–Puedes quedarte tu iglesia –contestó Ivar sin más.

–No es suficiente –repuso Edmundo. Se puso en pie para dar más fuerza a sus siguientes palabras–. Gobernaré aquí –prosiguió–, y soportaré vuestra presencia si es necesario, y os proporcionaré caballos, comida, dinero y rehenes, pero sólo si vosotros, y todos vuestros hombres, os sometéis a Dios. ¡Tenéis que bautizaros!

Una palabra que el intérprete danés no conocía, y tampoco el del rey, así que al final Ubba me miró en busca de ayuda.

–Tenéis que poneros al lado de un barril de agua –le conté recordando cómo me había bautizado Beocca tras la muerte de mi hermano–, y ellos os tirarán agua encima.

–¿Quieren lavarme? –preguntó Ubba estupefacto.

Me encogí de hombros.

–Eso es lo que hacen, señor.

–¡Os convertiréis al cristianismo! –proclamó Edmundo, después me lanzó una mirada de profunda irritación–. Podemos bautizarlos en el río, chico. Los barriles no hacen falta.

–Quieren lavaros en el río –les aclaré yo a Ivar y a Ubba, y los daneses estallaron en carcajadas.

Ivar pensó sobre ello. Meterse en un río durante un rato no parecía tan malo, especialmente si significaba que podía volver corriendo a aplastar cualquier insurrección que estallara en Northumbria.

–¿Puedo seguir adorando a Odín después de lavarme? –preguntó.

–¡Por supuesto que no! –exclamó enfurecido Edmundo–. ¡Sólo hay un Dios!

–Hay muchos dioses –replicó Ivar–. ¡Muchos! ¡Eso lo sabe todo el mundo!

–Sólo hay un Dios, y debes obedecerle.

–Pero si vamos ganando –le explicó Ivar con paciencia, casi como si estuviera hablando con un niño–, lo que significa que nuestros dioses le están pegando una paliza al tuyo.

El rey se estremeció ante aquella espantosa herejía.

–Vuestros dioses son dioses falsos –dijo–, son cagarros del demonio, son bichos malvados que traerán la oscuridad al mundo, mientras que nuestro Dios es grande, es poderoso, es magnífico.

–Enséñamelo –dijo Ivar.

Esa palabra produjo un gran silencio. El rey, sus sacerdotes y monjes se quedaron todos mirando a Ivar con perplejidad notoria.

–Demuéstramelo –repitió Ivar, y sus daneses emitieron murmullos de aprobación ante la idea.

El rey Edmundo parpadeó, buscando claramente inspiración, y después tuvo una idea repentina y señaló el panel de piel en el que estaba representada la experiencia de san Sebastián como diana de los arqueros.

–¡Nuestro Dios salvó a san Sebastián de morir asaeteado por las flechas! –dijo Edmundo–. Es prueba más que suficiente.

–Pero si murió igualmente –señaló Ivar.

–Sólo porque fue la voluntad de Dios. –Ivar meditó sobre ello.

–¿Y os protegerá vuestro dios de mis flechas? –preguntó.

–Si ésa es su voluntad, lo hará.

–Pues vamos a intentarlo –propuso Ivar–. Os vamos a disparar unas cuantas flechas, y si sobrevivís, nosotros nos bañamos.

Edmundo se quedó mirando al danés, preguntándose si hablaba en serio, después se puso nervioso cuando reparó en que Ivar no estaba de broma. El rey abrió la boca, se dio cuenta de que no tenía nada que decir, y la volvió a cerrar; después uno de sus tonsurados monjes le murmuró algo y quizá trató de convencerlo de que Dios estaba sugiriendo su martirio para extender su Iglesia, y que ocurriría un milagro, y los daneses se convertirían y todos nos haríamos amigos y acabaríamos cantando juntos en la misma plataforma celeste. El rey no parecía muy convencido ante aquel argumento, si eso era lo que el monje proponía, pero los daneses tenían ganas de probar el milagro, y ya no estaba en manos de Edmundo aceptar o rechazar el desafío.

Una docena de hombres apartaron a un lado a los monjes y curas mientras otros fueron a buscar arcos y flechas. El rey, atrapado en su defensa de Dios, se arrodilló ante el altar, y rezaba con tanta intensidad como ningún hombre había rezado nunca. Los daneses sonreían. Yo me divertía de lo lindo. Creo que casi esperaba ver un milagro, pero no porque fuera cristiano, sino porque quería verlo. Beocca me había hablado con frecuencia de los milagros, haciendo hincapié en que eran la auténtica prueba de las verdades cristianas, pero yo nunca había visto ninguno. Nadie en Bebbanburg había caminado nunca sobre las aguas, ni curado a ningún leproso, ni habían venido nunca ángeles a llenar nuestros cielos nocturnos de gloria refulgente, pero ahora, a lo mejor, podía ver el poder del Dios sobre el que tanto me había sermoneado Beocca. Brida sólo quería ver a Edmundo muerto.

–¿Preparado? –le preguntó Ivar al rey.

Edmundo miró hacia sus curas y monjes y yo me pregunté si no estaba a punto de sugerir que uno de ellos lo reemplazara para probar el poder de Dios. Luego frunció el entrecejo y se volvió para mirar a Ivar.

–Acepto vuestra propuesta –dijo.

–¿La de que te disparemos flechas?

–La de seguir aquí como rey.

–Pero quieres que primero me lave.

–Podemos prescindir de eso –capituló Edmundo.

–No –repuso Ivar–. Has afirmado que tu dios es todopoderoso, que es el único dios, y quiero que lo demuestres. Si tienes razón nos lavaremos todos. ¿Estamos de acuerdo? –La pregunta iba dirigida a los daneses, que rugieron su aprobación.

–Yo no –intervino Ravn–. Yo no me pienso lavar.

–¡Nos lavaremos todos! –replicó Ivar, y yo comprendí que estaba realmente interesado en comprobar el resultado de la prueba, mucho más, de hecho, de lo que lo estaba en firmar una paz rápida y ventajosa con Edmundo. Todos los hombres necesitan el apoyo de su dios e Ivar intentaba descubrir si había estado, durante todos estos años, adorando el santuario equivocado–. ¿Llevas armadura? –le preguntó a Edmundo.

–No.

–Mejor que nos aseguremos –intervino Ubba y miró la pintura fatídica–. Desnudadlo –ordenó.

El rey y los religiosos protestaron, pero los daneses no aceptaban negativas, y el rey Edmundo acabó completamente desnudo. A Brida eso le encantó.

–Es lastimoso –dijo. Edmundo, objeto ahora de todas las risas, hacía cuanto podía para mantener un aspecto digno. Los curas y monjes se arrodillaron para rezar, mientras seis arqueros tomaban sus puestos a doce pasos de Edmundo.

–Vamos a averiguar –nos dijo Ivar, y las risas se acallaron–, si el dios inglés es tan poderoso como nuestros dioses daneses. Si lo es, y si el rey sobrevive, nos convertiremos en cristianos, ¡todos nosotros!

–Yo no –repuso Ravn, pero en voz baja, para que Ivar no lo oyera–. Cuéntame lo que pase, Uhtred.

Se contaba rápido. Las seis flechas dieron en el blanco, el rey gritó, el altar quedó salpicado de sangre, se cayó al suelo, se retorció como un salmón ensartado en un garfio, y se le clavaron otras seis flechas más. Edmundo se retorció un poco más, y los arqueros siguieron disparando, aunque cada vez apuntaban peor porque estaban cayéndose de la risa, y siguieron disparando hasta que el rey acabó tan lleno de astiles emplumados como un puercoespín. Y para entonces ya estaba bastante muerto. Estaba ensangrentado, la piel blanca como envuelta en encaje rojo, con la boca abierta y muerto. Su dios le había fallado miserablemente. Hoy en día, por supuesto, esa historia no se cuenta nunca, lo que aprenden los niños es lo valiente que fue san Edmundo al desafiar a los daneses, exigir su conversión, y morir asesinado por ello. Así que ahora es un mártir y un santo, que trina felizmente en el cielo, pero la verdad es que fue un insensato que se ganó él solo su martirio.

Los curas y monjes empezaron a aullar, así que Ivar ordenó que también los mataran, y después decretó que el *jarl* Godrim, uno de sus jefes, gobernaría en Anglia Oriental y que Halfdan saquearía el territorio para sofocar los últimos brotes de resistencia. Godrim y Halfdan se quedarían con un tercio del ejército para mantener tranquila Anglia Oriental, mientras que el resto regresaríamos para aplacar los disturbios en Northumbria.

Así, pues, Anglia Oriental había desaparecido.

Y Wessex era el último reino de Inglaterra.

* * *

Regresamos a Northumbria, medio remando, medio a vela en la *Víbora del viento,* siguiendo la suave costa; después subimos los ríos contracorriente y remontamos primero el Humber, y después el Ouse hasta que las murallas de Eoferwic aparecieron ante nuestros ojos, y allí subimos el barco a tierra seca para que no se pudriera durante el invierno. Ivar y Ubba regresaron con nosotros, de manera que la flota al completo rodeaba el río, con los remos chorreando, la proas sin sus cabezas de bestias llevaban ramas de roble verde para señalar que volvíamos victoriosos. Traíamos un gran tesoro. Los daneses apreciaban mucho los tesoros. Los hombres seguían a sus líderes porque sabían que serían recompensados con plata, y al conquistar tres de los cuatro reinos de Inglaterra, los daneses lograron amasar una fortuna que repartían entre los hombres, y algunos, unos pocos, decidieron llevarse el dinero de vuelta a Dinamarca. La mayoría se quedó, pues el reino más acaudalado seguía invicto, y los hombres estaban convencidos de que se harían tan ricos como dioses en cuanto cayera Wessex.

Ivar y Ubba arribaron a Eoferwic temiendo problemas. Llevaban los escudos desplegados en las embarcaciones, pero fueran cuales fuesen los problemas que aquejaban a Northumbria, no habían afectado a la ciudad y el rey Egberto, que gobernaba al gusto de los daneses, negó molesto que se hubiera producido levantamiento alguno. El arzobispo Wulfhere dijo lo mismo.

–Siempre ha habido bandidos –aseguró con altivez–, puede que hayáis oído rumores.

–O puede que vosotros seáis sordos –rugió Ivar, e Ivar tenía razón al mostrarse sospechoso pues, en cuanto se supo que el ejército había regresado, llegaron mensajeros del *ealdorman* Ricsig de Dunholm. Dunholm era una enorme fortaleza sobre un elevado peñasco rodeada prácticamente por el río Wiire, y el peñasco y el río convertían Dunholm en plaza casi tan inexpugnable como Bebbanburg. Estaba gobernada por Ricsig, que jamás había levantado la espada contra los daneses. Cuando atacamos Eoferwic y mi padre murió, Ricsig aseguró estar enfermo, y sus hombres se quedaron en casa, pero ahora envió unos criados para decirle a Ivar que una banda de daneses había sido asesinada en Gyruum. Aquél era el emplazamiento de un famoso monasterio en el que un hombre llamado Beda había escrito una historia de la Iglesia inglesa que hacía las delicias de Beocca. Me decía que cuando aprendiera a leer bien me podría dar el gusto de poder leerla. Sigo sin hacerlo, pero he estado en Gyruum y he visto dónde se escribió el libro, pues a Ragnar se le encargó la misión de ir con sus hombres y descubrir qué había pasado.

Al parecer seis daneses, todos ellos hombres sin señor, se habían dirigido a Gyruum y exigieron ver el tesoro del monasterio y, cuando los monjes aseguraron estar arruinados, los seis empezaron a matar, pero los monjes se revolvieron y, como había una veintena de monjes que recibieron ayuda de algunos de los hombres de la ciudad, consiguieron matar a los seis daneses, los cuales fueron ensartados en postes y allí los dejaron pudrirse en la parte de la orilla que inundaba la marea. Hasta ahí, y así Ragnar lo admitía, la culpa era de los daneses, pero los monjes, animados por la escabechina, continuaron su marcha hacia el oeste, siguiendo el Tine, y atacaron un asentamiento danés en el que quedaban pocos hombres, o los demasiado viejos o demasiado enfermos para viajar al sur con el ejército, y allí violaron y asesinaron por lo menos a una veintena de niños y mujeres, declarando que aquello ahora era una guerra santa. Se unieron más hombres al improvisado ejército, pero el *ealdorman* Ricsig, que temía la venganza de los daneses, envió sus propias tropas para dispersarlos capturando a un buen número de rebeldes, incluidos una docena de monjes, los cuales permanecían retenidos en su fortaleza encima del río en Dunholm.

De todo esto supimos por los mensajeros de Ricsig, después por las gentes que sobrevivieron a la masacre, y una de ellas era una chica de la misma edad que la hija de Ragnar, la cual nos contó que los monjes la habían violado por turnos, bautizándola después a la fuerza. Dijo que también había monjas entre los presentes, mujeres que habían animado a los hombres y que posteriormente habían tomado parte en la matanza.

–Nido de víboras –exclamó Ragnar. Nunca lo había visto tan enfadado, ni siquiera cuando Sven se desnudó ante Thyra. Enterramos a algunos de los daneses y todos estaban desnudos y ensangrentados. Todos habían sido torturados.

Encontramos un cura y le hicimos enumerar los principales monasterios y conventos de Northumbria. Gyruum era uno de ellos, por supuesto, y justo al otro lado del río aparecía un gran convento, mientras que al sur, donde el Wiire desembocaba en el mar, había un segundo monasterio. La casa de Streonshall se hallaba próxima a Eoferwic, un convento con muchas monjas, mientras que cerca de Bebbanburg, en la isla que Beocca siempre describió como sagrada, estaba el monasterio de Lindisfarena. Existían muchos otros, pero a Ragnar le bastaban los más importantes, y envió emisarios a Ivar y Ubba para sugerirles que las monjas de Streonshall fueran dispersadas, y que mataran a las que identificaran como participantes en la revuelta, después se concentró en Gyruum. Mató a los monjes, incendió todos los edificios que no eran de piedra, les arrebató todos sus tesoros, pues de hecho sí poseían plata y oro enterrados bajo la iglesia. Recuerdo que descubrimos una enorme pila de escritos, no tengo idea de qué eran, y ahora jamás lo sabré, pues los quemamos todos, y cuando no quedó nada de Gyruum, nos dirigimos al sur, hasta el convento en la desembocadura del Wiire e hicimos lo mismo allí, y después cruzamos el Tine e hicimos desaparecer el convento de la orilla norte. Las monjas que allí había, comandadas por la abadesa, se mutilaron deliberadamente los rostros. Sabían que llegábamos y, para disuadirnos de la violación, se rajaron las mejillas y las frentes, y nos recibieron todas ensangrentadas y feas, entre berridos. No sé por qué no huyeron, pero el caso es que nos esperaron, nos maldijeron, rezaron porque el cielo se vengara de nosotros, y murieron.

Jamás le conté a Alfredo que había tomado parte en el famoso saqueo de las casas del norte. La historia aún se relata como prueba de la ferocidad danesa y lo poco fidedigno de su palabra; de hecho a todos los niños ingleses les cuentan la historia de las monjas que se rajaron la cara para volverse feas y que no las violaran, aunque aquello funcionara en la misma medida en que al rey Edmundo le salvaron sus oraciones de las flechas. Recuerdo haber escuchado un sermón durante una Pascua, y tener que esforzarme para no interrumpir y decir que no había ocurrido como el cura lo estaba contando. El cura aseguraba que los daneses prometieron no hacer daño a ningún sacerdote o monja de Northumbria, y eso no era cierto, y también relató que no había motivo alguno para las masacres, cosa igualmente falsa. Después contó un cuento fantástico sobre cómo las monjas habían suplicado a Dios, quien colocó una cortina invisible en la puerta del convento. Los daneses hicieron toda clase de intentos para forzarla, pero no consiguieron atravesarla; y yo me preguntaba por qué, si las monjas disponían de un escudo invisible, se habían molestado en rajarse la cara, pero debían de saber cómo terminaría la historia, porque en el relato, los daneses reunieron a un grupo de niños pequeños del pueblo de al lado y amenazaron con rebanarles el pescuezo a menos que se levantara la cortina, cosa que ocurrió.

Mas nada de eso tuvo lugar. Llegamos, ellas gritaron, violaron a las jóvenes y después murieron. Pero no todas, a pesar de los famosos enredos. Por lo menos dos eran guapas y no tenían ningún corte, ambas se quedaron con los hombres de Ragnar, y al menos una tuvo un hijo que se convirtió en un famoso guerrero danés. Que digan lo que quieran, pero los curas nunca han sido demasiado estrictos con la verdad, y yo me callé la boca, lo cual, francamente, era lo mejor que podía hacer. En realidad nunca matábamos a todos porque Ravn me dejó muy claro que siempre se dejaba una persona viva para que contara la historia y de ese modo se esparciera el terror con la noticia.

Tras quemar el convento regresamos a Dunholm para que Ragnar le diera las gracias al *ealdorman* Ricsig, pero Ricsig se hallaba conmocionado por la venganza de los daneses.

–No todos los monjes y monjas tomaron parte en la matanza –señaló en tono reprobador.

–Todos son malos –insistió Ragnar.

–Sus casas –prosiguió Ricsig– son lugares de oración y contemplación, lugares de saber.

–Decidme –le preguntó Ragnar–, ¿para qué sirve la oración, la contemplación o el saber? ¿Acaso la oración hace crecer el centeno? ¿Llena la contemplación las redes de pescado? ¿Es que el saber construye casas o ara el campo?

Ricsig no tenía respuesta para aquellas preguntas, ni tampoco el obispo de Dunholm, hombre apocado que no protestó por la matanza, ni siquiera cuando Ricsig entregó dócilmente a sus prisioneros para que murieran de diversas e imaginativas maneras. Ragnar se había convencido de que los monasterios y conventos eran focos malignos, lugares en los que se practicaban ritos siniestros para animar a las gentes a que atacaran a los daneses, y no veía ninguna necesidad de que tales lugares permaneciesen en pie. El monasterio más famoso de todos, en cualquier caso, era el de Lindisfarena, la casa en la que había vivido san Cutberto y que fue saqueada por los daneses dos generaciones antes. Aquel fue el ataque que presagió dragones en el cielo, remolinos en el mar y relámpagos tormentosos que azotaron las colinas, pero yo no vi ninguna de aquellas señales portentosas mientras marchábamos hacia el norte.

Estaba emocionado. Nos acercábamos a Bebbanburg y me preguntaba si mi tío, el falso *ealdorman* Ælfric, se atrevería a salir de su fortaleza para proteger a los monjes de Lindisfarena, los cuales siempre se habían dirigido a nuestra familia cuando su seguridad se hallaba en peligro. Íbamos todos a caballo, tres tripulaciones, más de cien hombres, pues se acercaba el final del año y a los daneses no les gustaba arriesgar sus barcos con el mal tiempo. Rodeamos Bebbanburg, cabalgando por las colinas, de vez en cuando veíamos las murallas de madera de la fortaleza entre los árboles. Yo me quedé mirándola, con el agitado mar debajo, soñando.

Cruzamos los llanos campos de la costa y llegamos hasta una playa de arena por la que un camino conducía a Lindisfarena, pero con la marea alta el camino aparecía inundado, y nos vimos obligados a esperar.

–Los cabrones que queden estarán escondiendo sus tesoros –dijo Ragnar.

–Si les queda alguno –contesté.

–Siempre les queda alguno –repuso Ragnar, sombrío.

–La última vez que estuve aquí –intervino Ravn–, ¡nos llevamos un arcón lleno de oro! ¡Oro puro!

–¿Era grande? –preguntó Brida. Iba montada detrás de Ravn, ese día ella era sus ojos. Venía a todas partes con nosotros, ya hablaba bien danés, y los hombres, además de adorarla, la consideraban portadora de buena suerte.

–Tan grande como tú –contestó Ravn.

–Entonces no os llevaríais mucho oro –repuso Brida decepcionada.

–Oro y plata –recordó Ravn–, y algunos colmillos de morsa. ¿De dónde los sacarían?

El mar bajó, las procelosas olas retrocedieron por la larga playa y nos adentramos con los caballos por entre los charcos, dejando atrás las cañas que marcaban el camino, y los monjes huyeron. Los pequeños hilillos de humo señalaban los lugares en los que las granjas punteaban la isla, y yo no albergaba ninguna duda de que aquella gente debía de estar enterrando sus escasas posesiones.

–¿Te puede reconocer alguno de estos monjes? –me preguntó Ragnar.

–Probablemente.

–¿Te preocupa?

Me preocupaba, pero le dije que no, y me toqué el martillo de Thor y de algún lugar de mis pensamientos surgió un zarcillo de preocupación por si Dios, el dios cristiano, me estaba observando. Beocca siempre decía que todo cuanto hacíamos era observado y recogido, y tuve que recordarme que el dios cristiano estaba perdiendo y que Odín, Thor y los dioses daneses iban ganando la guerra en el cielo. La muerte de Edmundo lo demostraba, y con eso me consolaba pensando que estaba a salvo.

El monasterio quedaba al sur de la isla, y desde allí podía divisar Bebbanburg sobre su risco. Los monjes vivían desperdigados en unos pequeños edificios de madera, de techos de paja y musgo, y construidos alrededor de una pequeña iglesia de piedra. El abad, un hombre llamado Egfrith, salió a recibirnos con una cruz de madera. Hablaba danés, algo infrecuente, y no parecía tener miedo.

–Bienvenidos a nuestra pequeña isla –nos saludó con entusiasmo–, y quiero que sepáis que tengo a uno de vuestros paisanos en la enfermería.

Ragnar apoyó las manos en la perilla cubierta de piel de borrego de su silla de montar.

–¿Y a mí qué me importa? –preguntó.

–Es una demostración de nuestras intenciones pacíficas, señor –contestó Egfrith. Era anciano, de pelo cano, delgado y le faltaban la mayoría de los dientes, así que le salían las palabras sibilantes y distorsionadas–. Somos una casa humilde –prosiguió–, atendemos a los enfermos, ayudamos a los pobres y servimos a Dios. –Recorrió con la mirada la fila de daneses, hombres sombríos con cascos y escudos colgados de las rodillas izquierdas, espadas, hachas y lanzas que despuntaban. El cielo estaba bajo aquel día, pesado y plomizo, y el orvallo oscurecía la hierba. Salieron dos monjes de la iglesia transportando una caja de madera que colocaron detrás de Egfrith, y después retrocedieron–. Éste es todo el tesoro que poseemos; si lo queréis es vuestro.

Ragnar me hizo un gesto con la cabeza y desmonté, dejé atrás al abad y abrí la caja para descubrir que estaba medio llena de peniques de plata, en su mayoría cascados, y todos oscuros porque eran de mala calidad. Me encogí de hombros para indicarle a Ragnar que era poca recompensa.

–¡Sois Uhtred! –exclamó Egfrith. Se había fijado en mí.

–¿Y? –respondí beligerante.

–Oí que habíais muerto, señor –respondió–, y alabado sea Dios porque no es así.

–¿Oísteis que había muerto?

–Que un danés os había matado.

Habíamos estado hablando en inglés y Ragnar quería saber qué estábamos diciendo, así que se lo traduje.

–¿Se llamaba Weland el danés? –le preguntó Ragnar a Egfrith.

–Así se llama –respondió Egfrith.

–¿Se llama?

–Weland es el hombre que se recupera de sus heridas, señor. –Egfrith me miraba otra vez como si no pudiera creer que estaba vivo.

–¿Sus heridas? –quiso saber Ragnar.

–Fue atacado, señor, por un hombre de la fortaleza. De Bebbanburg.

Ragnar, evidentemente, quiso saber toda la historia. Al parecer, Weland había vuelto a Bebbanburg y asegurado que me había matado, así que recibió su recompensa en monedas de plata, y fue escoltado fuera de la fortaleza por media docena de hombres entre los que se hallaba Ealdwulf, el herrero que me contaba cuentos en su forja, y Ealdwulf había atacado a Weland, le había asestado un hachazo en el hombro antes de que los demás hombres pudieran apartarlo. Weland había sido depositado allí, mientras que Ealdwulf, si seguía vivo, estaría en Bebbanburg.

Si el abad Egfrith pensó que Weland era su salvaguarda, cometió un error de cálculo. Ragnar le puso mala cara.

–¿Disteis refugio a Weland sabiendo que era el asesino de Uhtred? –quiso saber.

–Ésta es la casa de Dios –respondió Egfrith–, damos refugio a todos.

–¿Incluidos los asesinos? –preguntó Ragnar, y se llevó un brazo a la nuca y desató la cinta de cuero que le ataba el pelo–. Y dime, monje, ¿cuántos de tus hombres bajaron al sur a ayudar a sus camaradas a matar daneses?

Egfrith vaciló, y eso fue respuesta suficiente. Cuando Ragnar desenvainó, el abad recuperó la voz.

–Algunos bajaron, señor –admitió–, no pude detenerlos.

–¿No pudiste detenerlos? –preguntó Ragnar mientras se sacudía la cabeza para que el pelo suelto y húmedo le cayera por la cara–. ¿Y eres el que manda aquí?

–Soy el abad, sí.

–Entonces podías detenerlos. –En ese momento Ragnar parecía furioso y yo sospeché que estaba recordando los cuerpos que habíamos desenterrado cerca de Gyruum, las niñas danesas con los muslos aún ensangrentados–. Matadlos –les dijo a sus hombres.

Yo no tomé parte en aquella matanza. Me quedé en la orilla y escuché los chillidos de los pájaros mientras observaba Bebbanburg y oía cómo las espadas hacían su trabajo, y Brida vino a mi lado, me cogió de la mano y miró al sur, el cielo gris moteado de blanco y la gran fortaleza sobre su risco.

–¿Ésa es tu casa?
–Es mi casa.
–Te han llamado señor.
–Soy un señor.
Se recostó sobre mí.
–¿Crees que el dios cristiano nos está vigilando?
–No –respondí, y me pregunté cómo habría sabido que yo me planteaba esa misma pregunta.
–Nunca ha sido nuestro dios –repuso con fiereza–. Nosotros adorábamos a Woden, Thor, Eostre y todos los demás dioses y diosas, y entonces llegaron los cristianos y olvidamos a los dioses. Ahora los daneses han venido para devolvernos a ellos. –De pronto se detuvo.
–¿Eso te lo ha dicho Ravn?
–Él me ha contado sólo una parte –respondió–, pero el resto lo he deducido yo. Hay una guerra entre los dioses, Uhtred, una guerra entre el dios cristiano y nuestros dioses, y cuando hay guerra en Asgard los dioses nos hacen luchar por ellos en la tierra.
–¿Y estamos ganando? –le pregunté.
Respondió señalando a los monjes muertos, desperdigados sobre la hierba húmeda, con los hábitos ensangrentados, y cuando la matanza concluyó Ragnar sacó a Weland de la enfermería. Estaba claro que agonizaba, porque temblaba y su herida apestaba, pero era consciente de su situación. Su recompensa por matarme había sido una pesada bolsa de buenas monedas de plata que pesaba tanto como un bebé recién nacido, y que encontramos junto a su cama y añadimos al pequeño botín del monasterio que dividimos entre nuestros hombres.
El propio Weland yacía en la hierba ensangrentada, miraba primero a Ragnar y después a mí.
–¿Quieres matarlo? –me preguntó Ragnar.

–Sí –contesté, porque no se esperaba otra respuesta de mí. Entonces recordé el comienzo de mi historia, el día en que había visto a Ragnar bailar por encima de los remos justo delante de aquella costa y cómo, a la mañana siguiente, trajo la cabeza de mi hermano a Bebbanburg–. Quiero cortarle la cabeza –dije.

Weland intentó hablar, pero sólo consiguió emitir un gruñido gutural. Tenía los ojos puestos en la espada de Ragnar.

Ragnar me la ofreció a mí.

–Está bien afilada –dijo–, pero te va a sorprender la fuerza que se necesita. Con un hacha lo harías mejor.

Weland me miraba a mí. Le castañeteaban los dientes y le daban espasmos. Lo detestaba. No me había gustado desde el principio, pero ahora lo odiaba. Aun así me ponía extrañamente nervioso matarlo, aunque sabía que ya estaba medio muerto. Había aprendido que una cosa es matar en la batalla, enviar el alma de un hombre valiente al salón de los muertos con los dioses, y otra muy distinta arrebatarle la vida a un hombre indefenso y moribundo, y debió de presentir mi vacilación porque consiguió emitir un lastimero ruego por su vida.

–Os serviré –dijo.

–Que sufra, este hijo de puta –respondió Ragnar por mí–, envíalo a la diosa de los muertos, pero que sepa que llega después de haber sufrido.

No creo que sufriera demasiado. Ya estaba tan débil que incluso mis inexpertos golpes enseguida lo dejaron inconsciente. Aun así me llevó mucho tiempo matarlo. Daba un tajo detrás de otro. Siempre me ha sorprendido lo mucho que cuesta matar a un hombre. Los escaldos lo narran como si se tratara de algo fácil, pero muy pocas veces lo es. Somos criaturas obstinadas, nos aferramos a la vida y costamos mucho de matar, pero el alma de Weland por fin cumplió con su sino cuando tras mucho trinchar, aserrar y clavar conseguí cortarle su endemoniada cabeza. Tenía la boca torcida en un rictus de agonía, y eso me dio algo de consuelo.

Entonces le pedí más favores a Ragnar, sabiendo como sabía que me los iba a conceder. Cogí unas cuantas de las monedas más pobres del botín y me dirigí a uno de los edificios más grandes del monasterio, donde encontré el escritorio en el que los monjes copiaban libros. Pintaban hermosas letras en los libros y, antes de que mi vida cambiara en Eoferwic, solía ir allí con Beocca y a veces los monjes me dejaban pintarrajear pedazos de pergamino con sus preciosos colores.

Y ahora quería esos colores. Se hallaban depositados en cuencos, en su mayoría en forma de polvo, unos cuantos mezclados con goma, y necesitaba un trozo de paño, que encontré en la iglesia; un tejido blanco que servía para tapar los sacramentos. De vuelta en el escritorio, dibujé con carbón la cabeza de un lobo sobre el paño blanco, después encontré tinta y empecé a rellenar el contorno. Brida me ayudó, resultó que dibujaba mucho mejor que yo, proporcionándole al lobo ojos y lengua rojos, y moteó la tinta negra de blanco y azul de manera que pareciera pelo. Hecho el estandarte, lo atamos al mástil de la cruz que había traído el abad muerto. Ragnar curioseaba entre la pequeña colección de libros sagrados del monasterio, arrancaba las tapas de metal engarzadas con piedras que decoraban las portadas, y cuando las tuvo todas y mi estandarte estuvo listo, quemamos todos los edificios de madera.

La lluvia cesó al marcharnos. Salimos por el terreno elevado al trote, después giramos al sur, y Ragnar, porque así se lo pedí, bajó por el camino de la costa hasta llegar al lugar en que la carretera cruzaba la arena en dirección a Bebbanburg.

Allí nos detuvimos y yo me solté el pelo. Le entregué el estandarte a Brida, que montaría el caballo de Ravn mientras el anciano esperaba con su hijo. Y entonces, con una espada prestada sobre mi flanco, cabalgué hacia la casa natal.

Brida vino conmigo como portaestandarte, y ambos subimos a medio galope por el camino. Las olas rompían espumosas a mi derecha y se deslizaban por la arena a mi izquierda. Vi hombres en las murallas y encima de la puerta baja, observando, y espoleé al caballo hasta el galope. Brida siguió mi paso, con el estandarte ondeando sobre ella, y yo detuve al animal donde el camino se desviaba hacia el norte hasta alcanzar la puerta. Entonces vi a mi tío, que allí estaba, Ælfric el Traicionero, de rostro enjuto y pelo oscuro, y que ahora me observaba desde la puerta baja. Yo le devolví la mirada para que supiera quién era, y después lancé la cabeza de Weland al mismo suelo en que fuera lanzada la cabeza de mi hermano. Después tiré las monedas.

Treinta, el precio de Judas. De esa historia me acordaba. Una de las pocas que me habían gustado.

Había arqueros en las murallas, pero ninguno disparó. Sólo observaron. Le hice a mi tío el signo del mal, los cuernos del diablo con los dedos exteriores, y después le escupí, me di la vuelta y me marché al trote. Ahora sabía que estaba vivo, sabía que era su enemigo, y sabía que lo mataría como a un perro si alguna vez tenía la oportunidad.

–¡Uhtred! –gritó Brida. Ella estaba mirando atrás y yo me volví sobre la silla para ver que uno de los guerreros había saltado por encima de la muralla, había caído pesadamente y se dirigía hacia nosotros a todo correr. Era un individuo grande, de espesa barba, y yo pensé que jamás podría enfrentarme a un hombre como aquél, pero en ese momento reparé en que los arqueros disparaban y dejaban un rastro de plumas tras el terreno que pisaba el guerrero, que identifiqué entonces como Ealdwulf, el herrero.

–¡Señor Uhtred! –gritaba–. ¡Señor Uhtred! –Y yo le di la vuelta al caballo y me dirigí hacia él, para cubrirlo de las flechas con mi montura, pero ninguna de las flechas dio cerca y sospecho, mirando retrospectivamente aquel lejano día, que los arqueros fallaban de forma deliberada–. ¡Estáis vivo, señor! –Y el rostro de Ealdwulf brillaba.

–Estoy vivo.

–En ese caso iré con vos –sentenció con firmeza.

–¿Pero y tu mujer, y tu hijo? –pregunté.

–Mi mujer murió, señor, el año pasado, y mi hijo se ahogó pescando.

–Lo siento –le dije. Una flecha se deslizó por el montículo de hierba, pero a bastantes metros.

–Woden da y Woden quita –repuso Ealdwulf–, y me ha devuelto a mi señor. –Vio el martillo de Thor colgado de mi cuello y, siendo como era pagano, sonrió.

Y conseguí mi primer partidario. Ealdwulf el herrero.

* * *

–Vuestro tío es un hombre lúgubre –me contó Ealdwulf mientras viajábamos hacia el sur–, más triste que la mierda, vaya que sí. Ni siquiera su hijo lo alegra.

–¿Tiene un hijo?

–Ælfric el Joven, así lo llaman, y a fe mía que es un niño muy hermoso. Le sobra salud. Aunque Ghyta está enferma. No durará mucho. ¿Y vos, señor? Tenéis buen aspecto.

–Estoy perfectamente.

–¿Qué tenéis ahora, doce años?

–Trece.

–Un hombre, pues. ¿Es ésta vuestra mujer? –Y señaló a Brida con la cabeza.

–Mi amiga.

–Poca carne tiene –comentó Ealdwulf–, así que mejor amiga. –El herrero era un hombre grande, de casi cuarenta años, con las manos, los antebrazos y el rostro cortados de cicatrices negras de las innumerables quemaduras de la forja. Caminaba junto a mi caballo, y aparentemente no parecía hacer esfuerzos para seguir el paso aun con su avanzada edad–. Bueno, habladme de esos daneses –dijo, mientras dirigía una mirada dubitativa a los guerreros de Ragnar.

–Los guía el *jarl* Ragnar –le conté–, el hombre que mató a mi hermano. Es un buen hombre.

–¿Es el que mató a vuestro hermano? –Ealdwulf parecía conmocionado.

–El destino lo es todo –contesté, lo cual podía ser verdad y me evitaba dar una respuesta más extensa.

–¿Os gusta?

–Es como un padre para mí. Te gustará.

–Pero es danés, ¿no, señor? Puede que adoren a los dioses que toca –admitió Ealdwulf a regañadientes–, pero aun así me gustaría que se marcharan.

–¿Por qué?

–¿Por qué? –Ealdwulf parecía sorprendido de mi pregunta–. Porque ésta no es su tierra, señor, por eso. Quiero caminar sin tener miedo. No me gusta tener que arrodillarme ante alguien sólo porque tiene espada. Hay una ley para nosotros y otra para ellos.

–Para ellos no hay ley –repuse.

–Si un danés mata a alguien en Northumbria –replicó Ealdwulf indignado–, ¿qué podemos hacer? No hay *wergild*, no hay alguaciles, ningún señor a quien acudir en demanda de justicia.

Eso era muy cierto. El *wergild* era el precio en sangre de la vida de un hombre, y todo el mundo tenía un *wergild*. El de un hombre era mayor que el de una mujer, a menos que fuera una mujer noble; y el de un guerrero mayor que el de un granjero, pero el precio existía siempre, y un asesino podía escapar a la pena de muerte si la familia del asesinado aceptaba el *wergild.* El alguacil era el hombre encargado de hacer cumplir la ley, informaba a su *ealdorman*, pero aquel escrupuloso sistema jurídico había desaparecido con la llegada de los daneses. Ahora no había otra ley que la que imponían los invasores, así era como ellos lo querían, y yo sabía que disfrutaba en aquel caos. Pero yo era un privilegiado. Era un hombre de Ragnar, y Ragnar me protegía, pero sin Ragnar no habría sido más que un forajido o un siervo.

–Vuestro tío no protesta –prosiguió Ealdwulf–, pero Beocca sí lo hizo. ¿Os acordáis de él? ¿El cura pelirrojo y bizco de la mano tonta?

–Me lo encontré el año pasado.

–¿En serio? ¿Dónde?

–Estaba con Alfredo de Wessex.

–¡Wessex! –exclamó Ealdwulf sorprendido–. Un buen trecho. Pero era un buen hombre, Beocca, a pesar de ser cura. Salió huyendo porque no podía soportar a los daneses. Vuestro tío estaba furioso. Dijo que Beocca merecía la muerte.

Sin duda, pensé yo, porque Beocca se había llevado los pergaminos que demostraban que yo era el legítimo *ealdorman.*

–Mi tío también me quería muerto –dije–, y aún no te he dado las gracias por atacar a Weland.

–Vuestro tío iba a entregarme a los daneses por eso –dijo–, pero ningún danés se quejó, así que no hizo nada.

–Ahora estás con los daneses –repuse–, es mejor que te vayas acostumbrando.

Ealdwulf pensó en eso durante unos instantes.

–¿Por qué no vais a Wessex? –preguntó.

–Porque los sajones del oeste me quieren convertir en cura –contesté–, y yo quiero ser guerrero.

–Pues entonces id a Mercia –sugirió Ealdwulf.

–Allí gobiernan los daneses.

–Pero vuestro tío vive allí.

–¿Mi tío?

–¡El hermano de vuestra madre! –Estaba anonadado de que no conociera mi propia familia–. Es el *ealdorman* Æthelwulf, si sigue vivo.

–Mi padre nunca habló de mi madre –repuse.

–Porque la amaba. Era una belleza sin par, un fragmento de oro puro, y murió al daros a luz.

–Æthelwulf –repetí.

–Si sigue vivo.

¿Pero por qué ir a buscar a Æthelwulf cuando tenía a Ragnar? Æthelwulf era familia, desde luego, pero jamás lo había conocido y dudaba de que recordara siquiera mi existencia, además de no sentir ningún deseo de encontrarlo, y, aún menos, deseo de aprender a leer en Wessex, así que permanecería con Ragnar. Eso le dije a Ealdwulf.

–Me enseña a luchar –le informé.

–Aprendiendo de los mejores, ¿eh? –admitió a regañadientes–. Así se hace un buen herrero, aprendiendo de los mejores.

Ealdwulf era un buen herrero y, a pesar de sí mismo, acabó gustándole Ragnar, pues éste era generoso y sabía apreciar el trabajo de un buen artesano. Añadimos una herrería a nuestro hogar junto a Synningthwait y Ragnar desembolsó una buena cantidad de plata por una forja, un yunque, así como por los grandes martillos y pinzas que Ealdwulf necesitaba. Era invierno entrado cuando todo estuvo listo, compramos entonces hierro en Eoferwic y nuestro valle empezó a resonar con los golpes del metal contra el metal, y comoquiera que la herrería, aun en los días más fríos, siempre estaba caliente, los hombres se reunían allí para intercambiar anécdotas y acertijos. Ealdwulf era extraordinario para los acertijos y yo se los traducía a los desconcertados daneses. La mayoría de las adivinanzas versaban sobre hombres y mujeres y lo que hacían juntos, y las mismas eran muy fáciles de adivinar, pero a mí me gustaban los acertijos más complicados. Mi padre y mi madre me dieron por muerto, empezaba una de las adivinanzas, y una pariente leal me dio cobijo y me protegió, yo maté a todos sus hijos, pero ella siguió queriéndome y alimentándome hasta que me alcé sobre las casas de los hombres y la abandoné. No di con la respuesta, ni tampoco ninguno de los daneses, y Ealdwulf se negó a dármela, ni siquiera cuando le supliqué, pero cuando se lo conté a Brida supe la solución enseguida.

–Un cuco, claro está –repuso al instante. Tenía razón, por supuesto.

Hacia la primavera hubo que ampliar la forja, y durante todo aquel verano Ealdwulf preparó el metal para hacer espadas, lanzas, hachas y picas. Una vez le pregunté si le importaba trabajar para los daneses y se limitó a encogerse de hombros.

–Ya trabajaba para ellos en Bebbanburg –respondió–. Vuestro tío hace lo que le da la gana.

–Pero en Bebbanburg no hay daneses.

–Ninguno –admitió–, pero vienen de visita y son bien recibidos. Vuestro tío les rinde tributo. –Se detuvo de repente, interrumpido por un grito que al principio me pareció de pura rabia.

Salí de la herrería para encontrarme con Ragnar de pie delante de la casa mientras por el camino subía un guerrero montado seguido de multitud de hombres. Y menudo guerrero. Portaba cota de malla, un fantástico casco colgado de la silla, escudo de abigarrados colores, una espada larga y los brazos llenos de brazaletes. Era un hombre joven de pelo largo y rubio, de espesa barba dorada, y le devolvió el alarido a Ragnar como si fuera un venado en celo. Entonces Ragnar corrió hacia él y casi temí que el joven desenvainara la espada y espoleara su caballo, pero lo que hizo fue desmontar y correr colina arriba, y cuando ambos se encontraron, se abrazaron y se dieron palmadas en las espaldas, y Ragnar, al darse la vuelta, lucía una sonrisa que habría iluminado la cripta más oscura del infierno.

–¡Mi hijo! –me gritó–. ¡Es mi hijo!

Era Ragnar el Joven, que había regresado de Irlanda con la tripulación de un barco y, aunque no me conocía, me abrazó levantándome del suelo, alzó en volandas a su hermana y empezó a darle vueltas; le dio una palmada a Rorik, besó a su madre, chilló a los criados, repartió eslabones de plata a modo de regalo y acarició a los perros. Se organizó una fiesta, y aquella noche nos hizo partícipes de sus noticias. Ahora comandaba su propio barco, había venido sólo a pasar unos meses e Ivar lo quería de vuelta en Irlanda en primavera. Se parecía muchísimo a su padre, a mí me gustó al instante, y la casa rebosó felicidad todo el tiempo que Ragnar el Joven permaneció en ella. Algunos de sus hombres se alojaron con nosotros, y aquel otoño talaron árboles y le añadieron a la casa un salón como es debido, un salón digno de un *jarl*, con enormes vigas y un alto tejado a dos aguas al que clavaron un cráneo de jabalí.

–Tuviste suerte –me dijo un día. Estábamos cubriendo de paja el tejado nuevo, depositábamos encima la espesa paja de centeno y la aplastábamos.

–¿Suerte?

–De que mi padre no te matara en Eoferwic.

–Claro –coincidí.

–Pero siempre ha tenido ojo juzgando a los hombres –repuso, mientras me pasaba una jarra de cerveza. Se sentó en el caballete del tejado y observó el valle–. Esto le gusta.

–Es un buen sitio. ¿Qué tal Irlanda?

Sonrió.

–Ciénagas y rocas, Uhtred, y los *skraeling* son despiadados. –Los *skraeling* eran los nativos–. ¡Pero pelean bien! Y allí hay plata, y cuanto más pelean más plata sacamos. ¿Te vas a terminar toda la cerveza o quedará algo para mí? –Le tendí la jarra y lo observé mientras la cerveza le corría por la barba al apurarla–. Irlanda me gusta bastante –añadió cuando la hubo terminado–, pero no me voy a quedar allí. Volveré. Buscaré una tierra en Wessex. Tendré una familia. Engordaré.

–¿Por qué no vuelves ahora?

–Porque Ivar me quiere allí, e Ivar es un buen señor.

–A mí me asusta.

–Un buen señor debe asustar.

–Tu padre no asusta.

–A ti no, pero ¿y a los hombres que mata? ¿Te gustaría enfrentarte al *jarl* Ragnar el Temerario en un muro de escudos?

–No.

–¿Ves como asusta? –repuso sonriente–. Iré a Wessex, lo conquistaremos –dijo–, y encontraré una tierra que me haga rico.

Terminamos el tejado, y después yo volví a subir al bosque porque Ealdwulf tenía un apetito insaciable para el carbón, la única sustancia que arde con la suficiente fuerza para fundir el hierro. Le había enseñado a una docena de hombres de Ragnar cómo conseguirlo, pero Brida y yo éramos sus mejores trabajadores y pasábamos gran parte del tiempo entre los árboles. Los montones de carbón requerían atención constante y, como cada uno ardía al menos durante tres días, Brida y yo pasábamos a menudo la noche junto a una de aquellas pilas, observando el hilillo de humo que salía de los helechos y la turba que cubrían la hoguera. Dicho humo indicaba que el fuego estaba demasiado alto y que teníamos que subirnos a la pila caliente para meter tierra por la abertura y controlar así el fuego en el fondo de la pila.

Quemábamos alisos cuando los encontrábamos, pues ésa era la madera que Ealdwulf prefería; el arte del asunto residía en calcinar los troncos de aliso, pero no dejar que ardieran.

De cada cuatro troncos que metíamos en la pila, recuperábamos uno, y el resto se desvanecía en la obtención de un carbón sucio, bien negro y ligero. Podía llevar una semana construir la pila. Amontonábamos el aliso en un hoyo poco profundo, dejando un agujero en medio del montón que rellenábamos con carbón de la hoguera anterior. Después lo cubríamos con una capa de hojas de helecho, lo tapábamos con turba, y cuando terminábamos le pegábamos fuego al agujero central y, una vez prendido el carbón, tapábamos bien el agujero. Después era necesario controlar el fuego silencioso y oscuro. Abríamos agujeros en la base del hoyo para dejar entrar un poco de aire, pero si el viento cambiaba tapábamos esos agujeros para abrir otros. Era un trabajo muy aburrido, y el apetito de Ealdwulf por el carbón parecía ilimitado, pero a mí me gustaba. Pasar toda la noche en la oscuridad, junto a la pira caliente, era ser un *sceadugengan*, pero estaba con Brida y ambos nos habíamos convertido en algo más que amigos.

Perdió su primer hijo junto a la pira de carbón. Ella ni siquiera sabía que estaba embarazada, pero una noche sintió calambres y unos dolores como si la atravesaran con una lanza, y yo quise ir a buscar a Sigrid, pero Brida no me dejó. Me dijo que sabía lo que estaba pasando, pero su sufrimiento me tenía paralizado y pasé toda la noche temblando hasta que, justo antes del alba, dio a luz a un niño muerto muy pequeñito. Lo enterramos junto a su placenta, y Brida regresó a casa a trompicones, donde Sigrid, asustada por su aspecto, le dio un caldo de puerros y sesos de oveja obligándola a reposar. Sigrid debía de sospechar cuanto había ocurrido, porque estuvo bastante cortante conmigo durante unos días y le dijo a Ragnar que ya iba siendo hora de casar a Brida. Desde luego ya tenía la edad, pues había cumplido trece años, y había una buena docena de jóvenes guerreros daneses que necesitaban esposa, pero Ragnar declaró que Brida les traía suerte a sus hombres y quería que cabalgara con nosotros cuando atacáramos Wessex.

–¿Y cuándo será eso? –preguntó Sigrid.

–El año que viene –supuso Ragnar–, o tal vez el siguiente. No mucho más.

–¿Y entonces?

–Entonces ya no quedará nada de Inglaterra –repuso Ragnar–. Será toda nuestra. –El último de los cuatro reinos habría caído e Inglaterra sería Dinaterra, y todos seríamos daneses, o esclavos o estaríamos muertos.

Celebramos el festival de Yule y Ragnar el Joven ganó todas las competiciones en Synningthwait: lanzó rocas más lejos que nadie, hizo morder el polvo a sus contrincantes en todas las peleas y hasta dejó inconsciente a su padre en un concurso de bebedores. Luego vinieron los meses oscuros, el largo invierno, y en primavera, cuando las tormentas se apaciguaron, llegó la hora de la partida para Ragnar el Joven, así que celebramos una fiesta evocadora y triste la víspera de su marcha. A la mañana siguiente condujo a sus hombres fuera del salón y descendió por el sendero bajo una llovizna gris. Ragnar observó a su hijo durante todo el camino a lo largo del valle, y después se refugió en su nuevo salón con lágrimas en los ojos.

–Es un buen hombre –me dijo.

–A mí me ha gustado –le contesté sinceramente, y era verdad, y muchos años después, cuando volví a encontrarme con él, seguiría gustándome.

Sentimos cierto vacío cuando Ragnar el Joven se marchó, pero recuerdo con cariño aquella primavera y aquel verano, pues durante aquellos largos días Ealdwulf me fabricó una espada.

–Espero que sea mejor que la última que tuve –comenté con mala baba.

–¿La última?

–La que llevaba cuando atacamos Eoferwic –dije.

–¡Aquella porquería! No fue obra mía. Vuestro padre la compró en Berewic y yo le dije que era una basura, pero no era más que una espada corta. Buena para matar patos, sí, tal vez, pero no para pelear. ¿Qué ocurrió?

–Se combó –dije mientras recordaba las carcajadas de Ragnar ante la débil arma.

–Hierro blando, chico, hierro blando.

Había dos tipos de hierro, me contó, el blando y el duro. El duro es el que hacía los mejores filos, pero era quebradizo y una espada hecha de aquel hierro se partiría al primer golpe brutal, mientras que una espada de metal más blando se combaría como así ocurrió con mi espada corta.

–Así que lo que hacemos es combinar los dos –me contó, y yo lo observé mientras preparaba siete barras de hierro. Tres eran de hierro duro, y no estaba muy seguro de cuál era el proceso para endurecer el hierro, sólo sabía que era necesario colocar el metal fundido sobre el carbón ardiendo, y si lo hacía bien, el metal frío sería duro y no se doblaría. Las otras cuatro barras eran más largas, mucho más largas, no las expuso tanto tiempo al carbón y las enroscó hasta darles forma de espiral. Seguían siendo barras rectas, pero las retorció lo bastante como para que quedaran del mismo tamaño que las barras de hierro duro.

–¿Para qué haces eso? –le pregunté.

–Ya lo veréis –me respondió un tanto misterioso–. Ya lo veréis.

Terminó las siete barras, cada una tan gruesa como mi pulgar. Tres eran de metal duro, al que Ragnar llamaba acero, mientras que las otras cuatro habían quedado bien enroscadas y prietas. Una de las barras largas era más larga y algo más gruesa que las demás, y aquélla se convirtió en el alma de la espada. El trozo que sobraba serviría para remachar encima la empuñadura. Ealdwulf empezó a golpear con un martillo aquella barra hasta quedar plana, de tal manera que parecía una hoja muy delgada y débil. Después colocó las cuatro barras enroscadas a los lados de la más larga, dos tejas por cara, y soldó los extremos para que se convirtieran en el filo de la espada. En ese estadio ofrecía un aspecto grotesco, pues era un amasijo de barras de distintos tamaños, pero ahí era cuando empezaba el trabajo de verdad, el trabajo de calentar y golpear. Con el hierro al rojo vivo, los sobrantes calcinados se retorcían al desprenderse del metal, el vaivén del martillo hacía saltar chispas por los aires, el arma candente silbaba al ser introducida en agua; y después era necesaria mucha paciencia mientras la hoja que salía del agua se enfriaba en un abrevadero lleno de virutas de fresno. Llevó días, pero aun así, tras muchos martillazos y calentamientos y enfriamientos sucesivos, vi cómo las cuatro tejas de hierro blando enroscadas, unidas ahora al más duro acero, habían sido labradas con motivos fantásticos, cenefas enroscadas que dibujaban sobre la hoja volutas parecidas al humo. Con pocas luces no se apreciaban, pero al atardecer o cuando, en invierno, echabas vaho sobre la hoja, se veían. «Hálito de serpiente», llamaba Brida a los motivos, y decidí darle ese nombre a la espada: *Hálito-de-serpiente.* Ealdwulf terminó el arma practicándole con un martillo unos surcos que recorrían el eje de la espada a cada lado. Dijo que servirían para evitar que la espada quedase atrapada en la carne enemiga.

–Canales de sangre –gruñó.

La empuñadura estaba tachonada con hierro, como la pesada cruz, y ambas eran sencillas, grandes y sin decoración alguna, y cuando estuvo terminada tallé dos pedazos de fresno para que hicieran de mango. Yo quería que decorase la espada con plata o bronce dorado, pero Ealdwulf se negó.

–Es una herramienta, señor –argumentó–, nada más que una herramienta. Algo que facilita el trabajo y que no es mejor que mi martillo –al pronunciar estas palabras sostuvo el arma hacia el cielo de modo que reflejase la luz del sol–. Y un día –prosiguió mientras se agachaba hacia mí–, mataréis daneses con ella.

Hálito-de-serpiente era pesada, demasiado pesada para un muchacho de catorce años, pero crecería para llevarla. Su punta era demasiado estrecha para el gusto de Ragnar, pero eso la equilibraba, pues significaba que no había demasiado peso al otro extremo del arma. A Ragnar le gustaba que la empuñadura pesara bastante, pues eso ayudaba a romper los escudos enemigos, pero yo prefería la agilidad de *Hálito-de-serpiente,* cualidad facilitada por la habilidad de Ealdwulf, y esa habilidad significaba que jamás se doblaría, ni se rompería, ni lo ha hecho nunca pues aún la poseo. Le he cambiado los mangos de fresno, tiene los filos mellados por el acero enemigo, y ahora es más delgada al haber sido afilada muy a menudo, pero sigue siendo hermosa, y a veces le echo vaho para ver aparecer los motivos sobre la hoja, las volutas y rizos, el azul y el plata que surgen del metal como efecto mágico, y recuerdo aquella primavera y aquel verano en los bosques de Northumbria y pienso en Brida mirando su reflejo en la espada recién templada.

Y claro que hay magia en *Hálito-de-serpiente.* Ealdwulf le transmitió sus propios hechizos que jamás me reveló, los hechizos del herrero; Brida se llevó durante una noche entera la espada a los bosques y nunca me contó qué hizo con ella, y aquellos fueron los hechizos de una mujer; y cuando hicimos el sacrificio del foso, y matamos un hombre, un caballo, un carnero, un toro y un verraco, yo le pedí a Ragnar que usara *Hálito-de-serpiente* con el hombre condenado para que Odín supiera que existía y velara por ella. Y ésos fueron los hechizos de un pagano y un guerrero.

Y creo que Odín veló por ella, pues ha matado más hombres de los que pueda recordar.

Llegamos al final del verano antes de que *Hálito-de-serpiente* estuviera terminada, y después nos dirigimos al sur para evitar las tormentas otoñales que arremolinaban el mar. Había llegado la hora de hacer desaparecer Inglaterra, así que zarpamos rumbo a Wessex.

CAPÍTULO V

Nos reunimos en Eoferwic, donde se obligó al patético rey Egberto a pasar revista a los daneses y desearles una buena campaña. Cabalgó por la orilla en la que esperaban los barcos y las desgreñadas tripulaciones lo miraron con sorna, pues sa-bían que no era un auténtico rey, y tras él desfilaron Kjartan y Sven, ahora parte de su guardia personal danesa, aunque era evidente que su trabajo consistía tanto en mantener a Egberto vivo como prisionero. Sven, ya hombre, mostraba una banda sobre el ojo tuerto, y él y su padre mostraban un aspecto mucho más próspero. Kjartan portaba cota de malla así como una enorme hacha de guerra colgada del hombro, y Sven poseía una espada larga, un abrigo de piel de zorro y un par de brazaletes.

–Tomaron parte en la masacre de Streonshall –me contó Ragnar. Fue el gran convento junto a Eoferwic, y era evidente que los hombres que se vengaron de las monjas se hicieron con un excelente botín.

Kjartan, ostentando una docena de brazaletes en las extremidades superiores, miró a Ragnar directamente.

–Aún os serviría –dijo, aunque sin la humildad de la última vez que lo había solicitado de modo servil.

–Ahora tengo un nuevo capitán –repuso Ragnar, y no dijo nada más. Kjartan y Sven prosiguieron, y este último me hizo el signo de mal agüero con la mano izquierda.

El nuevo capitán se llamaba Toki, apodo de Thorbjorn, y era un espléndido marinero y mejor guerrero. Solía contar historias de tierras extrañas a las que había llegado remando con los esviones, en las que no crecían más árboles que los abedules y donde el invierno cubría la tierra durante meses. Aseguraba que las gentes de aquel lugar se comían a sus propias criaturas, adoraban gigantes y tenían alojado un tercer ojo en la nuca; no fuimos pocos los que dimos crédito a sus cuentos.

Remamos rumbo al sur con las últimas mareas estivales, ciñéndonos al litoral como siempre hacíamos y pernoctando en tierra en la costa yerma de Anglia Oriental. Nos dirigíamos hacia el río Temes, del que Ragnar decía que nos conduciría bien adentro, hasta la frontera norte de Wessex.

Ragnar comandaba la flota. Ivar Saco de Huesos había regresado a las tierras que había conquistado en Irlanda, portando un regalo en oro de Ragnar a su hijo mayor, mientras Ubba expoliaba Dalriada, la tierra al norte de Northumbria.

–Poca cosa se obtiene de allí arriba –se burló Ragnar; pero Ubba, como Ivar, había amasado un tesoro tan inmenso en sus invasiones de Northumbria, Mercia y Anglia Oriental, que tanto le daba sacar más de Wessex, aunque, como contaré en su momento, más tarde cambiaría de opinión y se encaminaría hacia el sur.

Pero por entonces Ivar y Ubba estaban ausentes, así que el asalto principal a Wessex sería conducido por Halfdan, el tercer hermano, quien marchaba con su ejército de tierra desde Anglia Oriental para encontrarse con nosotros en algún lugar del Temes. Ragnar no estaba contento con el cambio de mando; Halfdan, murmuraba, era un insensato impetuoso, demasiado impulsivo, pero se alegró cuando recordó mis relatos sobre Alfredo, confirmando así que Wessex estaba dirigido por hombres que ponían sus esperanzas en el dios cristiano e impotente, como así quedara demostrado. Nosotros teníamos a Odín, teníamos a Thor, teníamos nuestros barcos, éramos guerreros.

Cuatro días después llegamos al Temes y remamos contra corriente a medida que el río iba estrechándose a nuestros costados. La primera mañana que tomamos contacto con el río sólo era visible la orilla norte, territorio de Anglia Oriental, pero a mediodía, la orilla sur, que antiguamente había pertenecido al reino de Kent y ahora formaba parte de Wessex, apenas si era una tenue línea en el horizonte. Por la tarde las orillas quedaban a cosa de un kilómetro, pero había poco que ver ya que el río discurría por aburridos y llanos terrenos pantanosos. Aprovechábamos la marea cuando podíamos; cuando no, nos dejábamos las manos en los remos, y así ascendimos contracorriente hasta que, por primera vez en mi vida, llegué a Lundene.

Pensaba en Eoferwic como ciudad, pero aquélla era un pueblo si la comparamos con Lundene. Era un lugar enorme, de densas humaredas procedentes de las hogueras para cocinar, y construido en el lugar en que se encontraban Mercia, Anglia Oriental y Wessex. Burghred de Mercia era el señor de Lundene, territorio danés en aquel entonces, así que nadie se enfrentó a nosotros cuando llegamos al increíble puente que se extendía por el río Temes.

Lundene. Acabé adorando aquel lugar. No como amo Bebbanburg, pero había tal vida en Lundene que su bullicio no lo he hallado en ningún otro sitio, porque la ciudad es única. Alfredo me contó una vez que no había maldad bajo el sol que no se practicara allí, y me alegro de poder decir que tenía razón. Él rezaba por la ciudad, yo me deleitaba con ella, y aún me veo con la boca abierta frente a las dos colinas de la villa cuando el barco de Ragnar remontó la corriente con suavidad para acercarse al puente. Era un día gris y una lluvia maliciosa aguijoneaba el río, sin embargo, la ciudad me pareció brillar con una luz fantástica.

En realidad eran dos ciudades construidas en dos colinas. La primera, al este, era la vieja ciudad que habían construido los romanos, allí empezaba el puente a extenderse por el ancho río y sobre los pantanos de la orilla sur. Esa primera ciudad era un lugar de edificios de piedra y presentaba una muralla de piedra, una muralla de verdad, no de tierra y madera, sino de mampostería, alta y ancha, rodeada por un foso. El foso se había llenado de basura y la muralla estaba rota en varias partes, siendo reparada con madera, aunque eso también ocurría en la propia ciudad, en la que los enormes edificios romanos estaban reforzados con casuchas de madera y paja en las que vivían unos cuantos mercios; sin embargo, la mayoría se mostraba reacia a construir sus hogares en la ciudad antigua. Uno de sus reyes se había hecho edificar un palacio dentro de la muralla, y una gran iglesia en lo alto de la colina, la mitad inferior de mampostería y la superior de madera, pero la mayoría de gente, como si tuviera miedo de los fantasmas romanos, vivía extramuros, en una nueva ciudad de madera y paja que se extendía hacia el oeste.

La vieja ciudad antaño contaba con muelles y embarcaderos, pero hacía mucho que se habían podrido, así que el frente este del puente era un lugar inhóspito lleno de pilares rotos y postes carcomidos clavados en el lecho del río como dientes rotos. La nueva ciudad, al igual que la vieja, estaba en la orilla norte del río, pero construida en una colina baja al oeste, a un kilómetro río arriba de la vieja, y poseía una playa de guijarros que subía hasta las casas junto a la carretera al lado del río. En mi vida había visto una playa tan asquerosa, que apestara tanto a cadáver y a mierda, tan llena de basura, tan descarnada, con las costillas fangosas de los barcos abandonados y tan llena de gaviotas destempladas, pero allí era donde debían ir nuestras embarcaciones y eso significaba que teníamos que superar el puente.

Sólo los dioses saben cómo los romanos pudieron construir tal cosa. Un hombre podía recorrer a pie Eoferwic de un lado a otro y no atravesar la extensión completa del puente de Lundene, aunque aquel año de 871 el puente estaba roto y ya no era posible cruzarlo entero. Hacía mucho que se habían desmoronado dos arcos del centro, aunque los antiguos pilares romanos que sostenían la desaparecida carretera seguían allí y el río espumaba traicionero como si el agua bullera al otro lado de los pilares rotos. Para construir el puente los romanos hundieron espolones en el lecho del Temes, después en la maraña de pantanos fétidos de la orilla sur, y estaban tan juntos que el agua se arremolinaba en el lado más ancho y descendía otra vez para deslizarse por las luces con un borboteo brillante. Para alcanzar la playa sucia de la nueva ciudad teníamos que salvar uno de los dos huecos, pero ninguno era lo bastante ancho como para dejar pasar un barco con los remos extendidos.

–Será interesante –comentó Ragnar más bien seco.

–¿Podemos hacerlo? –pregunté.

–Ellos lo hicieron –dijo mientras señalaba los barcos varados más allá del río–, así que nosotros también. –Habíamos echado el ancla mientras esperábamos al resto de la flota–. Los francos –prosiguió Ragnar– han estado construyendo puentes como éstos en todos sus ríos. ¿Sabes para qué los hacen?

–¿Para cruzar al otro lado? –supuse. Parecía la respuesta adecuada.

–Para que no subamos río arriba –contestó Ragnar–. Si yo gobernara en Lundene, haría reparar el puente, así que alegrémonos de que los ingleses no se hayan molestado en hacerlo.

Salvamos el agujero del puente esperando la subida de la marea. Ésta cobra más fuerza entre la bajamar y la pleamar, lo cual trajo tal afluencia de agua que disminuyó la corriente que se formaba entre los pilares. En ese corto espacio de tiempo podíamos introducir siete u ocho barcos por el hueco, y lo hicimos remando a toda velocidad hacia el agujero y levantando los remos en el último minuto, para que pasaran por entre los pilares podridos; después el impulso del propio barco lo hacía pasar. No todos los barcos lo consiguieron al primer intento. Yo vi a dos dar la vuelta, chocar contra un pilar con gran estrépito de palas rotas, y después virar otra vez río abajo entre maldiciones de la tripulación, pero la *Víbora del viento* lo logró, casi se detuvo justo al pasar el puente, pero conseguimos meter dentro del agua los primeros remos, bogamos y palmo a palmo pudimos salir del agujero que nos succionaba; después los hombres de dos barcos anclados corriente arriba nos echaron unos cables y tiraron hasta sacarnos del río y, de repente, entramos en aguas mansas y pudimos remar hasta la orilla.

Desde la orilla sur, más allá de los oscuros pantanales donde los árboles cubrían unas colinas bajas, unos cuantos jinetes nos observaban. Eran sajones del oeste, y contaban los barcos para calcular el tamaño del Gran Ejército. Así era como lo llamaba Halfdan, el Gran Ejército de los daneses, arribado para conquistar toda Inglaterra, pero estábamos bastante lejos de poder calificarnos de grande. Esperaríamos en Lundene la llegada de más barcos y más hombres que acudían por las calzadas romanas procedentes del norte. Wessex esperaría mientras los daneses se concentraban.

Durante ese intervalo, Brida, Rorik y yo exploramos Lundene. Rorik cayó otra vez enfermo, y Sigrid se mostró reacia a dejarlo acompañar a su padre, pero Rorik le suplicó a su madre que le dejara ir, y Ragnar le aseguró que el viaje marítimo le curaría al chico todas sus enfermedades, así que allí estaba. Se mostraba pálido, pero no enfermo, y parecía tan entusiasmado como yo por ver la ciudad. Ragnar me obligó a dejar los brazaletes y a *Hálito-de-serpiente* detrás pues, así me lo dijo, la ciudad estaba llena de ladrones. Vagamos primero por la parte nueva, recorrimos los hediondos callejones en los cuales las casas estaban atiborradas de hombres que trabajaban el cuero, golpeaban el bronce o forjaban hierro. Las mujeres se sentaban a los telares, un rebaño de ovejas pasaba por el matadero en un patio y tiendas y más tiendas vendían cerámica, sal, anguilas vivas, pan, paños, armas, cualquier cosa imaginable. Las campanas de las iglesias montaban un escándalo de mil demonios cada vez que tocaban a misa o llevaban a enterrar a algún muerto a los cementerios de la ciudad. Jaurías de perros deambulaban por las calles, había milanos asados por todas partes, y el humo se extendía como niebla por encima de los techos de paja y lo teñía todo de un negro deslucido. Vi un carro tan cargado de juncos para techar que patinaba por la carretera rascando y rasgando los edificios a cada lado de la calle mientras dos siervos azotaban implacablemente a los bueyes ensangrentados. Los hombres les gritaban que la carga era demasiado grande, pero ellos siguieron castigando a los animales, y se armó una buena pelea cuando el carro derrumbó un trozo de tejado podrido. Había mendigos por todas partes; niños ciegos, mujeres sin piernas, un hombre con una úlcera purulenta en la mejilla. Gente hablando en idiomas que jamás había oído, gentes con extraños trajes que procedían del otro lado del mar, y en la vieja ciudad, que exploramos al día siguiente, vi dos hombres con la piel del color de las castañas, y Ravn me contó después que venían de Blaland, aunque no estaba muy seguro de dónde se encontraba aquello. Vestían gruesas ropas, portaban espadas curvas y hablaban con un tratante de esclavos cuyas dependencias estaban llenas de ingleses capturados que serían embarcados hacia la misteriosa Blaland. El tratante nos llamó.

–¿Vosotros tres sois de alguien? –Bromeaba sólo a medias.

–Del *jarl* Ragnar –repuso Brida–, a quien le encantaría rebanarte el pescuezo.

–Mis respetos para vuestro señor –contestó el tratante, y después escupió y nos observó mientras nos alejábamos.

Los edificios de la ciudad vieja eran extraordinarios. Eran obras romanas, altas y robustas, y aunque sus muros se habían desmoronado y los techos se habían caído, seguían impresionando. Algunos tenían hasta tres y cuatro plantas, y nos perseguimos arriba y abajo por las escaleras abandonadas. Pocos ingleses vivían allí, aunque muchos daneses estaban ocupando las casas mientras el ejército se congregaba. Brida dijo que la gente sensata no viviría en una ciudad romana por los fantasmas que rondaban los viejos edificios, y puede que tuviera razón, pero yo nunca vi fantasmas en Eoferwic. En cualquier caso, su mención de los espectros nos puso nerviosos cuando echamos un vistazo a un tramo de escaleras que descendía hasta una bodega oscura y llena de pilares.

Nos quedamos en Lundene durante semanas y no nos desplazamos al oeste ni siquiera cuando la mitad del ejército de Halfdan se logró reunirse. Las bandas a caballo sí salían en expediciones de aprovisionamiento, pero el Gran Ejército seguía congregándose y algunos hombres murmuraban que aguardábamos demasiado, que les estábamos dando a los sajones del oeste un tiempo precioso para prepararse, pero Halfdan insistió en quedarse. Los sajones del oeste solían acercarse a caballo hasta la ciudad, y en dos ocasiones hubo escaramuzas entre nuestros jinetes y los suyos, pero después de un tiempo, a medida que se acercaba Yule, los sajones debieron de decidir no hacer nada hasta el final del invierno, y sus patrullas dejaron de aproximarse.

–No estamos esperando a la primavera –me explicó Ragnar–, sino al más crudo invierno.

–¿Por qué?

–Porque ningún ejército inicia sus operaciones en invierno –dijo con aquel tono rapaz suyo–, para que todos los sajones estén en su casa, sentaditos alrededor del fuego rezando a su débil dios. Para primavera, Uhtred, Inglaterra entera será nuestra.

Todos trabajamos duro aquel inicio del invierno. Yo recogía leña, y cuando no estaba amontonando troncos de las colinas boscosas, aprendía el arte de la espada. Ragnar le había pedido a Toki, su nuevo capitán de barco, que fuera mi profesor, y era muy bueno. Me observó practicar las estocadas básicas, y después me dijo que las olvidara.

–En un muro de escudos –me explicó–, gana la brutalidad. La habilidad ayuda, y es buena la astucia, pero la brutalidad gana. Coge una de éstas. –Me tendió un *sax* de filo ancho, mucho más ancho que mi antiguo cuchillo. Yo despreciaba el *sax* por ser mucho más corto que *Hálito-de-serpiente* y mucho menos bonito, pero Toki llevaba uno junto a su espada larga, y me convenció de que en el muro de escudos una hoja corta y recia era mejor–. No tienes sitio para asestar mandobles en el muro de escudos –me explicó–, pero sí puedes clavar, y un arma corta necesita menos espacio en una contienda de mucha gente. Agáchate y clava, arremete en las ingles. –Hizo que Brida sostuviera un escudo y fingiera ser el enemigo, y entonces, conmigo a la izquierda, la atacó por arriba y ella levantó el escudo instintivamente–. ¡Para! –gritó, y ella se quedó paralizada por el miedo–. ¿Lo ves? –me dijo mientras señalaba el escudo levantado–. Tu compañero obliga al enemigo a levantar el escudo y tú puedes rajarle la entrepierna. –Me enseñó otra docena de movimientos, que yo practiqué porque me gustaba, y cuanto más practicaba más músculos desarrollaba y más hábil me volvía.

Por lo general, practicábamos en el estadio romano. Así lo llamaba Toki, estadio, aunque ninguno de los dos teníamos ni idea de lo que significaba esa palabra, pero era, en un lugar imaginario de cosas extraordinarias, increíble. Imaginad un espacio tan grande como un campo rodeado de un enorme círculo de gradas de piedra en el que los hierbajos crecen por entre la argamasa rota. Los mercios, supe más tarde, sostuvieron allí sus asambleas populares, pero Toki me contó que los romanos lo utilizaban para exhibiciones de lucha en las que morían hombres. Puede que aquélla fuera otra de sus historias fantásticas, pero el estadio era enorme, soberbio hasta extremos inimaginables, un edificio misterioso, obra de gigantes, que nos empequeñecía, tan vasto que el Gran Ejército habría cabido dentro y aún habría quedado espacio para dos ejércitos más igual de grandes en las gradas.

Llegó Yule, celebramos el festival de invierno, el ejército vomitó en las calles y seguimos sin marchar, pero poco después los cabecillas del Gran Ejército se reunieron en el palacio junto al estadio. Brida y yo, como de costumbre, fuimos convocados para ser los ojos de Ravn y él, como de costumbre, nos explicó cuanto veíamos.

La reunión tuvo lugar en la iglesia del palacio, un edificio romano con el techo en forma de medio barril en el que estaban representadas la luna y las estrellas, aunque la pintura azul y dorada se había descolorido y desconchado. Habían encendido una gran hoguera en el centro de la iglesia y el humo se enroscaba en el elevado techo. Halfdan presidía desde el altar, y a su alrededor se encontraban los principales *jarls.* Uno de ellos era un tipo feo de rostro burdo, espesa barba castaña y al que le faltaba un dedo.

–Ése es Bagseg –nos indicó Ravn– y se hace llamar rey, aunque no es mejor que el resto. –Bagseg, al parecer, había venido de Dinamarca en verano, aportando dieciocho barcos y casi seiscientos hombres. Junto a él se destacaba un hombre alto y sombrío con el pelo blanco y un montón de tics–. El *jarl* Sidroc –nos aclaró Ravn–, ¿y no está su hijo con él?

–Un tipo delgado que moquea –dijo Brida.

–El *jarl* Sidroc el Joven. Siempre está moqueando. ¿Está ahí mi hijo?

–Sí –contesté–, junto a un hombre muy gordo que no para de susurrarle y sonreír.

–¡Harald! –exclamó Ravn–. Me preguntaba si se dejaría caer. Es otro rey.

–¿En serio? –preguntó Brida.

–Bueno, se hace llamar rey, y desde luego gobierna sobre unos cuantos terrenos pantanosos y una piara de cerdos malolientes.

Todos aquellos hombres habían venido desde Dinamarca, y además había otros. El *jarl* Fraena había traído hombres desde Irlanda, y el *jarl* Osbern abasteció la guarnición de Lundene mientras el ejército se reunía, y todos ellos, reyes y *jarls*, habían reunido más de dos mil hombres.

Osbern y Sidroc propusieron cruzar el río y atacar directamente el sur. Eso, sostenían, dividiría Wessex en dos y la parte este, que antaño era el reino de Kent, podría tomarse rápidamente.

–Tiene que haber un gran tesoro en Contwaraburg –insistió Sidroc–, es el templo central de su religión.

–Y mientras nosotros nos concentramos sobre el santuario –intervino Ragnar–, ellos vendrán por detrás. Su poder no está en el este, sino en el oeste. Derrotad el oeste y todo Wessex caerá. Ya tomaremos Contwaraburg cuando hayamos conquistado el oeste.

Ésa era la discusión. Si tomar la parte de Wessex fácil o atacar los señoríos más poderosos del oeste, así que convocaron a dos mercaderes para que hablaran. Ambos eran daneses que habían estado comerciando en Readingum sólo dos semanas antes. Readingum quedaba a unos cuantos kilómetros río arriba, en el límite con Wessex, y aseguraron haber oído que el rey Etelredo y su hermano, Alfredo, estaban reuniendo las fuerzas de las comarcas del oeste y ambos mercaderes calculaban que el ejército enemigo sumaría no menos de tres mil hombres.

–De los que sólo trescientos serán auténticos guerreros –intervino Halfdan sarcástico, siendo recompensado con el repiquetear de lanzas y espadas sobre los escudos. Mientras el ruido retumbaba por el techo abovedado de la iglesia, entró un nuevo grupo de guerreros, conducidos por un hombre muy alto y corpulento con una túnica negra. Ofrecía un aspecto formidable, bien afeitado, airado y rico, pues llevaba los brazos llenos de brazaletes de oro y un martillo del mismo metal colgado de una gruesa cadena también de oro alrededor del cuello. Los guerreros se apartaron para dejarlo pasar, y su llegada provocó el silencio entre la multitud más cercana, extendiéndose a medida que caminaba por la iglesia, hasta que el ambiente, festivo hasta entonces, se tornó repentinamente cauteloso.

–¿Quién es? –me susurró Ravn.

–Muy alto –dije–, muchos brazaletes.

–Lúgubre –añadió Brida–, vestido de negro.

–¡Anda! El *jarl* Guthrum –exclamó Ravn.

–¿Guthrum?

–Guthrum el Desafortunado –contestó Ravn.

–¿Con todos esos brazaletes?

–Podrías entregarle a Guthrum el mundo –aclaró Ravn–, y él seguiría pensando que le has timado.

–Lleva un hueso colgado del pelo –comentó Brida.

–Sobre eso tendréis que preguntarle a él –repuso Ravn, claramente divertido, pero no dijo nada más del hueso, que era sin lugar a dudas una costilla y aparecía rematada en oro.

Supe que Guthrum el Desafortunado era un *jarl* de Dinamarca que había pasado el invierno en Beamfleot, lugar bastante alejado de Lundene, situado en el lado norte del estuario del Temes, y en cuanto saludó a los hombres reunidos junto al altar anunció que había traído quince barcos. Nadie aplaudió. Guthrum, con la cara más triste y amargada que haya visto nunca, observó la reunión como aquel que asiste a su propio juicio y espera un veredicto nefasto.

–Hemos decidido –Ragnar rompió el incómodo silencio– partir hacia el oeste. –No se había decidido nada de eso, pero nadie contradijo a Ragnar–. Los barcos que ya han cruzado el puente –prosiguió Ragnar–, remontarán el río con sus tripulaciones y el resto del ejército marchará a pie o a caballo.

–Mis barcos tienen que subir río arriba –insistió Guthrum, y así supimos que su flota se hallaba al otro lado del puente.

–Sería mejor –continuó Ragnar– que partiéramos mañana. –Durante los últimos días el Gran Ejército al completo se había reunido en Lundene, desde los asentamientos del este y del norte en los que algunos habían sido acuartelados, y cuanto más esperáramos más preciosas provisiones consumiríamos.

–Mis barcos van río arriba –repuso Guthrum sin más.

–Le preocupa no poder llevarse el botín a caballo –me susurró Ravn–. Quiere sus barcos para poder llenarlos de tesoros.

–¿Por qué le dejan ir? –pregunté. Estaba claro que a nadie le gustaba el *jarl* Guthrum, y su llegada parecía tan poco celebrada como inconveniente, pero Ravn evitó contestar a la pregunta encogiéndose de hombros. Guthrum, al hallarse inevitablemente allí, estaba obligado a participar. Cosa que sigue pareciéndome incomprensible, del mismo modo que sigo sin entender por qué Ivar y Ubba no se unieron al ataque de Wessex. Cierto que ambos hombres eran ricos y apenas necesitaban más riquezas, pero durante años habían hablado de aplastar a los sajones del oeste y ahora sencillamente lo dejaban pasar. Guthrum tampoco necesitaba más tierras ni riquezas, pero pensaba que sí, razón por la cual había venido. Ésa era la forma de ser danesa. Los hombres servían en las campañas si les apetecía o se quedaban en casa, no existiendo una única autoridad entre los daneses. Halfdan era el ostensible senescal del Gran Ejército, mas no imponía el miedo que infundían sus dos hermanos mayores, y por ello no podía hacer nada sin el apoyo de los demás jefes. Un ejército, aprendí con el tiempo, necesita una cabeza. Precisa de un hombre que lo dirija; si dotas un ejército de dos cabecillas dividirás por dos su fuerza.

Llevó dos días conseguir que los barcos de Guthrum cruzaran el puente. Las embarcaciones eran preciosas, más grandes que la mayoría de los barcos daneses, y todas ellas estaban decoradas con proas y popas en forma de serpiente negra. Sus hombres, y vaya si trajo consigo, iban todos vestidos de negro. Hasta sus escudos eran negros, y aunque me parece que Guthrum era uno de los hombres más amargados que haya visto, debo confesar que sus tropas eran impresionantes. Perdimos dos días, pero a cambio contábamos con los guerreros negros.

¿Y qué había que temer? El Gran Ejército se había reunido, estábamos ya en lo más crudo del invierno, cuando nadie peleaba, así que el enemigo no nos esperaría, y aquel enemigo estaba guiado por un rey y un príncipe más interesados en la oración que en la lucha. Teníamos Wessex al alcance de la mano y las gentes decían que aquél era uno de los países más ricos del mundo, rivalizaba con Francia por sus tesoros, y estaba habitado por monjes y monjas cuyas casas rebosaban plata, estaban atiborradas de oro y maduras para la matanza. Todos seríamos ricos.

Así que partimos hacia la guerra.

* * *

Barcos sobre el Temes en invierno. Barcos que cruzaban juncos quebradizos, sauces sin hojas y alisos desnudos. Las palas mojadas de los remos brillaban a la pálida luz del sol. Las proas de nuestros barcos mostraban sus bestias para sofocar a los espíritus de la tierra que invadíamos, y era una tierra buena y de ricos campos, aunque todos ellos aparecían desiertos. Casi llegaba a notarse un ambiente de celebración en aquel breve viaje, una celebración que no estropeaba la presencia de los barcos negros de Guthrum. Los hombres caminaban por encima de los remos, la misma hazaña que practicara Ragnar aquel lejano día en que sus tres barcos aparecieron en Bebbanburg. Yo también lo intenté y recibí grandes vítores cuando me caí. Parecía fácil correr por la fila de remos, saltando de asta en asta, pero sólo con que un remero girara un poco un remo, ya resbalabas, y el agua del río estaba fría como un témpano, así que Ragnar me obligó a quitarme la ropa y ponerme su capa de piel de oso hasta que entré en calor. Los hombres cantaban, los barcos bogaban contra la corriente, las lejanas colinas al norte y al sur fueron cerrándose poco a poco sobre las orillas del río y, al caer la noche, vimos los primeros jinetes en el horizonte sur. Observándonos.

Llegamos a Readingum por la noche. Los tres barcos de Ragnar iban cargados con picas, la mayoría forjadas por Ealdwulf, y nuestra primera tarea consistió en erigir una fortificación. A medida que fueron llegando más barcos, se sumaron más hombres al trabajo, y al anochecer nuestro campamento estaba protegido por un largo y desordenado muro de tierra que difícilmente habría supuesto un obstáculo para una fuerza de ataque, pues se trataba de un montículo bajo y fácil de cruzar, pero nadie vino a atacarnos, y tampoco apareció ningún ejército de Wessex a la mañana siguiente, así que tuvimos tiempo de hacer el muro más alto e imponente.

Readingum estaba construida allí donde convergen los ríos Kenet y Temes, así que levantamos la muralla entre los dos ríos. Cercaba la pequeña ciudad que había sido abandonada por sus habitantes y proporcionaba refugio a la mayoría de las tripulaciones de los barcos. El ejército de tierra seguía sin dar señales, dado que habían marchado por la orilla norte del Temes, por territorio mercio, y estaban buscando un vado que encontraron corriente arriba, así que terminamos la muralla prácticamente en el momento de reunirse con nosotros. Al principio pensamos que se trataba del ejército de los sajones del oeste, pero no eran más que los hombres de Halfdan, desfilando por el desierto territorio enemigo.

La muralla era alta, y dado que había densos bosques al sur, talamos unos cuantos árboles para construir una empalizada que siguiera toda su extensión, unos ochocientos pasos. Frente al muro excavamos un foso que inundamos al romper las orillas de los ríos, y por encima del foso levantamos cuatro puentes guardados por fortificaciones de madera. Aquélla era nuestra base. Desde allí podríamos adentrarnos en el corazón de Wessex, y debíamos hacerlo pronto, pues, con tantos hombres y caballos dentro de la muralla, corríamos el riesgo de pasar hambre a menos que encontrásemos grano, heno y ganado. Habíamos traído con nosotros barriles de cerveza y una gran cantidad de harina, carne salada y pescado seco en los barcos, pero era increíble lo rápido que menguaban nuestras más que abundantes provisiones.

Los poetas, cuando cantan la guerra, hablan del muro de escudos, de las lanzas y las flechas volando, de las espadas estrellándose contra los escudos, de los héroes que caen y el botín de los vencedores, pero iba a descubrir que la guerra era, sobre todo, una cuestión de comida. De alimentar hombres y caballos. De encontrar comida. El ejército que está bien alimentado gana. Y si tienes caballos en una fortaleza, también es importante deshacerse del estiércol. Sólo dos días después de que el ejército de tierra llegara a Readingum, ya andábamos cortos de comida, y los dos Sidroc, padre e hijo, se adentraron al frente de una numerosa fuerza hacia el oeste, en territorio enemigo, para localizar almacenes de comida para hombres y caballos. Lo que encontraron, en cambio, fue al *fyrd* de Berrocscire.

Más tarde supimos que, al final, atacar en invierno no había supuesto una sorpresa tan grande para los sajones del oeste. Los daneses contaban con buenos espías, sus mercaderes exploraban los lugares a los que se dirigirían los guerreros, pero los sajones tenían sus propios hombres en Lundene y sabían cuántos hombres éramos y cuándo partiríamos, así que reunieron un ejército para recibirnos. También buscaron la ayuda de los hombres al sur de Mercia, donde la obediencia a los daneses era más laxa, y Berrocscire quedaba justo al norte de la frontera con Wessex, sus hombres habían cruzado el río para ayudar a sus vecinos, y su *fyrd* estaba comandado por un *ealdorman* llamado Æthelwulf.

¿Sería mi tío? Muchos hombres se llamaban Æthelwulf, ¿pero cuántos eran *ealdorman* en Mercia? Admito que me sentí extraño cuando oí el nombre, y pensé en la madre que jamás había conocido. En mi imaginación era una mujer que siempre se mostraba amable, gentil y amorosa, y pensaba que debía de protegerme desde algún lugar: el cielo, Asgard o dondequiera que se dirijan nuestras almas en la larga oscuridad, y supe que detestaría el hecho de que luchara contra su hermano, así que aquella noche estuve de mal humor.

Pero también lo estaba el Gran Ejército, pues mi tío, si es que Æthelwulf era mi tío, había castigado de modo implacable a los dos *jarls*. La expedición de aprovisionamiento había caído en una emboscada y los hombres de Berrocscire mataron veintiún daneses y hecho prisioneros ocho más. Los ingleses también perdieron unos cuantos hombres, y ninguno cayó prisionero, pero obtuvieron la victoria, y no importaba que los hubiesen superado en número. Los daneses esperaban ganar, y volvieron al fuerte perseguidos y sin la comida que necesitábamos. Se sentían avergonzados y un soterrado estremecimiento se extendió entre el ejército, porque no creían que simples ingleses pudieran derrotarlos.

Aún no nos moríamos de hambre, pero escaseaba desesperadamente el heno para los caballos. No era, ni mucho menos, la mejor comida, pero no teníamos avena y las expediciones de aprovisionamiento se limitaban a cortar cualquier hierba invernal que encontráramos más allá de nuestra muralla, cada día más grande; así que al día siguiente de la victoria de Æthelwulf, Rorik, Brida y yo formamos parte de uno de aquellos grupos, cortábamos hierba con cuchillos largos y llenábamos sacos con la miserable pitanza cuando llegó el ejército de Wessex.

Debieron de animarse tras la victoria de Æthelwulf, pues el ejército enemigo al completo se dispuso a atacar Readingum. La primera noticia que tuve del ataque fueron unos gritos lejanos que procedían del oeste, después vi jinetes al galope entre nuestras expediciones de aprovisionamiento, rebanando a los hombres con espadas o ensartándolos en lanzas, y los tres echamos a correr. Oí cascos detrás de nosotros, eché un vistazo, vi a un hombre al galope tendido con una lanza en ristre y supe que uno de nosotros moriría, así que cogí a Brida de la mano y la arrastré fuera de su camino, y justo entonces una flecha disparada desde las murallas de Readingum se le clavó en la cara: el hombre se contorsionó cuando de la mejilla salía disparado un chorro de sangre. Mientras, los daneses, aterrorizados, se amontonaron alrededor de los dos puentes centrales y los jinetes sajones, al darse cuenta, galoparon hacia ellos. Nosotros tres vadeamos como pudimos y cruzamos el foso a nado; dos hombres nos sacaron de allí, mojados, llenos de barro y temblorosos, y nos subieron por la muralla.

Fuera reinaba el caos. Los expedicionarios que se amontonaban en el extremo más alejado del foso estaban siendo masacrados, y entonces llegó la infantería de Wessex, una banda tras otra de hombres que surgían de los bosques lejanos para llenar los campos. Yo regresé corriendo a la casa en la que Ragnar se alojaba y encontré a *Hálito-de-serpiente* debajo de las capas donde la ocultaba, la desenvainé y salí en su búsqueda. Se había dirigido al norte, al puente junto al Temes, y Brida y yo nos unimos allí a sus hombres.

–No deberías venir –le dije a Brida–. Quédate con Rorik.

Rorik era más pequeño que nosotros y, tras empaparse en el foso empezó a temblar y a encontrarse mal, así que lo obligué a quedarse atrás.

Brida no me hizo el menor caso. Se había agenciado una lanza y estaba entusiasmada, aunque nada había ocurrido todavía. Ragnar miraba por encima de la muralla, y en la puerta se estaban reuniendo más hombres, pero Ragnar no la abrió para cruzar el puente. Aunque sí miró hacia atrás para ver de cuántos hombres disponía.

–¡Escudos! –gritó, pues con las prisas algunos hombres se habían presentado sólo con espadas o hachas, y esos hombres corrieron entonces a por los escudos. Yo no tenía escudo, pero tampoco se suponía que tenía que estar allí, y Ragnar no me vio.

Lo que sí vio fue el final de la matanza de los expedicionarios a manos de los jinetes sajones. Unos cuantos enemigos cayeron bajo nuestras flechas, pero ni los daneses ni los ingleses tenían muchos arqueros. A mí me gustan los arqueros. Matan desde largas distancias, y aunque no maten ponen nervioso al enemigo. Avanzar bajo las flechas es un asunto complicado, porque se hace a ciegas. Hay que mantener la cabeza debajo del escudo, pero dominar el arco requiere una habilidad extraordinaria. Parece fácil, y todos los niños tienen un arco y flechas, pero un arco de verdad, un arco capaz de matar un venado a cien pasos es un trasto enorme; confeccionado con tejo, necesita de una fuerza descomunal para ser tensado y las flechas salen disparadas hacia cualquier sitio a menos que se practique constantemente, así que nunca conseguimos más de un puñado de arqueros. Yo jamás he dominado el arco. Con una lanza, hacha o espada era letal, pero con un arco era como la mayoría de los hombres: inútil.

A veces me pregunto por qué no nos quedamos detrás de la muralla. Estaba prácticamente terminada, y para llegar el enemigo tenía que cruzar el foso o desfilar por los cuatro puentes, cosa que les habría obligado a hacerlo bajo una intensa lluvia de flechas, lanzas y hachas. Sin duda habrían fracasado, pero entonces hubieran podido sitiarnos tras la muralla, así que Ragnar decidió atacar. No sólo Ragnar. Mientras éste reunía hombres en la puerta norte, Halfdan había estado haciendo lo mismo en la sur, y cuando creyeron contar con suficientes efectivos y la infantería enemiga aún se encontraba a unos doscientos pasos, Ragnar ordenó que la puerta se abriera y guió a sus hombres fuera.

El ejército de los sajones del oeste, bajo el signo del gran estandarte del dragón, avanzaba hacia los puentes centrales, claramente convencido de que la primera escabechina no había sido más que un aperitivo de lo que estaba por llegar. No tenían escalas, así que no me explico cómo pensaban cruzar la muralla, pero a veces en la batalla una especie de locura se apodera de los hombres y hacen cosas inimaginables. Los hombres de Wessex no tenían razón alguna para concentrarse en el centro de nuestra muralla, sobre todo porque no tenían ningún modo de atravesarla, pero lo hicieron, y entonces nuestros guerreros salieron en manada por las dos puertas de los flancos para atacarlos desde norte y sur.

–¡Muro de escudos! –bramó Ragnar–. ¡Muro de escudos!

Cuando se forma un muro de escudos, éste se oye. Los mejores escudos están hechos de tilo, o de sauce, y las maderas chocan entre sí cuando los hombres solapan los escudos. El lado izquierdo del escudo enfrente del lado derecho del de tu vecino; así el enemigo, que en su mayoría es diestro, debe intentar penetrar dos capas de madera.

–¡Apretaos bien! –gritó Ragnar. Estaba en el centro del muro de escudos, frente a su andrajoso estandarte del ala de águila, y era uno de los pocos hombres con casco distinguido, hecho que lo señalaba para el enemigo como cabecilla, es decir, como un hombre al que abatir. Ragnar seguía usando el casco de mi padre, aquel tan bonito que había fabricado Ealdwulf con protector facial y una incrustación de plata. También vestía cota de malla, uno de los pocos hombres en poseer tal tesoro. La mayoría iban protegidos con cuero.

El enemigo daba la vuelta y se desplegaba para hacernos frente, montaba su propio muro de escudos, y llegué a distinguir un grupo de jinetes al galope en dirección al centro del muro tras el estandarte del dragón. Me pareció ver el pelo rojo de Beocca entre los hombres y eso me dio la certeza de que Alfredo estaba allí, probablemente entre una pandilla de curas vestidos de negro que sin duda rezaban para que muriéramos.

El muro de escudos sajón era más largo que el nuestro. No sólo más largo, también más denso, porque el nuestro contaba con tres filas de hombres de refuerzo y el suyo con seis. El buen juicio habría indicado que o bien nos quedábamos donde estábamos y dejábamos que nos atacaran, o bien nos batíamos en retirada por el puente, pero llegaban más daneses para reforzar las filas de Ragnar y éste, la verdad, no estaba para demasiada sensatez.

–¡Matadlos! –gritaba–. ¡Matadlos a todos y punto! –Y condujo el avance de la fila y, sin vacilar, los daneses lanzaron un poderoso grito de guerra y avanzaron con él. Normalmente los muros de escudos pasan horas mirándose, insultándose, amenazándose y haciendo acopio de valor para aquellos horribles momentos en que la madera choca con madera y el metal con metal, pero Ragnar estaba inflamado, y todo eso le daba igual. Cargó sin más.

El ataque no tenía ningún sentido, pero Ragnar estaba furioso. Le había ofendido la victoria de Æthelwulf, y se sentía insultado por el modo en que los jinetes sajones se habían lanzado contra nuestra expedición, así que lo único que quería era liarse a tajos contra las filas de Wessex, y de alguna manera su pasión se extendió entre sus hombres, así que iban aullando al tiempo que corrían hacia delante. Hay algo terrible en los hombres ansiosos por la batalla.

Un instante antes de que los escudos chocaran, nuestra retaguardia arrojó sus lanzas. Algunos hombres llevaban tres o cuatro lanzas que tiraron una detrás de otra, por encima de nuestras primeras filas. También llegaban lanzas enemigas en respuesta, y yo saqué una clavada en la hierba y la arrojé con tanta fuerza como pude.

Me hallaba en la última fila, me habían empujado allí los demás hombres, que me decían que me quitara de en medio, pero avancé con ellos, y Brida, con una sonrisa maléfica, vino conmigo. Le dije que volviera al pueblo, pero lo único que hizo fue sacarme la lengua, y entonces oí el ruido atronador, el golpe de madera contra madera, el encuentro de los escudos. A eso le siguió el ruido de las lanzas perforando tilo, el entrechocar del metal, pero no vi nada porque no era lo bastante alto, aunque la colisión entre los muros provocó el retroceso de nuestros hombres. Después volvieron a empujar, tratando de introducir nuestra primera fila entre los escudos sajones. El extremo derecho de nuestro muro estaba perdiendo terreno allí donde el enemigo nos superaba en número, pero nuestros refuerzos se apresuraban hacia aquel lugar, y a los sajones del oeste les faltó valor para cargar. Aquellos sajones del flanco derecho llegaban de su retaguardia, y la retaguardia es siempre el lugar donde se reúnen los hombres más inexpertos. La auténtica batalla estaba teniendo lugar en mi frente y el ruido que allí se oía era de golpes, tachones de hierro contra madera, metal contra escudos, pies de hombres arrastrándose, el entrechocar de las armas, y pocas voces excepto los aullidos de dolor o algún grito repentino. Brida se puso a cuatro patas y se escabulló entre las piernas de los hombres que tenía delante, la vi aguijonear con su lanza, en busca del ataque por debajo del borde del escudo. Se la clavó a un hombre en el tobillo, él tropezó, llegó un hacha de arriba, se abrió un hueco en la línea enemiga y nuestra fila avanzó, así que la seguí, usando *Hálito-de-serpiente* como una lanza, y me llevé por delante unas cuantas botas. Entonces Ragnar lanzó un alarido imponente, un grito que despertara a los dioses en los grandes salones celestes de Asgard, y el grito exigía un último esfuerzo. Las espadas mutilaban, las hachas volaban y yo sentí que el enemigo se retiraba ante la furia de los hombres del norte.

Líbranos, Señor.

Sangre en la hierba, tanta sangre que el suelo resbalaba, y estaba lleno de cadáveres que había que pisar para que el muro siguiera avanzando. Nos dejaron a Brida y a mí atrás. La miré y tenía las manos rojas de la sangre que había corrido por el asta de su lanza. La lamió y me sonrió con malicia. Los hombres de Halfdan estaban luchando en aquel momento con el flanco enemigo más alejado, el ruido de su batalla se hizo de repente más atronador porque los sajones se retiraban ante el ataque de Ragnar; pero un hombre, alto y fornido, nos resistió. Portaba una cota de malla adornada con un tahalí de cuero rojo y un casco aún más vistoso que el de Ragnar, pues en el casco del inglés se apreciaba un verraco de plata, y por un momento pensé que podía tratarse del propio rey Etelredo, pero aquel hombre era demasiado alto, y Ragnar gritó a sus hombres que se apartaran y le asestó un golpe al del verraco en el casco, que paró con la defensa y atacó con la espada a Ragnar, que a su vez recibió la estocada en el escudo, con el que cargó hacia delante para embestir contra el hombre. El enemigo dio un paso atrás, tropezó con un cadáver y Ragnar lo remató con un ataque por encima de la cabeza, como si matara a un buey, y la hoja rasgó la cota de malla mientras una oleada enemiga se lanzaba a salvar a su señor.

Una carga danesa los recibió, escudo contra escudo, y Ragnar aullaba por su victoria e hincaba su espada una y otra vez en el caído, y de repente ya no quedaban más sajones, excepto los muertos y heridos, y su ejército salía corriendo, su rey y su príncipe a todo galope rodeados de curas, y nos burlamos, les lanzamos toda clase de maldiciones, les acusamos de ser mujeres, de pelear como nenas, de ser unos cobardes.

Y después descansamos, nos tomamos un respiro en un campo de sangre; nuestros propios cadáveres se encontraban entre los muertos enemigos, y entonces fue cuando Ragnar nos vio y estalló en carcajadas.

–¿Y vosotros dos qué hacéis aquí? –Como respuesta Brida levantó su lanza ensangrentada y Ragnar miró la punta de *Há-lito-de-serpiente* y la vio roja–. Merluzos –dijo, pero en tono cariñoso, y entonces uno de nuestros hombres trajo un prisionero sajón y le hizo inspeccionar al señor que Ragnar había matado–. ¿Quién es? –exigió saber.

Yo se lo traduje.

El hombre se persignó.

–Es el señor Æthelwulf –respondió.

Y yo me quedé callado.

–¿Qué ha dicho? –preguntó Ragnar.

–Que es mi tío –repuse.

–¿Ælfric? –Ragnar se mostraba confuso–. ¿Ælfric de Northumbria?

Sacudí la cabeza.

–Es el hermano de mi madre –le aclaré–. Æthelwulf de Mercia. –No sabía si era el hermano de mi madre, pudiera ser que hubiera otro Æthelwulf en Mercia, pero estaba seguro igualmente de que aquél era Æthelwulf, mi tío, y el hombre que había derrotado a los *jarls* Sidroc. Ragnar lanzó vítores, pues la derrota del día anterior había sido vengada, mientras yo observaba el rostro del muerto. No lo conocía de nada, así que, ¿por qué me sentía triste? Tenía el rostro alargado, barba rubia y bigote recortado. Era un hombre guapo, pensé, y familiar mío, y me pareció muy raro porque no conocía más familia que Ragnar, Ravn, Rorik y Brida.

Ragnar y sus hombres despojaron a Æthelwulf de su armadura y le quitaron su precioso casco, y después, dado que el *ealdorman* había luchado con tanta valentía, Ragnar dejó el cadáver vestido y le puso una espada entre las manos para que los dioses pudieran llevarse el alma mercia al gran salón en el que los guerreros valientes celebran con Odín.

Y puede que las valkirias se llevaran su alma, porque a la mañana siguiente, cuando salimos para enterrar a los muertos, el cuerpo del *ealdorman* Æthelwulf había desaparecido.

Más tarde, mucho más tarde, supe que era de hecho mi tío. También supe que algunos de sus hombres habían regresado al campo de batalla por la noche, lograron encontrar el cadáver de su señor y lo trasladaron a sus tierras para que recibiera cristiana sepultura.

Y puede que también aquello fuera cierto. O puede que Æthelwulf se encuentre en el salón de los muertos de Odín.

Pero conseguimos derrotar a los sajones del oeste. Y seguíamos hambrientos. Era hora de arrebatarle la comida al enemigo.

* * *

¿Por qué luchaba con los daneses? Todas las vidas se plantean preguntas, y ésa sigue persiguiéndome, aunque en verdad no había ningún misterio. Para mi joven mente la alternativa era quedarme sentado en algún monasterio aprendiendo a leer, y si le presentas esa alternativa a cualquier muchacho, preferirá luchar con el demonio antes que rascar sobre pizarra o incidir marcas en una tableta de arcilla. Y también estaba Ragnar, a quien adoraba, y que envió sus tres barcos por el Temes en busca del heno y la avena almacenados en los pueblos mercios, y encontró suficiente, de modo que cuando marchamos hacia el oeste nuestros caballos estaban en condiciones aceptables.

Partimos hacia Æbbanduna, otra ciudad fronteriza en el Temes entre Wessex y Mercia, y, según nuestro prisionero, el lugar en el que los sajones del oeste habían reunido sus provisiones. Si tomábamos Æbbanduna, en el ejército de Etelredo escasearía la comida, Wessex caería, Inglaterra desaparecería y Odín triunfaría.

Nos quedaba pendiente la pequeña cuestión de derrotar antes al ejército sajón, pero partimos cuatro días después de hacerles morder el polvo en Readingum, así que confiábamos como benditos en su definitiva y total condena. Rorik se quedó en Readingum, pues cayó otra vez enfermo, y muchos rehenes, como los gemelos mercios Ceolberht y Ceolnoth también, vigilados por una pequeña guarnición que habíamos dejado para cuidar nuestros preciosos barcos.

El resto marchamos a pie o a caballo. Yo me contaba entre los chicos más mayores de los que acompañaban al ejército.

Nuestro trabajo en la batalla consistía en acarrear los escudos de sobra, los cuales podían pasarse hacia delante entre las distintas filas. Los escudos quedaban reducidos a astillas tras la batalla. A menudo he visto guerreros peleando con hacha o espada en una mano y nada en la otra salvo tablones sueltos sujetos entre sí por el brocal de hierro del escudo. Brida también vino con nosotros, montada tras Ravn en su caballo, y durante un rato yo fui a pie con ellos, escuchando mientras Ravn ensayaba los primeros versos de un poema llamado «La caída de los sajones del oeste». Había llegado hasta la enumeración de nuestros héroes, y estaba describiendo cómo se preparaban para la batalla cuando uno de aquellos héroes, el amargado *jarl* Guthrum, acercó su caballo hasta nosotros.

–Te veo bien –saludó a Ravn, con un tono que sugería tratarse de una condición que difícilmente duraría.

–Yo no te veo en absoluto –replicó Ravn. Le gustaba la chanza.

Guthrum, envuelto en una capa negra, miró al río. Avanzábamos por una pequeña cordillera e, incluso a la luz del sol invernal, el valle del río mostraba un aspecto exuberante.

–¿Quién será rey en Wessex? –preguntó.

–¿Halfdan? –sugirió Ravn cargado de malicia.

–Es un reino grande –repuso Guthrum un tanto sombrío–. Le iría bien un hombre mayor. –Me miró con amargura–. ¿Quién es ése?

–Te olvidas de que soy ciego –replicó Ravn–. ¿Así que quién es quién? ¿O es que me estás preguntando qué hombre mayor creo yo que tendría que ser nombrado rey? ¿Yo, a lo mejor?

–¡No, no! El chico que guía tu caballo. ¿Quién es?

–Ése es el *jarl* Uhtred –contestó Ravn con solemnidad–, que sabe que los poetas son tan importantes que sus caballos deben ir guiados por simples *jarls*.

–¿Uhtred? ¿Un sajón?

–¿Eres sajón, Uhtred?

–Soy danés –repuse.

–Y un danés –prosiguió Ravn– que ha bañado su espada en Readingum. Empapada, Guthrum, con sangre sajona. –Aquél era un comentario afilado, pues los hombres de negro de Guthrum no habían peleado fuera de las murallas.

–¿Y la chica que llevas detrás?

–Brida –repuso Ravn–, que un día será escaldo y hechicera.

Guthrum no supo qué responder a aquello. Se concentró con furia en sus riendas durante unos cuantos pasos y luego volvió a su tema original.

–¿Quiere Ragnar ser rey?

–Ragnar quiere matar enemigos –repuso Ravn–. Las ambiciones de mi hijo son pocas: oír chistes, resolver acertijos, emborracharse, entregar brazaletes, yacer vientre contra vientre con mujeres, comer bien y unirse a Odín.

–Wessex necesita un hombre fuerte. –Ése fue el oscuro comentario de Guthrum–. Un hombre que sepa cómo mandar.

–Eso suena a marido –espetó Ravn.

–Tomamos sus plazas fuertes –prosiguió Guthrum–, ¡pero dejamos intacta la mitad de sus tierras! Incluso en Northumbria hemos ocupado sólo la mitad de las guarniciones. Mercia ha enviado hombres a Wessex, y se supone que están de nuestro lado. Vencemos, Ravn, pero no terminamos el trabajo.

–¿Y cómo hemos de hacerlo? –preguntó Ravn.

–Más hombres, más barcos, más muertes.

–¿Muertes?

–¡Hay que matarlos a todos! –exclamó Guthrum con inesperada vehemencia–. ¡A todos y cada uno! Que no quede un sajón vivo.

–¿Incluso a las mujeres? –preguntó Ravn.

–Podemos quedarnos con algunas de las más jóvenes –concedió Guthrum a regañadientes, después me puso mala cara–. ¿Y tú qué miras, chico?

–Vuestro hueso, señor –contesté, y señalé el hueso rematado en oro que le colgaba del pelo.

Él se tocó el hueso.

–Era una de las costillas de mi madre –contestó–. Era una buena mujer, una mujer maravillosa, y viene conmigo adonde yo quiera que vaya. Seguro que has hecho cosas peores que componer una oda para mi madre, Ravn. La conociste, ¿no?

–Vaya que sí –repuso Ravn de manera insustancial–. La conocí lo suficiente, Guthrum, como para temer que mis habilidades poéticas sean insuficientes para honrar a mujer tan ilustre.

La burla pasó sin rozar a Guthrum el Desafortunado.

–Podrías intentarlo –añadió–. Podrías intentarlo, y yo pagaría mucho oro por una buena oda sobre ella.

Estaba loco, pensé, loco como una lechuza a mediodía, pero después me olvidé de él porque teníamos al ejército de Wessex delante, nos impedía el paso y presentaba batalla.

* * *

El estandarte del dragón de Wessex ondeaba en la cumbre de una colina larga y no demasiado elevada que se extendía de lado a lado por nuestra carretera. Para llegar a Æbbanduna, que evidentemente quedaba más allá de la colina y estaba oculta por ésta, tendríamos que atacar cuesta arriba y cruzar aquella formación montañosa cubierta de hierba, en terreno despejado; no obstante, al norte, donde las colinas desaparecían en el río Temes, aparecía una pista junto al río que sugería la posibilidad de recortar la posición enemiga. Para detenernos tendrían que bajar de la colina y presentar batalla al nivel del suelo.

Halfdan convocó a los jefes daneses y discutieron durante un buen rato, claramente en desacuerdo sobre lo que había que hacer. Algunos hombres querían atacar colina arriba y desperdigar al enemigo allí donde estaba, pero otros aconsejaban pelear con los sajones en los prados llanos junto al río, y al final el *jarl* Guthrum el Desafortunado los convenció de que hicieran las dos cosas. Eso, claro está, suponía partir en dos nuestro ejército, pero aun así me pareció una idea inteligente. Ragnar, Guthrum y los dos *jarls* Sidroc irían por el terreno bajo, amenazando así con salvar la colina que guardaba el enemigo por debajo, mientras que Halfdan, con Harald y Bagseg, avanzaría a lo largo del terreno elevado contra el estandarte del dragón de su cumbre. De ese modo, el enemigo tal vez vacilara en atacar a Ragnar por miedo a que las tropas de Halfdan se les abalanzaran encima por la retaguardia. Lo más probable, dijo Ragnar, era que el enemigo decidiera no presentar batalla, sino retirarse a Æbbanduna donde podríamos sitiarlos.

–Mejor tenerlos acorralados en una fortaleza que paseándose por ahí –comentó con alegría.

–Mejor aún –intervino Ravn secamente–, no dividir el ejército.

–No son más que sajones del oeste –desestimó Ragnar la sugerencia.

Caía la tarde, y como estábamos en invierno, el día era corto y no quedaba mucho tiempo, aunque Ragnar pensaba que había luz de sobra para rematar a las tropas de Etelredo. Los hombres se tentaron los amuletos, besaron las empuñaduras de sus espadas, levantaron los escudos, marchamos por la parte de debajo de la colina, abandonamos los campos de hierba calcáreos y nos adentramos en el valle del río. Una vez allí, medio ocultos por los árboles sin hojas, veíamos de vez en cuando a los hombres de Halfdan avanzar por las colinas; yo divisé dónde les esperaban las tropas sajonas, cuya posición sugería que el plan de Guthrum funcionaba perfectamente, por lo que podríamos rodear sin problemas el flanco norte del enemigo.

–Lo que haremos entonces –dijo Ragnar–, es subir por su retaguardia, y los muy cabrones quedarán atrapados. ¡Los mataremos a todos!

–Uno de ellos ha de vivir –indicó Ravn.

–¿Uno? ¿Por qué?

–Para contar la historia, por supuesto. Busca al poeta. Será hermoso y distinguido. Búscalo y déjalo vivo.

Ragnar estalló en carcajadas. Debíamos de ser, me parece a mí, unos ochocientos, algo menos que el contingente que se había quedado con Halfdan, y el ejército enemigo era probablemente algo mayor que las dos fuerzas combinadas, pero todos nosotros éramos guerreros, y la mayoría de los sajones que componían el *fyrd* de Wessex eran granjeros obligados a pelear, así que no veíamos más salida que la victoria.

Entonces, mientras el grueso de nuestras tropas se internaba en un robledal, vimos que el enemigo había seguido nuestro ejemplo y dividido su propio ejército en dos. Una parte esperaba a Halfdan en la colina y la otra había venido en nuestra busca.

Alfredo comandaba nuestros oponentes. Lo sabía porque vi el pelo rojo de Beocca, y más tarde pude apreciar por un instante el rostro enjuto y nervioso de Alfredo durante la batalla. Su hermano, el rey Etelredo, se había quedado en el terreno elevado donde, en lugar de esperar que Halfdan los asaltara, avanzaba para efectuar su propio ataque. Los sajones, al parecer, se mostraban ávidos de batalla.

Así que se la dimos.

Nuestras fuerzas formaron en cuñas protegidas para atacar su muro de escudos. Invocamos a Odín, aullamos nuestros gritos de guerra, cargamos, y la fila sajona no se rompió, ni se torció, sino que se mantuvo firme, y entonces empezó la escabechina.

Ravn me repetía una y otra vez que el destino lo era todo. El sino manda. Las tres hilanderas se sientan al pie del árbol de la vida y fabrican el hilo de nuestra existencia y somos sus juguetes, y aunque creamos que tomamos nuestras propias decisiones, todos nuestros destinos están en las hebras de las hilanderas. El destino lo es todo, y aquel día, sin yo saberlo, se tejió el mío. *Wyrd bið ful aræd*, no se puede detener el destino.

¿Qué queda por decir sobre la batalla que los sajones del oeste afirman haber librado en un sitio llamado la colina de Æsc? Supongo que Æsc sería el *thegn* o señor feudal de aquellas tierras, cuyos campos recibieron aquel día un magnífico abono de sangre y huesos. Los poetas podrían componer mil versos sobre lo acontecido, pero la batalla es la batalla. Los hombres mueren. En el muro de escudos sólo hay sudor, terror, calambres, estocadas a medias, estocadas completas, gritos espantosos y muerte despiadada.

En la colina de Æsc hubo en realidad dos batallas, una arriba y otra abajo, y las muertes se sucedieron con rapidez. Harald y Bagseg murieron, Sidroc el Viejo vio morir a su hijo y después también cayó, y con él murieron el *jarl* Osbern y el *jarl* Fraena, y muchos otros buenos guerreros. Los curas cristianos pedían a gritos a su dios que diera empuje y fortaleza a las espadas sajonas, y aquel día Odín estaba dormido y el dios cristiano despierto.

Fuimos rechazados. Tanto arriba en la colina como abajo en el valle, y sólo el cansancio enemigo evitó una matanza total permitiendo que nuestros supervivientes se retiraran de la pelea, dejando atrás a sus compañeros bañados en sangre. Toki fue uno de ellos. El capitán de barco, que tanta habilidad exhibía con la espada, murió en la zanja tras la que nos había esperado el muro de escudos de Alfredo. Ragnar, con la cara manchada de sangre y el pelo suelto empapado del púrpura enemigo, no podía creerlo. Los sajones del oeste se mofaban.

Aquellos guerreros habían luchado como demonios, como hombres inspirados, como hombres que sabían que todo su futuro dependía de la destreza y arrojo de una tarde de invierno, y lograron derrotarnos.

El destino lo es todo. Fuimos vencidos y regresamos a Readingum.

CAPÍTULO VI

Ahora, cada vez que los ingleses hablan de la batalla de la colina de Æsc, dicen que Dios concedió la victoria a los sajones del oeste porque los reyes Etelredo y su hermano Alfredo estaban rezando cuando aparecieron los daneses.

Puede que tengan razón. Desde luego yo sí creo que Alfredo estuviera rezando, pero ayudó mucho el que eligieran bien su posición. Su muro de escudos estaba justo detrás de una zanja profunda, inundada en invierno, y los daneses tuvieron que salir de aquel hoyo embarrado y fueron muriendo a medida que lo conseguían, y hombres que eran más granjeros que guerreros repelieron el asalto de daneses veteranos en la batalla, y Alfredo comandó a los granjeros, los animó, les dijo que ganarían, y puso su fe en Dios. Creo que la victoria se debió a la zanja, pero sin duda él habría dicho que Dios excavó el foso precisamente allí.

Halfdan también perdió. Atacaba colina arriba, la pendiente no era demasiada, pero se acercaba el final del día y el sol deslumbraba a sus hombres, o eso dijeron después, y el rey Etelredo, como Arturo, infundió tanto valor en sus hombres, que se lanzaron en un ataque colina abajo entre aullidos de guerra y descoyuntaron las filas de Halfdan, quien se desanimó cuando vio al ejército de abajo alejarse de la obstinada defensa de Alfredo. No acudieron ángeles con espadas en llamas, aunque los curas así lo aseguren una y mil veces. Por lo menos yo no vi ninguno. Había una zanja llena de agua, tuvo lugar una batalla, los daneses perdieron y el destino cambió.

No sabía que los daneses podían perder, pero aprendí la lección a los catorce años y, por vez primera, oí gritos de júbilo sajones y burlas, y algo en el interior de mi alma se removió.

Y regresamos a Readingum.

* * *

Se produjeron muchas más batallas mientras el invierno se convertía en primavera y la primavera en verano. Llegaron más daneses con el año nuevo, y nuestras filas se recuperaron, y ganamos todos los demás enfrentamientos con los sajones del oeste, peleamos dos veces en Basengas, en el Hamptonscir, después en Mereton, que se encontraba en el Wiltunscir y por lo tanto en medio de su territorio, y de nuevo en el Wiltunscir, esta vez en la ciudad de Wiltun, y todas las veces ganamos, lo cual significaba que al final del día el campo de batalla era nuestro, pero en ninguno de aquellos enfrentamientos conseguimos destruir al enemigo. Lo que hacíamos era agotarnos, luchábamos los unos contra los otros hasta un punto muerto sangriento, y cuando el verano empezó a acariciar la tierra llevábamos tanto Wessex conquistado como en Yule.

Pero conseguimos cargarnos al rey Etelredo. Eso tuvo lugar en Wiltun, donde el rey recibió una profunda herida de hacha en el hombro izquierdo y, aunque lo sacaron rápidamente del campo de batalla, y curas y monjes rezaron junto a su lecho de muerte, y hombres de ingenio lo trataron con hierbas y sanguijuelas, murió a los pocos días.

Y dejó un heredero, un *ætheling:* Etelwoldo. Éste, hijo mayor de Etelredo, no era lo bastante mayor para ser su propio señor, pues, al igual que yo, sólo tenía quince años; aun así algunos hombres defendían su derecho a recibir el cetro de rey de

Wessex, pero Alfredo tenía amigos mucho más poderosos y extendió la leyenda de que el Papa lo había coronado como futuro rey. Puede que el *witan*, el consejo real de los monarcas sajones, no tuviera otra elección. Wessex necesitaba un líder y el *witan* eligió a Alfredo, de modo que Etelwoldo y su hermano pequeño fueron recluidos en una abadía donde les indicaron que prosiguieran con sus lecciones.

–Alfredo tendría que haberse cargado a esos cabroncetes –comentó Ragnar con alegría, y probablemente tenía razón.

Así que Alfredo, el pequeño de seis hermanos, era ahora el rey de Wessex. Corría el año 871. Entonces no lo sabía, pero la esposa de Alfredo acababa de dar a luz a una hija a la que él llamó Etelfleda. Etelfleda contaba quince años menos que yo, y aunque hubiera sabido de su nacimiento, no lo habría considerado de ninguna importancia. Pero el destino lo es todo. Las hilanderas trabajan y nosotros obramos su voluntad, queramos o no.

Lo primero que hizo Alfredo como rey, aparte de enterrar a su hermano, recluir a sus sobrinos en un monasterio, hacerse coronar, ir a la iglesia cien veces y calentarle las orejas a Dios con tanta plegaria, fue enviar mensajeros a Halfdan para proponerle una reunión. Al parecer quería la paz, y como estábamos a mediados de verano y no nos encontrábamos más cerca de la victoria que a mediados de invierno, Halfdan aceptó el encuentro; de ese modo, con los cabecillas de su ejército y una guardia personal de hombres escogidos, se dirigió a Baðum.

Yo también fui, con Ragnar, Ravn y Brida. Rorik, aún enfermo, se quedó en Readingum, y a mí me supo mal que no viera Baðum, pues aun tratándose de una ciudad pequeña era casi tan maravillosa como Lundene. Poseía baños en el centro de la ciudad, y no era una casa modesta, sino un enorme edificio con pilares y un techo que caía encima de una inmensa cavidad en la roca llena de agua caliente. El agua procedía del submundo y Ragnar se mostraba convencido de que salía caliente debido a las forjas de los enanos. Los baños, por supuesto, fueron construidos por los romanos, y también los demás edificios extraordinarios del valle de Baðum. Pocos hombres querían meterse en el baño, porque a pesar de adorar el mar y sus barcos temían el agua termal, pero Brida y yo entramos, y allí descubrí que la muchacha nadaba como un pez. Me asía del borde y quedé maravillado por la extraña y grata experiencia de tener la piel desnuda bajo el agua caliente.

Beocca nos encontró allí. El centro de Baðum estaba protegido por una tregua, lo cual significaba que nadie podía llevar armas, de ese modo los sajones del oeste y los daneses se mezclaban pacíficamente. Aprovechándose de ese clima de relativa concordia, Beocca salió a buscarme. Llegó a los baños acompañado de otros dos sacerdotes, ambos sombríos y a los que les moqueaba la nariz. Observaban atentamente cuando Beocca se inclinó sobre mí.

–Te he visto entrar aquí –dijo, después reparó en Brida, que estaba buceando con la larga melena suelta, emergiendo después a la superficie; él no pudo evitar fijarse en sus pequeños pechos y retrocedió como si se tratara de la sierva del diablo–. ¡Es una chica, Uhtred!

–Ya lo sé –respondí.

–¡Desnuda!

–Dios es bondadoso –repliqué.

Se adelantó un paso para abofetearme, pero yo me aparté del borde del baño y casi se cae dentro. Los otros dos curas miraban a Brida. Dios sabrá por qué. Probablemente tenían compañeros para sus juegos, pero los curas, me he fijado, se excitan muchísimo con las mujeres. También los guerreros, pero nosotros no nos sacudimos como sauces llorones cada vez que una muchacha nos enseña sus pechos. Beocca intentó ignorarla, pero eso resultaba difícil porque Brida había nadado hasta donde yo estaba hasta rodearme la cintura con los brazos.

–Tienes que escabullirte –me susurró Beocca.

–¿Escabullirme?

–¡De los paganos! Ven a nuestro cuartel, te esconderemos.

–¿Quién es? –me preguntó Brida. Hablaba en danés.

–Es un cura afecto a mi casa –respondí.

–Qué feo, ¿no?

–Has de venir –bisbiseaba Beocca–. ¡Te necesitamos!

–¿Me necesitáis?

Se agachó aún más.

–Hay agitación en Northumbria, Uhtred. Tienes que haber oído algo de lo que está sucediendo. –Se detuvo un instante para persignarse–. ¡Todos esos monjes y monjas masacrados! ¡Los han asesinado! Un hecho terrible, Uhtred, pero nadie se burla de Dios. Habrá un levantamiento en Northumbria y Alfredo está decidido a apoyarlo. ¡Si decimos que Uhtred de Bebbanburg está de nuestro lado... eso ayudará!

Dudaba mucho de que pudiera servirles de alguna ayuda. Tenía quince años y no contaba con edad suficiente para inspirar a los hombres a batirse en ataques suicidas contra las fortalezas danesas.

–No es danesa –le dije a Beocca, que de haber sabido que Brida le entendía no hubiese dicho aquellas cosas–, es de Anglia Oriental.

Él se la quedó mirando.

–¿Anglia Oriental?

Asentí, y entonces me pudo otra vez la travesura.

–Es la sobrina del rey Edmundo –mentí, y Brida soltó una risita divertida y me pasó una mano por el cuerpo para intentar hacerme reír.

Beocca volvió a persignarse.

–¡Pobre hombre! ¡Un mártir! ¡Pobre niña! –Después frunció el ceño–. Pero... –empezó a decir, se detuvo, incapaz de entender por qué los temidos daneses permitían a dos de sus prisioneros retozar desnudos en un baño de agua caliente, y luego cerró los ojos bizcos porque vio dónde había acabado descansando la mano de Brida–. Tenemos que sacaros a los dos de aquí –dijo con premura–, llevaros a un lugar donde aprendáis el recto camino de Dios.

–Eso me gustaría –dije, y Brida apretó tan fuerte que por poco grito de dolor.

–Nuestros cuarteles están al sur –nos informó Beocca–, cruzando el río, encima de la colina. Ve allí, Uhtred, y te rescataremos. Os rescataremos a los dos.

Por supuesto, no hice nada de eso. Se lo conté a Ragnar, que se partió de risa con mi invención sobre Brida y se encogió de hombros ante las noticias de que probablemente habría un levantamiento en Northumbria.

–Siempre hay rumores de revueltas –dijo–, y siempre terminan de la misma manera.

–Parecía muy seguro –comenté.

–Lo único que quiere decir es que enviarán más monjes a liarla. Dudo mucho de que lleguen a nada. De todos modos, en cuanto nos apañemos con Alfredo, podemos volver. A casa, ¿qué te parece?

Pero apañarse con Alfredo, es decir, negociar con él, no era tan fácil como Halfdan o Ragnar suponían. Cierto que Alfredo había pedido la paz, y la deseaba porque las fuerzas danesas se habían adentrado bastante en Wessex, pero no estaba dispuesto a derrumbarse como Burghred había hecho en Mercia. Cuando Halfdan le propuso seguir como rey, ocupando los daneses las principales fortalezas de Wessex, Alfredo amenazó con levantarse y continuar la guerra.

–Me insultáis –repuso con calma–. Si deseáis tomar las fortalezas venid a por ellas.

–Lo haremos –amenazó Halfdan, y Alfredo se limitó a encogerse de hombros indicándoles así que los animaba a intentarlo, pero Halfdan sabía, como sabían los daneses, que su campaña había fracasado. Cierto que habíamos batido extensas franjas de Wessex, obtenido muchos tesoros, capturado o sacrificado ganado, quemado molinos, casas e iglesias, pero el precio había sido demasiado elevado. Muchos de nuestros mejores hombres estaban muertos o tan malheridos que se verían obligados a vivir de la caridad de sus señores durante el resto de sus días. Asimismo, habíamos fracasado en tomar fortalezas sajonas, lo cual suponía que cuando llegara el invierno nos veríamos en la obligación de retirarnos a la seguridad de Lundene o Mercia.

Sin embargo, si bien los daneses estaban agotados por la campaña, también lo estaban los sajones del oeste. Habían perdido muchos de sus mejores hombres y riquezas, y a Alfredo le preocupaba que los britanos, el antiguo enemigo derrotado por sus ancestros, llegaran a oleadas de sus refugios en Gales y Cornwalum. Aun así Alfredo no sucumbiría a sus miedos, no cedería dócilmente a las exigencias de Halfdan, pero sabía que necesitaba aceptar algunas, de ese modo la negociación prosiguió durante una semana y a mí me sorprendió la obstinación del monarca sajón.

No era un hombre que impresionara a simple vista. Era algo larguirucho y poseía unas facciones débiles, pero ese aspecto ocultaba su auténtica personalidad. Jamás sonreía al enfrentarse a Halfdan, rara vez apartaba aquellos inteligentes ojos marrones del rostro de su enemigo, insistía en su posición hasta el tedio y mantenía siempre la calma, incluso cuando los daneses le gritaban.

–Lo que deseamos –explicaba una y otra vez– es la paz. Vosotros la necesitáis, y es mi deber dársela a mi país. Así que debéis abandonar mi patria. –Sus curas, Beocca entre ellos, escribían cada palabra, llenaban preciosas hojas de pergamino con hileras interminables de signos. Debieron de gastar hasta la última gota de tinta de Wessex para registrar aquella reunión, y dudo que jamás nadie leyera las actas completas.

Bien es cierto que la reunión tampoco duró todo el día. Alfredo insistía en que no podían empezar hasta que él fuera a la iglesia, también interrumpía las sesiones a mediodía para rezar más, y terminaba antes de la puesta de sol para volver de nuevo a la iglesia. ¡Cuánto rezaba aquel hombre! Pero su paciente negociación era igual de implacable, y al final Halfdan accedió a evacuar Wessex, aunque sólo tras el pago de seis mil piezas de plata y, para asegurarse de cobrarlas, insistió en que sus fuerzas se quedarían en Readingum, a las que Alfredo debía abastecer con tres carros diarios de forraje y cinco de centeno. Cuando entregara la plata, le prometió Halfdan, los barcos regresarían otra vez por el Temes y Wessex quedaría libre de paganos. Alfredo no quiso permitir que los daneses se quedaran en Readingum, insistía en que se retiraran al este de Lundene, pero al final, desesperado por obtener la paz, aceptó que se quedaran en la ciudad, y así, con solemnes juramentos por ambas partes, se firmó la paz.

Yo no estaba allí cuando terminó la conferencia, ni Brida. Habíamos asistido casi todos los días como testigos de Ravn en el inmenso salón romano donde tuvo lugar la reunión, pero cuando nos aburríamos, o más bien cuando Ravn se cansaba de nuestro aburrimiento, podíamos ir a bañarnos y a nadar. Nos encantaba el agua de las termas.

Estábamos nadando el día en que terminaron las conversaciones. Sólo nos encontrábamos nosotros dos en la gran cámara, y resonaba. Me gustaba ponerme en el lugar en que el agua brotaba de un agujero en la piedra, dejándola derramarse en cascada sobre mi melena, y allí estaba de pie, con los ojos cerrados, cuando oí a Brida gritar. Abrí los ojos y justo entonces unas manos extraordinariamente fuertes me agarraron por los hombros. Tenía la piel resbaladiza y me escabullí, pero un hombre con coraza de cuero saltó al baño, me dijo que me callara y me volvió a agarrar. Otros dos hombres conducían a Brida hasta el borde del baño provistos de dos varas largas.

–¿Qué estáis...? –empecé a decir en danés.

–Calla, chico –respondió uno de los hombres. Era un sajón del oeste y había una docena más. Tras sacar nuestros húmedos cuerpos del agua, nos envolvieron en capas grandes y apestosas, recogieron nuestra ropa y se nos llevaron. Yo grité pidiendo ayuda y recibí como respuesta un porrazo que habría tumbado a un buey.

Nos obligaron a montar en las sillas de un par de caballos y cabalgamos durante un buen rato, con los hombres detrás. Sólo nos quitaron las capas en la cima de la gran colina que domina Baðum desde el sur. Y allí, más contento que unas pascuas, estaba Beocca.

–Habéis sido rescatado, señor –me dijo–. ¡Alabado sea Dios Todopoderoso, habéis sido rescatado! Como vos, mi señora –añadió dirigiéndose a Brida.

Lo único que podía hacer era mirarlo. ¿Rescatado? Más bien secuestrado. Brida me miró, yo la miré a ella y me hizo un leve ademán de la cabeza con el que me indicó que nos calláramos la boca, por lo menos así lo interpreté yo, y eso hice, después Beocca nos pidió que nos vistiéramos.

Había guardado mi amuleto del martillo y mis brazaletes en una bolsa de cuero al desvestirme, y los dejé allí mientras Beocca nos hacía pasar a una iglesia cercana, algo más grande que una barraca de madera y paja, pero sin rebasar las dimensiones de la cochiquera de un campesino, y allí dio gracias a Dios por la liberación de nuestro cautiverio. Después nos llevó a un salón cercano en el que nos presentó a Ælswith, la esposa de Alfredo, la cual era asistida por una docena de mujeres, tres de ellas monjas, y custodiada por una veintena de hombres bien armados.

Ælswith era una mujer de baja estatura con el pelo castaño desvaído, ojos pequeños, boca diminuta y una barbilla muy decidida. Vestía una túnica azul con ángeles bordados en hilo de plata por la falda y la orilla de las anchas mangas, y llevaba colgado un pesado crucifijo de oro. Había un bebé en la cuna de madera junto a ella y sólo más tarde, mucho más tarde, reparé en que el bebé debía de ser Etelfleda, así que ésa fue la primera vez que la vi, aunque en aquel momento me pasó desapercibida. Ælswith me dio la bienvenida, hablaba con el inconfundible acento mercio, y después de preguntarme por mi parentela, me contó que debíamos de ser familia, pues su padre era Æthelred, que había sido *ealdorman* en Mercia y era primo hermano del malogrado Æthelwulf, cuyo cuerpo yo había visto fuera de Readingum.

–¿Y vos? –se dirigió a Brida–, el padre Beocca me ha dicho que sois sobrina del santo rey Edmundo.

Brida se limitó a asentir.

–¿Pero y vuestros padres? –insistió Ælswith frunciendo el ceño–. Edmundo no tenía hermanos, y sus dos hermanas son monjas.

–Hild –repuso Brida. Yo sabía que ése había sido el nombre de su tía, a la que Brida odiaba.

–¿Hild? –Ælswith estaba perpleja, aunque más que perpleja se mostraba recelosa–. Ninguna de las dos buenas hermanas del rey Edmundo se llama Hild.

–No soy su sobrina –confesó Brida con un hilillo de voz.

–Ah. –Ælswith se recostó en su silla, su agudo rostro mostraba la expresión de satisfacción que algunas personas adoptan cuando pillan a un mentiroso en un renuncio.

–Pero me enseñaron a llamarlo tío –prosiguió Brida, y me dejó de piedra, porque yo pensaba que se veía en un dilema imposible y obligada a confesar la mentira, y lo que estaba haciendo, en realidad, era bordarla–. Mi madre se llamaba Hild y no tenía marido, pero insistía en que llamara al rey Edmundo tío –hablaba con una vocecilla asustada–, y a él le gustaba.

–¿Le gustaba? –espetó la reina–. ¿Por qué?

–Porque... –dijo Brida, y entonces se sonrojó, no sé yo cómo lo hizo, agachó la mirada, se puso como un tomate y parecía que iba a echarse a llorar.

–Ah –volvió a decir Ælswith al entender lo que la chica quería decir–. Así que era vuestro... –No terminó la frase, no quería acusar al sagrado y desaparecido rey Edmundo de haber tenido una hija ilegítima con alguna mujer llamada Hild.

–Sí –contestó Brida, y se echó a llorar. Yo miré las vigas ennegrecidas por el humo e intenté no reírme–. Era tan amable conmigo –sollozaba Brida–, ¡y esos daneses bastardos lo mataron!

Ælswith creyó a Brida sin vacilar. La gente tiende a creer lo peor de los demás, y el santificado rey Edmundo se revelaba ahora como un secreto mujeriego, y aunque eso no impidió que al final se convirtiera en santo, sí condenó a Brida, pues entonces Ælswith propuso que la enviaran a algún convento al sur de Wessex. Brida podría tener sangre real, pero estaba claramente mancillada por el pecado, así que la reina la quería encerrar de por vida.

–Sí –accedió Brida dócilmente, y yo tuve que fingir que me asfixiaba con el humo. Entonces Ælswith nos mostró dos crucifijos. Los tenía preparados, ambos de plata, pero le susurró algo a una de las monjas y ella sustituyó uno de los de plata por otro de madera, que le entregó a Brida. A mí me correspondía el de plata, que me colgué obedientemente alrededor del cuello. Lo besé, cosa que causó muy buena impresión, y Brida se apresuró a imitarme, pero ya nada podía hacer para cambiar la determinación de la esposa de Alfredo. Brida se había condenado a sí misma al proclamarse bastarda.

Alfredo regresó de Baðum tras caer la noche, y yo tuve que acompañarlo a la iglesia en la que las oraciones y alabanzas se prolongaron hasta la eternidad. Cantaban cuatro monjes, y sus voces monótonas casi me duermen, y al final, porque sí tuvo un final, fui invitado a cenar con Alfredo. Beocca me hizo saber que aquello era un honor, un gran honor, que no a mucha gente le pedían cenar con el rey, pero yo había comido con jefes daneses a los que jamás parecía importarles quién compartiera su mesa mientras no escupieran en las gachas, así que no me sentí halagado. Pero estaba hambriento. Me habría podido comer un buey entero, y empecé a impacientarme mientras nos lavábamos ceremonialmente las manos en cuencos de agua que sostenían los sirvientes y mientras esperábamos de pie frente a nuestros taburetes y sillas a que Alfredo y Ælswith fueran conducidos a la mesa. Un obispo permitió que la comida se enfriara mientras recitaba una interminable oración en la que pedía a Dios que bendijera los alimentos que íbamos a comer, y cuando al final nos sentamos, ¡qué decepción tan grande fue la cena! Ni cerdo, buey o cordero, nada que un hombre deseara comer; sólo cremas, puerros, huevos escalfados, pan, cerveza aguada y cebada hervida en un caldo gélido tan sabroso como las huevas de rana. Alfredo no paraba de alabar las viandas, pero al final acabó por confesar que le dolía tanto la barriga que aquella dieta de papillas mantenía el dolor a raya.

–El rey es un mártir de la carne –me explicó Beocca. Era uno de los tres curas sentados a la mesa real, otro de ellos era un obispo sin dientes que machacaba el pan en el caldo, y había dos *ealdormen* más y, por supuesto, Ælswith, que llevaba el peso de la charla. Se oponía a la idea de permitir que los daneses se quedaran en Readingum, pero al final Alfredo le dijo que no tenía otra elección y que era una pequeña concesión por la paz, y con eso terminó la discusión. Ælswith, en cambio, se alegró de que su marido hubiese negociado la liberación de todos los rehenes jóvenes retenidos por el ejército de Halfdan, en la que Alfredo había insistido, pues temía con razón que los jóvenes fueran apartados de la verdadera iglesia. Me miraba mientras lo contaba, pero yo apenas reparé en él, pues estaba mucho más interesado en una de las sirvientes, una joven, puede que cuatro o cinco años mayor que yo, increíblemente guapa, con una preciosa melena oscura rizada, y me pregunté si sería la muchacha que Alfredo tenía cerca para poder dar gracias a Dios por resistir la tentación. Después, mucho después, descubrí que sí era la misma chica. Se llamaba Merewenna y yo daría gracias a Dios, en su momento, por no resistirme a la tentación con ella, pero eso aún queda muy lejos en mi relato y, por ahora, me hallaba a disposición de Alfredo, o más bien de Ælswith.

–Uhtred ha de aprender a leer –dijo. No sé qué le importaría todo aquello, pero no discutí su afirmación.

–Amén –concordó Beocca.

–Los monjes de Winburnan pueden enseñarle –sugirió.

–Una idea excelente, mi señora –confirmó Beocca, y el obispo desdentado asintió babeando aprobadoramente.

–El abad Hewald es un maestro muy diligente –prosiguió Ælswith. En realidad el abad Hewald era uno de esos hijos de mala madre que antes prefieren azotar a los jóvenes que enseñarles, pero eso sin duda era lo que quería decir Ælswith.

–A mí me parece que el joven Uhtred aspira a convertirse en guerrero.

–Con el tiempo, si Dios quiere, lo será –repuso Ælswith–, pero, ¿de qué sirve un soldado si no es capaz de empuñar la palabra de Dios?

–Amén –apostilló Beocca.

–De nada –concordó Alfredo. Yo pensaba que enseñar a un soldado a leer era tan útil como enseñar a bailar a un perro, pero me guardé mi opinión, aunque Alfredo presintió mi escepticismo–. ¿Por qué es bueno leer para un soldado, Uhtred? –me preguntó.

–Es bueno leer para todo el mundo –repuse obedientemente, y me gané una sonrisa de Beocca.

–Un soldado que sabe leer –contestó Alfredo con paciencia–, es un soldado que sabe interpretar órdenes, un soldado que sabrá con precisión lo que su rey desea. Supón que estás en Northumbria, Uhtred, y yo estoy en Wessex, ¿cómo puedes conocer mi voluntad?

Aquello era asombroso, pero yo era demasiado joven para darme cuenta entonces. Si yo estuviera en Northumbria y él en Wessex, a él no le importaría en absoluto lo que yo hiciera, pero evidentemente Alfredo estaba avanzándose a su tiempo, muchísimo, hasta una época en la que sólo habría un reino inglés y un rey inglés. Yo me quedé boquiabierto y él me sonrió.

–Winburnan entonces, joven –dijo–, y cuanto antes llegues, mejor.

–¿Cuanto antes? –Ælswith nada sabía de aquella prisa repentina y se mostró harto desconfianda.

–Los daneses, querida –le aclaró Alfredo– buscarán a los dos niños. Si descubren que están aquí, podrían solicitar su regreso.

–Pero los rehenes van a ser liberados –objetó Ælswith–, lo has dicho tú mismo.

–¿Uhtred era un rehén? –preguntó en voz baja mientras me observaba–. ¿O estaba a punto de convertirse en danés? –Dejó las preguntas en el aire, y yo no intenté responderlas–. Hemos de convertirte en un auténtico inglés –dijo Alfredo–. Debes partir hacia el sur por la mañana. Tú y la chica.

–La chica no importa –comentó Ælswith con desdén. Habían enviado a Brida a comer a la cocina con los siervos.

–Si los daneses descubren que es la bastarda de Edmundo –apuntó uno de los *ealdormen*–, la utilizarán para destruir su reputación.

–Nunca lo ha contado –intervine yo–, porque pensaba que podrían burlarse de él.

–En ese caso hay algo de bueno en ella –aceptó Ælswith a regañadientes. Se sirvió uno de los huevos escalfados–. ¿Pero qué vas a hacer –le preguntó a su marido–, si los daneses te acusan de secuestrar a los niños?

–Mentiré, por supuesto –repuso Alfredo.

Ælswith se quedó perpleja, pero el obispo rezongó que la mentira en este caso era necesaria por Dios, y por lo tanto perdonable.

No tenía ninguna intención de ir a Winburnan. No es que de repente me entraran unas ganas irrefrenables de ser danés, se debía por completo a *Hálito-de-serpiente.* Adoraba aquella espada, la había dejado con los sirvientes de Ragnar y la quería de vuelta antes de que mi camino tomara cualquier rumbo que hubieran dispuesto para mí las hilanderas y, desde luego, no sentía ningún deseo de abandonar la vida con Ragnar por las escasas alegrías de un monasterio y un maestro. Brida quería volver con los daneses, eso lo sabía, y la sensata insistencia de Alfredo en que desapareciéramos de Baðum enseguida nos dio la oportunidad.

Nos enviaron al día siguiente, antes del alba, en dirección sur, hacia un territorio montañoso, escoltados por una docena de guerreros a los que no les hacía ninguna gracia el trabajo de llevar a un par de niños hasta el corazón de Wessex. A mí me dieron un caballo, a Brida una mula, y un joven cura llamado Willibald quedó oficialmente al cargo de llevar a Brida a un convento y a mí al abad Hewald. El padre Willibald era un hombre agradable de sonrisa fácil y maneras amables. Sabía imitar el canto de los pájaros y nos hacía reír inventándose conversaciones entre la peleona tordella, con su chac-chac, y una alondra planeando; nos invitaba a adivinar los pájaros que imitaba, y aquel entretenimiento, mezclado con algunos acertijos inofensivos, nos llevó a una población muy por encima del río de curso suave que discurría entre el paisaje boscoso. Los soldados insistieron en detenerse porque decían que los caballos necesitaban un descanso.

–Lo que necesitan en realidad es cerveza –nos dijo Willibald, y se encogió de hombros como si ello fuera comprensible.

Era un día cálido. Los caballos estaban maneados fuera, los soldados consiguieron cerveza, pan y queso y después se sentaron en círculo para jugar a los dados entre gruñidos, dejándonos bajo la supervisión de Willibald, pero el joven cura se desperezó en un montón de paja medio caído y se quedó dormido al solecito. Yo miré a Brida, ella me devolvió la mirada, y fue tan sencillo como aquello. Salimos por un lado del establecimiento, le dimos la vuelta a un enorme montón de estiércol, esquivamos unos cerdos que buscaban raíces en un campo, salvamos el seto y llegamos al bosque, donde estallamos en carcajadas.

–Mi madre insistía en que lo llamara tío –me dijo con su vocecita–, y los daneses, los muy bastardos, lo mataron. –Y a ambos nos pareció lo más gracioso que habíamos oído nunca. Después recobramos el juicio y nos apresuramos hacia el norte.

Pasó mucho tiempo antes de que los soldados reaccionaran, y más tarde llevaron perros de caza al establecimiento en el que habían comprado la cerveza, pero para entonces nosotros ya habíamos cruzado un arroyo, cambiado otra vez de dirección, subido a un terreno elevado y nos habíamos ocultado. No nos encontraron, aunque durante toda la tarde oímos a los perros aullar en el valle. Debieron de recorrer la orilla del río, pensando que habríamos ido hacia allí, pero estábamos solos, a salvo y en terreno elevado.

Buscaron durante dos días, jamás llegaron a acercarse, y al tercero vimos la cabalgata real de Alfredo dirigirse hacia el sur por la carretera bajo la colina. La reunión en Baðum había terminado, lo cual significaba que los daneses se retiraban a Readingum. Ninguno de los dos tenía la menor idea de cómo llegar hasta allí, pero sabíamos que viajando hacia el oeste se llegaba a Baðum, y eso era un comienzo, sabíamos que teníamos que encontrar el río Temes, y nuestros únicos problemas eran la comida y evitar que nos prendieran.

Fue una buena época. Robábamos leche de las ubres de vacas y cabras. No teníamos armas, pero nos hicimos unos garrotes con ramas caídas y los utilizamos para amenazar a un pobre hombre que excavaba una zanja pacientemente y tenía un almuerzo de pan y un puré de guisantes para comer, y se lo robamos. Pescamos un pez con nuestras propias manos, un truco que me enseñó Brida, y vivíamos en los bosques. Yo volvía a llevar mi amuleto martillo. Brida había tirado su crucifijo de madera, pero yo guardé el mío de plata porque tenía valor.

Al cabo de unos días empezamos a viajar por la noche. Ambos estábamos asustados al principio, pues la noche es el momento que eligen los *sceadugengan* para salir de sus escondites, pero aprendimos a atravesar la oscuridad. Rodeábamos las granjas, siguiendo las estrellas, y aprendimos a movernos sin hacer ruido, aprendimos a ser sombras. Una noche, algo grande que gruñía se nos acercó y lo oímos moverse, pisar el suelo y ambos empezamos a aporrear el mantillo de hojas con los garrotes y a gritar y la cosa se marchó. ¿Un jabalí? Podría ser. Pero también podría ser uno de los *sceadugengan* sin forma ni nombre que cortan los sueños como si fueran leche.

Atravesamos una cordillera de colinas altas y desnudas donde conseguimos robar un cordero antes de que los perros del pastor olieran siquiera que estábamos allí. Encendimos una hoguera en el bosque al norte de las colinas y cocinamos la carne, y a la noche siguiente encontramos el río. No sabíamos de qué río se trataba, pero era ancho, discurría entre espesos árboles y cerca había una pequeña población en la que vimos una diminuta embarcación redonda construida con ramas de sauce cubiertas de piel de cabra. Aquella noche robamos la barca y dejamos que nos llevara corriente abajo, cruzamos poblaciones y pasamos por debajo de puentes, siempre en dirección este.

No lo sabíamos, pero el río era el Temes, así que llegamos sanos y salvos a Readingum.

* * *

Rorik había muerto. Estuvo enfermo mucho tiempo, aunque a veces parecía recuperarse. Fuera lo que fuese la enfermedad que se lo llevó, lo hizo rápido y Brida y yo llegamos a Readingum el día en que quemaron su cuerpo. Ragnar, con el rostro arrasado en lágrimas, estaba junto a la pira y observaba las llamas consumir el cadáver de su hijo. Una espada, una brida, un amuleto martillo y un barco en miniatura habían sido depositados en la pira, y cuando terminó, el metal fundido y las cenizas fueron colocados en una gran vasija que Ragnar enterró junto al Temes.

–Ahora tú eres mi segundo hijo –me dijo aquella noche, y después recordó a Brida–, y tú mi hija. –Nos abrazó a ambos, después se emborrachó. A la mañana siguiente quería salir a caballo a matar sajones del oeste, pero Ravn y Halfdan lo contuvieron.

La tregua se mantenía. Brida y yo no habíamos estado fuera mucho más de tres semanas y la primera plata ya estaba llegando a Readingum, junto con forraje y comida. Alfredo, al parecer, era un hombre de palabra, y Ragnar un padre consumido por la pena.

–¿Cómo se lo voy a decir a Sigrid? –quería saber.

–Para un hombre es malo tener sólo un hijo –me contó Ravn–, casi tan malo como no tener ninguno. Yo tenía tres, pero sólo Ragnar sobrevive. Ahora sólo le queda el primogénito. –Ragnar el Joven seguía en Irlanda.

–Puede tener otro hijo –comentó Brida.

–No con Sigrid –repuso Ravn–, aunque podría tomar una segunda esposa, supongo. A veces se hace.

Ragnar me había devuelto a *Hálito-de-serpiente*, y me dio otro brazalete. También a Brida, y encontró algo de consuelo en el relato de nuestra huida. Tuvimos que contársela a Halfdan y Guthrum el Desafortunado, que nos miraba atentamente con sus ojos oscuros mientras describíamos la cena con Alfredo, y los planes de Alfredo para educarme, y hasta el apenado Ragnar se rió cuando Brida volvió a contar la historia de cómo se había hecho pasar por la hija ilegítima del rey Edmundo.

–¿Y esa reina Ælswith –quiso saber Halfdan–, cómo es?

–No es reina –contesté–, los sajones del oeste no quieren saber nada de reinas. –Eso me lo había explicado Beocca–. Sólo es la mujer del rey.

–Es una comadreja disfrazada de pajarillo –contestó Brida.

–¿Es guapa? –preguntó Guthrum.

–Cara amargada –prosiguió Brida–, ojillos de cerdo y morro arrugado.

–Pues de ahí no sacará ninguna alegría –comentó Halfdan–, ¿por qué se casó con ella?

–Porque es mercia –contestó Ravn–, y Alfredo quiere tener a Mercia de su lado.

–Mercia nos pertenece –gruñó Halfdan.

–Pero Alfredo la quiere recuperar –prosiguió Ravn–, y lo que deberíamos hacer es enviar barcos con ricos regalos para los britanos. Si le atacan desde Gales y Cornwalum tendrá que dividir su ejército.

Ése fue un comentario desafortunado, pues a Halfdan aún le escocía el recuerdo de haber dividido su propio ejército en la colina de Æsc, así que se limitó a ponerle ceño a su cerveza. Por lo que yo sé jamás envió presentes a los britanos, y habría sido una buena idea hacerlo, pero lo obcecaba su fracaso en la conquista de Wessex, y de nuevo corrieron rumores de descontento tanto en Northumbria como en Mercia. Los daneses habían tomado una parte tan grande de Inglaterra y en tan poco tiempo, que aún no habían conseguido someter sus conquistas, ni poseer todas las fortalezas de la tierra conquistada, así que las revueltas estallaban como el fuego en los brezales. Eran reducidas con facilidad, pero si no se les prestaba atención podían extenderse y convertirse en peligrosas. Ya era hora, dijo Halfdan, de pisotear los fuegos y acobardar a los ingleses conquistados hasta su total sumisión por el terror. En cuanto hicieran aquello, en cuanto Northumbria, Mercia y Anglia Oriental estuvieran definitivamente tranquilas, podrían retomar el ataque a Wessex.

La última plata de Alfredo llegó, y el ejército danés liberó a los rehenes jóvenes, incluidos los gemelos mercios, y el resto volvimos a Lundene. Ragnar desenterró el tarro con las cenizas de su hijo pequeño y lo llevó con él en la *Víbora del viento.*

–Lo llevaré a casa –me dijo–, y lo enterraré con su gente.

Aquel año no pudimos viajar al norte. Era otoño cuando llegamos a Lundene, tuvimos que esperar todo el invierno y hasta que no vino la primavera los tres barcos de Ragnar no pudieron abandonar el Temes rumbo al norte. Para entonces ya casi tenía dieciséis años, y estaba creciendo tan deprisa que de repente superaba en una cabeza a la mayoría de los hombres, así que Ragnar me hizo llevar el timón. Me enseñó a conducir un barco, a predecir las rachas de viento y olas, y a controlar el viraje de la embarcación antes de que lo hicieran los elementos. Aprendí las sutilezas del tacto del timón, y aunque al principio el barco oscilaba como borracho porque aplicaba demasiada fuerza, con el tiempo conseguí sentir la voluntad del barco en el largo timón y aprendí a amar el temblor del fresno cuando la elegante embarcación alcanzaba el pico de velocidad.

–Te voy a convertir en mi segundo hijo –me dijo Ragnar durante aquel viaje. Yo no sabía qué decir–. Siempre favoreceré al mayor –prosiguió, refiriéndose a Ragnar el Joven–, pero tú seguirás siendo un hijo para mí.

–Eso me gustaría –le dije incómodo. Miré la lejana orilla, moteada de pequeñas velas pardas de los barcos de pesca que huían de los nuestros–. Es un honor –añadí.

–Uhtred Ragnarson –dijo, probando el sonido de las palabras, y debió de gustarle porque sonrió, pero después volvió a pensar en Rorik, se le inundaron los ojos de lágrimas y se quedó mirando el mar vacío, hacia el este.

Aquella noche dormimos en la desembocadura del Humber. Y dos días más tarde, llegamos a Eoferwic.

* * *

Habían reparado el palacio del rey. Tenía nuevas contras en las altas ventanas, y cambiaron el techo de paja de centeno, ahora color dorado. Los muros romanos del viejo palacio habían sido rascados para eliminar el liquen de las juntas de las piedras. Un nutrido cuerpo de guardia vigilaba en la puerta exterior, y cuando Ragnar pidió entrar, le dijeron de manera cortante que esperara. Pensé que iba a sacar la espada, pero antes de que estallara su ira apareció Kjartan.

–Mi señor Ragnar –saludó con amargura.

–¿Desde cuándo tiene que esperar un danés en esta puerta? –quiso saber Ragnar.

–Desde que yo lo he ordenado –replicó Kjartan, y en su voz había insolencia. Él, así como el palacio, ofrecía un aspecto próspero. Llevaba una capa negra de piel de oso, botas altas, camisa de malla, un tahalí de cuero rojo y casi tantos brazaletes como Ragnar–. Nadie entra sin mi permiso –prosiguió Kjartan–, pero por supuesto vos sois bienvenido, *jarl* Ragnar. –Se hizo a un lado para dejarnos pasar a Ragnar, tres de sus hombres y a mí al gran salón en el que, cinco años antes, mi tío había intentado comprarme a Ivar–. Veo que aún conserváis vuestra mascota inglesa –comentó Kjartan mirándome.

–Y seguirás viéndolo mientras tengas ojos –repuso Ragnar sin más–. ¿Está el rey aquí?

–Sólo concede audiencia a aquellos que la solicitan –contestó Kjartan.

Ragnar dejó escapar un suspiro y se volvió hacia su antiguo capitán.

–Me incordias como una liendre, Kjartan –le dijo–, si quieres, plantamos las varas de castaño y nos enfrentamos cuerpo a cuerpo. Y si no quieres, ya estás yendo a buscar al rey porque tengo que hablar con él.

Kjartan torció el gesto, pero decidió que prefería no enfrentarse a la espada de Ragnar en un espacio delimitado por ramas de castaño, así que, de malos modos, se metió en las estancias palaciegas de la parte de atrás. Nos hizo esperar un buen rato, pero al final el rey Egberto apareció, y con él seis guardias que incluían al tuerto Sven, que ahora tenía un aspecto tan próspero como el de su padre. También había crecido, era casi tan alto como yo, con amplios pectorales y brazos increíblemente musculosos.

Egberto parecía nervioso pero hacía esfuerzos por mostrarse convincente. Ragnar le hizo una reverencia, después le contó que habían llegado rumores de disturbios en Northumbria y que Halfdan lo había enviado al norte para sofocar cualquier conato de revuelta.

–No hay disturbios –contestó Egberto, pero con voz tan temerosa que yo pensé que se iba a mear en los pantalones.

–Hubo algunos problemas en las colinas del interior –comentó Kjartan minimizando el asunto–, pero ya se acabaron. –Dio unas palmaditas a su espada para indicar que había acabado con ellos. Ragnar insistió, pero nada más sacó en claro. Unos cuantos hombres se habían levantado contra los daneses, tuvieron lugar emboscadas en la carretera hacia la costa oeste, se persiguió y mató a los responsables, y de ahí no pudo sacar a Kjartan–. Northumbria está segura –concluyó–, así que podéis volver con Halfdan, mi señor, y tratar de derrotar a Wessex.

Ragnar hizo caso omiso de la última pulla.

–Volveré a casa –dijo–, a enterrar a mi hijo y vivir en paz.

Sven el tuerto jugueteaba con el mango de su espada y me miraba con odio con su único ojo, pero aunque la enemistad entre nosotros, y entre Ragnar y Kjartan, era evidente, nadie nos dio problemas y nos fuimos de allí. Los barcos nos aguardaban amarrados en la orilla, repartimos la plata de Readingum entre nuestras tripulaciones y regresamos a casa con las cenizas de Rorik.

Sigrid aulló de dolor al conocer la noticia. Se rasgó el vestido, se estiró del pelo y aulló como una fiera, y las demás mujeres se le unieron. Una procesión condujo las cenizas de Rorik a la cima de la colina más cercana y allí fue enterrado el jarrón funerario. Ragnar se quedó un rato mirando las colinas y observando las blancas nubes navegar por el cielo del oeste.

Pasamos en casa el resto del año. Había que cultivar el campo, cortar heno, recoger la cosecha y convertirla en harina.

Hicimos queso y mantequilla. Los mercaderes y los viajeros nos traían noticias, pero ninguna de Wessex donde, al parecer, Alfredo seguía gobernando en paz, así que aquel reino, el último de Inglaterra, seguía existiendo. Ragnar hablaba a veces de regresar con su espada para ganar más riquezas, pero el ansia de lucha parecía haberlo abandonado aquel verano. Envió un mensaje a Irlanda para pedirle a su hijo mayor que volviera a casa, pero dichos mensajes no eran fiables y Ragnar el Joven no regresó aquel año. Ragnar también pensaba en Thyra, su hija.

–Dice que ya va siendo hora de que me case –me contó ella un día mientras batíamos mantequilla.

–¿Tú? –me reí.

–¡Estoy a punto de cumplir catorce años! –me contestó desafiante.

–Claro, claro. ¿Y quién se va a casar contigo?

Ella se encogió de hombros.

–A madre le gusta Anwend. –Anwend era uno de los guerreros de Ragnar, un joven no mucho mayor que yo, fuerte y alegre, y aunque Ragnar perseguía el propósito de casarlo con una de las hijas de Ubba, eso supondría que tendría que marcharse, y Sigrid no quería ni imaginárselo, así que Ragnar acabó por amoldarse a sus deseos. Anwend me caía muy bien y pensaba que sería un buen marido para Thyra, que cada día estaba más guapa. Tenía el pelo dorado, unos ojos enormes, la nariz recta, la piel impoluta y una risa que era como una cascada de luz–. Madre dice que daré a luz a muchos hijos –dijo.

–Eso espero.

–También me gustaría tener una hija –prosiguió mientras se esforzaba con la mantequilla que estaba solidificando y la tarea se hacía más pesada–. Madre dice que Brida tendría que casarse también.

–Tal vez Brida no piense así –dije.

–Se quiere casar contigo –me contó Thyra.

Yo me reí. A Brida la tenía por amiga, mi mejor amiga, y sólo porque dormíamos juntos, o lo hacíamos al menos cuando Sigrid no miraba, no veía razón para casarme con ella. No quería casarme, sólo pensaba en espadas, escudos y batallas, y Brida pensaba en hierbas.

Era como un gato. Iba y venía a escondidas, y había aprendido todo cuanto Sigrid podía enseñarle sobre las hierbas y sus aplicaciones. Pan y quesillo como purgante, linaria para las úlceras, centella para alejar a los elfos de los cubos de leche, álsine para la tos, aciano para las fiebres; y aprendió otros hechizos que no compartía conmigo, hechizos de mujeres, y me contó que si te quedabas callado por las noches, sin moverte, casi sin respirar, venían los espíritus, y Ravn le enseñó a soñar con los dioses, lo cual significaba beber cerveza en la que habían echado setas rojas, y a menudo se encontraba mal porque se la tomaba muy fuerte, pero ella no dejaba de hacerlo, y fue entonces cuando compuso sus primeras odas, sobre pájaros y animales, y Ravn dijo de ella que era una auténtica escalda. Algunas noches, mientras vigilábamos el carbón, me las recitaba con voz suave y rítmica. Entonces tenía un perro que la seguía a todas partes. Lo había encontrado en Lundene, de vuelta a casa, y era blanco y negro, tan listo como la propia Brida, y lo llamaba *Nihtgenga,* que significa caminante de la noche o goblin. Se sentaba con nosotros junto a la pira de carbón y juro que escuchaba sus poemas. Brida construía flautas de caña y tocaba melodías melancólicas mientras *Nihtgenga* la observaba con ojos tristes y grandes, hasta que la música se apoderaba de él, levantaba el hocico y se ponía a aullar. Entonces ambos estallábamos en carcajadas y *Nihtgenga* se ofendía y Brida tenía que acariciarlo hasta verlo contento de nuevo.

Nos olvidamos de la guerra por completo hasta que, cuando llegó la canícula y una neblina de calor cubría las colinas, recibimos una visita inesperada. El *jarl* Guthrum el Desafortunado llegó a nuestro valle remoto. Venía con veinte jinetes, todos vestidos de negro, y le hizo una reverencia respetuosa a Sigrid, que lo reprendió por no avisar.

–Habría organizado un banquete –dijo ella.

–He traído comida –contestó Guthrum mientras señalaba unos cuantos caballos de carga–. No quería vaciar vuestras despensas.

Había venido desde la lejana Lundene porque quería hablar con Ragnar y Ravn, y Ragnar me invitó a sentarme con ellos porque, según decía, sabía más que la mayoría de los hombres sobre Wessex, y Wessex era de lo que Guthrum quería hablar, aunque mi contribución fue pequeña. Describí a Alfredo, describí su característica piedad, y lo avisé de que a pesar de que el rey sajón no fuera un hombre muy imponente, era sin duda inteligente. Guthrum se encogió de hombros.

–La inteligencia está sobrevalorada –me dijo enfurruñado–. La inteligencia no gana batallas.

–La estupidez las pierde –intervino Ravn–, como dividir el ejército cuando luchamos junto a Æbbanduna.

A Guthrum no le gustó aquel comentario, pero decidió no enfrentarse con Ravn, y le pidió consejo a Ragnar sobre cómo derrotar a los sajones del oeste, haciéndole prometer que, al año siguiente, Ragnar conduciría a sus hombres a Lundene y se uniría al siguiente asalto.

–Si es que tiene lugar el año que viene –añadió molesto. Se rascó la nuca e hizo mover la costilla de su madre rematada en oro que seguía llevando colgada del pelo–. Puede que no tengamos suficientes hombres.

–Pues atacaremos al siguiente –contestó Ragnar.

–O al otro –repuso Guthrum, y después frunció el entrecejo–. ¿Pero cómo rematamos a ese cabrón meapilas?

–Hay que dividir sus fuerzas –le dijo Ragnar–, porque de lo contrario estaremos siempre en inferioridad numérica.

–¿Siempre en inferioridad numérica? –Guthrum parecía dudar de aquellas afirmaciones.

–Cuando luchamos aquí en Northumbria –le aclaró Ragnar–, algunos de los habitantes decidieron no enfrentarse a nosotros y se refugiaron en Mercia. Cuando lo hicimos en Mercia y Anglia Oriental ocurrió lo mismo, y los hombres salieron huyendo de nosotros para encontrar refugio en Wessex. Pero al presentar batalla en Wessex ya no les quedaba ningún sitio adonde ir. Ningún lugar es seguro, así que no tienen más remedio que luchar, todos. Luchar en Wessex implica arrinconar al enemigo y dejarlo sin escapatoria posible.

–Y un enemigo arrinconado –intervino Ravn– es peligroso.

–Dividirlo –repitió Guthrum pensativo, haciendo caso omiso de Ravn otra vez.

–Barcos en la costa sur –sugirió Ragnar–, un ejército en el Temes, y guerreros britanos que vengan de Brycheinog, Glywysing y Gwent. –Ésos eran los reinos galeses del sur, en los que los britanos acechaban al otro lado de la frontera oeste de Mercia–. Tres ataques –prosiguió Ragnar–. Alfredo tendrá que lidiar con todos ellos y no será capaz.

–¿Y tú estarás allí?

–Tienes mi palabra –repuso Ragnar, y después la conversación viró sobre todo cuanto Guthrum había visto a lo largo de su viaje, y hay que reconocer que era un hombre pesimista y dado a ver lo peor de todo, pero se desesperaba con Inglaterra. Había problemas en Mercia, dijo, y los anglos del este estaban agitados; y ahora, por si fuera poco, había rumores de que el rey Egberto animaba una revuelta en Eoferwic.

–¡Egberto! –Ragnar se sorprendió ante las noticias–. ¡Ni siquiera sería capaz de animar a un borracho a echar una meada!

–Eso es lo que me han contado –comentó Guthrum–, pero puede que no sea cierto. Me lo ha contado un tipo llamado Kjartan.

–Pues entonces casi seguro que no es verdad.

–Una mentira como una casa –coincidió Ravn.

–A mí me pareció un buen hombre –repuso Guthrum, que evidentemente no sabía nada de la historia de Ragnar con Kjartan, y Ragnar no lo puso en antecedentes; lo más probable es que olvidase la conversación en cuanto Guthrum prosiguió con su viaje.

Con todo, Guthrum estaba en lo cierto. Había una conspiración en Eoferwic, aunque dudo mucho que fuera cosa de Egberto. Era de Kjartan, y la empezó esparciendo rumores de que el rey Egberto estaba organizando en secreto una rebelión, y los rumores se extendieron tanto y envenenaron de tal modo la reputación del rey, que una noche Egberto, temiendo por su vida, consiguió escapar de su guardia danesa y huir al sur con una docena de sus fieles. Se refugió con el rey Burghred de Mercia a quien, a pesar de que su país estaba ocupado por los daneses, se le había permitido mantener una guardia personal que bastaba para proteger a su nuevo invitado. Ricsig de Dunholm, el hombre que entregara los monjes capturados a Ragnar, fue nombrado nuevo rey de Northumbria, y recompensó a Kjartan permitiéndole saquear cualquier lugar que hubiese podido dar cobijo a los rebeldes confabulados con Egberto. Claro que no hubo ninguna rebelión, pero Kjartan inventó una y expolió los pocos monasterios y conventos que todavía quedaban en Northumbria. Obtuvo así muchas más riquezas y se mantuvo en su puesto como jefe guerrero de Ricsig y recaudador de impuestos.

Nada de todo esto supimos entonces. Recogimos la cosecha, la festejamos, y se anunció que en Yule se celebraría la boda de Thyra y Anwend. Ragnar le pidió a Ealdwulf el herrero que fabricara una espada tan buena como *Hálito-de-serpiente* para Anwend, y Ealdwulf le contestó que lo haría y, al mismo tiempo, me hizo una espada corta del tipo que Toki me había recomendado para luchar en el muro de escudos, y lo ayudé a aplanar las varas enroscadas. Trabajamos durante todo el otoño hasta que Ealdwulf terminó la espada de Anwend, y tuve el honor de ayudarle con mi propio *sax*. Lo llamé *Aguijón-de-avispa* por ser un arma corta, y no veía el momento de probarla contra un enemigo, cosa que era una insensatez, según Ealdwulf.

–Los enemigos nunca tardan en llegar a la vida de un hombre –me dijo–, no hace falta ir a buscarlos.

Construí mi primer escudo a principios del invierno: desbasté la madera de tilo, forjé el tachonado de hierro y su embrazadura, que se aguantaba por un agujero en la madera, lo pinté de negro y lo ribeteé con una tira de hierro. Aquel escudo me salió con demasiado peso, pero aprendí después a fabricarlos más ligeros; sin embargo, aquel fin de otoño cargué con escudo, espada y *sax* a todas partes para acostumbrarme a su peso, practiqué estocadas y paradas, soñando. Temía y anhelaba a un tiempo mi primer muro de escudos en la misma medida, pues ningún hombre era guerrero hasta haber luchado en el muro de escudos, y ningún hombre era un auténtico guerrero hasta haber luchado en la primera fila del muro, y aquello era el reino de la muerte, un lugar terrorífico, pero yo aspiraba a ello como un insensato.

Por fin nos preparamos para la guerra. Ragnar le había prometido su apoyo a Guthrum, así que Brida y yo quemamos más carbón y Ealdwulf se hartó de hacer puntas de lanza, hachas y picas, mientras Sigrid se entusiasmaba con los preparativos de la boda de Thyra. Celebramos una ceremonia de compromiso a principios de invierno, en la que Anwend, vestido con sus mejores galas, vino a nuestra casa con seis de sus amigos y se propuso tímidamente a Ragnar como marido de Thyra. Todos sabíamos que sería su marido, pero las formas son importantes, y Thyra estaba sentada entre su padre y su madre mientras Anwend le prometía a Ragnar que amaría, cuidaría y protegería a su hija, y después le propuso veinte monedas de plata como precio por la novia, lo cual era una exageración, pero que indicaba bien a las claras que quería a Thyra de verdad.

–Que sean diez, Anwend –le dijo Ragnar, generoso como siempre–, y con el resto hazte una capa nueva.

–Veinte es lo justo –intervino Sigrid con firmeza, pues el precio de la novia, aunque era entregado a Ragnar, se convertía en propiedad de Thyra una vez casada.

–Así pues, que Thyra te haga una capa nueva –concluyó Ragnar aceptando el dinero, y entonces abrazó a Anwend, celebramos un banquete y a Ragnar se le vio aquella noche más contento que nunca desde la muerte de Rorik. Thyra observaba el baile, sonrojándose a veces cuando cruzaba miradas con Anwend. Los seis amigos de éste, todos guerreros de Ragnar, volverían con él para la boda y ellos precisamente serían los testigos de que Thyra era doncella cuando Anwend se la llevara a la cama. Sólo entonces se consideraría celebrado el matrimonio.

Pero aquellas ceremonias tendrían que esperar hasta Yule. Thyra se casaría entonces, tendríamos nuestra fiesta, soportaríamos el invierno, volveríamos a la guerra. En otras palabras, pensábamos que el mundo seguiría como siempre.

Y al pie de Yggdrasil, el árbol de la vida, las tres hilanderas se burlaban de nosotros.

* * *

He pasado muchas navidades en la corte de Wessex. Navidad es Yule con religión, y los sajones del oeste se las ingeniaban para estropear la festividad del solsticio de invierno con monjes cantores, curas pesados y sermones despiadadamente largos. Se supone que Yule es una celebración y una consolación, un instante de cálido brillo en el corazón del invierno, un instante para comer porque sabes que se avecinan tiempos difíciles en que la comida escaseará y el hielo encerrará la tierra, y una época para estar contentos, emborracharse, comportarse sin que nada importe y levantarse a la mañana siguiente preguntándose si volverás a encontrarte bien algún día. Pero los sajones encomendaban la fiesta a los curas, que la hacían tan alegre como un funeral. Nunca he comprendido realmente por qué la gente piensa que la religión ocupa algún lugar en la fiesta del solsticio, y aunque está claro que los daneses recordaban también a sus dioses durante las celebraciones y les ofrecían sacrificios, creían que Odín, Thor y las demás deidades estaban en su propia fiesta en Asgard y no tenían ningún deseo de estropear las de Midgard, nuestro mundo. A mí me parece sensato, pero he aprendido que la mayoría de los cristianos temen y desconfían de la diversión, y Yule ofrecía demasiada para su gusto. Algunos sajones sí sabían celebrarla, y yo siempre me he esforzado al máximo, pero si Alfredo andaba cerca podías estar seguro de que pasaríamos los doce días de Navidad ayunando, rezando y arrepintiéndonos.

Que sirva a modo de introducción para decir que la fiesta de Yule en la que Thyra se casaría iba a ser la más impresionante que recordaran los daneses. Trabajamos duro a medida que se acercaba. Dejamos más animales vivos de lo normal, y los sacrificamos justo antes del banquete para no tener que salar la carne, excavando grandes hoyos para cocer los cerdos y las vacas en enormes espetones que había fabricado Ealdwulf. Aquello provocó sus protestas, decía que forjar utensilios de cocina lo apartaba de su auténtico trabajo, pero en realidad lo disfrutó, porque adoraba comer. Además de cerdo y vaca preparamos arenques, salmón, cordero, lucio, pan recién horneado, queso, cerveza, aguamiel y, lo mejor de todo, los pasteles que hacíamos rellenando tripas de oveja con sangre, menudos, avena, rábanos picantes, ajo silvestre y enebrinas. Me encantaban aquellos pasteles, y me siguen gustando, crujientes por fuera y una explosión de sangre caliente al morderlos. Recuerdo la cara de asco que puso Alfredo una vez que me vio comer uno y el sangriento jugo me corría por la barba, pero en fin, él estaba chupando un puerro hervido.

Planeamos deportes y juegos. El lago del centro del valle aparecía helado y a mí me fascinaba la costumbre de los daneses de atarse huesos a los pies y patinar sobre el hielo, pasatiempo que duró hasta que se rompió el hielo y un joven se ahogó, pero Ragnar pensaba que el lago volvería a helar después de Yule, y yo estaba decidido a aprender a patinar. Por el momento, en cualquier caso, Brida y yo seguíamos fabricando carbón para Ealdwulf, quien había decidido forjar una espada para Ragnar, la mejor que hiciera jamás, y se nos adjudicó la tarea de convertir dos carros de madera de aliso en el mejor combustible posible.

Abrigábamos el propósito de romper la pila el día antes de la fiesta, pero era la más grande que habíamos hecho y aún no estaba lo suficientemente fría, y si la pila se rompe antes de que esté lista, el fuego arde con una fuerza terrible consumiendo el carbón a medio hacer, así que nos aseguramos de que todos los agujeros de ventilación estuvieran bien sellados y decidimos que habría tiempo de sobra para romperla la mañana de Yule, antes de que empezaran las celebraciones. La mayoría de los hombres de Ragnar y sus familias estaban ya en la casa, dormían donde podían y se mostraban bien dispuestos para la primera comida del día y para los juegos que tendrían lugar en el prado antes de la ceremonia, pero Brida y yo pasamos aquella noche junto a la pila por miedo a que algún bicho escarbara y provocase una corriente de aire que avivara el fuego. Yo llevaba a *Hálito-de-serpiente* y *Aguijón-de-avispa,* pues no iba a ninguna parte sin ellas, y Brida tenía consigo a *Nihtgenga,* pues no iba a ninguna parte sin él, y ambos estábamos envueltos en gruesas pieles porque la noche era fría. Cuando una pila ardía te podías apoyar encima y aprovechar el calor, pero aquella noche el fuego se había consumido casi por completo.

–Si te quedas muy quieto –dijo Brida al caer la noche–, puedes sentir los espíritus.

Creo que me quedé dormido, pero poco antes del alba me desperté y descubrí que también Brida estaba dormida. Me incorporé con cuidado para no desvelarla, contemplé la oscuridad y me quedé muy quieto para escuchar a los *sceadugengan.* A los goblins, elfos, duendecillos, espectros y enanos, todas esas cosas que vienen a Midgard por la noche y acechan entre los árboles. Cuando vigilábamos las pilas de carbón, tanto Brida como yo les dejábamos comida para que nos protegieran. Así que me desperté, escuché y oí los mil y un rumores de un bosque por la noche, las cosas que se mueven, las zarpas sobre las hojas muertas, los suaves suspiros del viento.

Y entonces oí las voces.

Desperté a Brida y ambos nos quedamos callados. *Nihtgenga* gruñó un poco hasta que Brida le susurró que se callara.

Había hombres en la oscuridad, se acercaban a la pila, así que nos ocultamos en la negrura bajo los árboles. Ambos sabíamos movernos como sombras y *Nihtgenga* no hacía ruido sin el permiso de Brida. Subimos a la colina porque las voces venían de abajo, nos acurrucamos en la oscuridad más absoluta y escuchamos a los hombres moverse alrededor de la pila. Entonces oímos el chispazo de la piedra contra el pedernal y surgió una pequeña llama. Quienquiera que fuese buscaba a la gente que suponían debía estar vigilando el carbón, pero no nos encontraron, y al cabo de un rato volvieron colina abajo y nosotros les seguimos.

El alba empezaba a desteñir el cielo del este con un filo gris lobuno. Había escarcha en las hojas y corría brisa.

–Tendríamos que llegar hasta Ragnar –susurré.

–No podemos –dijo Brida, y tenía razón, pues decenas y decenas de hombres se habían apostado entre los árboles, interponiéndose entre nosotros y la casa, y estábamos demasiado lejos como para avisar a gritos, así que intentamos rodear a los extraños a toda prisa por la cresta de la colina para llegar a la forja en la que dormía Ealdwulf, pero no habíamos recorrido ni la mitad del camino cuando empezaron las hogueras.

Esa alba está grabada en mi memoria a fuego lento, con las llamas de la quema de casas. No pudimos hacer otra cosa que mirar. Kjartan y Sven habían ocupado nuestro valle con más de cien hombres y estaban atacando a Ragnar. Prendieron fuego a la paja del tejado. Vi a Kjartan y a su hijo en medio de las antorchas en llamas que iluminaban el espacio frente a la puerta y, a medida que la gente salía de la casa, eran ensartados en lanzas o con flechas, de modo que empezó a crecer el montón de cadáveres a la luz del fuego, volviéndose más brillante a medida que prendía la paja, hasta que al final ardió con tanta fuerza que iluminaba más que la luz del alba. Oíamos cómo la gente y los animales gritaban dentro. Algunos hombres salieron de la casa con armas, pero eran reducidos por los soldados que la rodeaban, en todas las puertas y ventanas, hombres que mataron a los fugitivos, aunque no a todos. Las mujeres jóvenes fueron apartadas y vigiladas; Thyra fue entregada a Sven, que le pegó tan fuerte en la cabeza que la dejó acurrucada a sus pies mientras él ayudaba a matar a su familia.

No vi morir a Ravn, Ragnar o Sigrid, aunque vaya si murieron, y supongo que se quemaron vivos cuando el techo se derrumbó con un rugir de llamas, humo y chispas. También murió Ealdwulf, momento en que me descubrí a mí mismo bañado en lágrimas. Quise desenvainar *Hálito-de-serpiente* y lanzarme contra aquellos hombres alrededor de las llamas, pero Brida me contuvo, y después me susurró que seguro que Kjartan y Sven batirían los bosques cercanos en busca de supervivientes, y me convenció para que regresáramos a ocultarnos entre los árboles. El alba era una franja de hierro mate sobre el cielo y el sol se escondió entre las nubes por la pena, mientras subíamos a trompicones la colina para encontrar refugio entre unas rocas caídas en lo más profundo del bosque.

La casa de Ragnar estuvo humeando todo el día, y a la noche siguiente vimos un resplandor por encima del enramado negro del bosque. A la mañana siguiente el valle en el que tan felices habíamos sido aún despedía jirones de humo. Nos acercamos más, ambos hambrientos, y vimos a Kjartan y sus hombres rebuscar entre las ascuas.

Sacaban amasijos retorcidos de metal fundido, una cota de malla pegada a algo horriblemente requemado, plata derretida en boñigos, y se llevaron todo cuanto hallaron útil para venderlo o volver a usar. A veces parecían frustrados, como si no hubieran encontrado el tesoro anhelado, aunque tampoco podían quejarse. Un carro cargó con las herramientas y el yunque de Ealdwulf por el valle. Thyra llevaba una soga al cuello, fue montada en un caballo y atada al del tuerto Sven. Kjartan meó sobre un montón de ascuas y se rió del comentario de uno de sus hombres. Por la tarde desaparecieron.

Yo tenía dieciséis años y había dejado de ser un niño.

Y Ragnar, mi señor, que me había convertido en su hijo, estaba muerto.

* * *

Los cadáveres seguían entre las cenizas, aunque era imposible decir quién era quién, ni siquiera distinguir a los hombres de las mujeres, pues el fuego había arrugado a los muertos de manera tal que todos parecían niños, y los niños, bebés. Quienes perecieron fuera de la casa eran reconocibles, y allí encontré a Ealdwulf, y a Anwend, ambos desnudos. Busqué a Ragnar, pero no pude identificarlo. Me preguntaba por qué no habría salido hecho una furia de la casa, espada en mano, y decidí que sabía que iba a morir y no quería darle a su enemigo la satisfacción de contemplarlo.

Encontramos comida en uno de los silos subterráneos que los hombres de Kjartan no habían localizado durante el registro. Tuvimos que apartar pedazos de madera calientes y calcinados para abrir el silo, y el pan, el queso y la carne se habían estropeado por el humo y las cenizas, pero comimos. Ninguno de los dos habló. Al alba, algunos ingleses se acercaron con cautela a la casa y observaron la destrucción. Me tenían miedo, porque creían que era danés, y cayeron de hinojos cuando me acerqué. Eran los afortunados, pues Kjartan había pasado a cuchillo a todos los ingleses de Synningthwait, hasta el último niño, acusándoles de la quema. La gente debía de saber que todo había sido cosa suya, pero su crueldad en Synningthwait confundió las cosas y, con el tiempo, mucha gente acabó creyendo que los ingleses habían atacado a Ragnar, vengándose Kjartan del ataque. Pero aquellos ingleses habían escapado a sus espadas.

–Volveréis mañana –les dije–, y enterraréis a los muertos.

–Sí, señor.

–Seréis recompensados –les prometí, y pensé que tendría que deshacerme de uno de mis preciosos brazaletes.

–Sí, señor –repitió uno de ellos, y entonces les pregunté si sabían por qué había sucedido todo aquello y se pusieron nerviosos, pero al final uno dijo que le habían contado que el *jarl* Ragnar planeaba una revuelta contra Ricsig. Uno de los ingleses que servían a Kjartan se lo había dicho cuando se acercó a su cabaña en busca de cerveza. También les había dicho que se ocultaran antes de que Kjartan matara a los habitantes del valle.

–¿Sabes quién soy? –le pregunté al hombre.

–El señor Uhtred, señor.

–No le digas a nadie que estoy vivo –le dije, y él se me quedó mirando. Kjartan, así lo decidí, debía creer que estaba muerto, que era uno de los cadáveres encogidos de la casa, y aunque yo no le importaba nada a Kjartan, Sven sí tenía algo contra mí, y no quería que me viniera detrás–. Y volved mañana –proseguí–, tendréis la plata.

Existe un concepto llamado «deuda de sangre». Todas las sociedades lo poseen, incluso los sajones del oeste, con todo lo píos que son. Si matas a un miembro de mi familia yo mataré a uno de la tuya, y así generación tras generación o hasta que todos los miembros de una familia sucumban. Kjartan acababa de contraer una deuda enorme; no sabía cómo, ni dónde o cuándo, pero vengaría a Ragnar. Aquella noche lo juré.

Y también aquella noche me volví rico. Brida esperó hasta que se marcharon los ingleses y después me condujo hasta los restos quemados de la forja de Ealdwulf para mostrarme un enorme trozo de olmo quemado, la sección de un tronco que había sostenido el yunque de Ealdwulf.

–Tenemos que mover eso –me dijo.

Fue necesaria la fuerza de ambos para volcar el monstruoso pedazo de olmo, y debajo no había más que tierra, pero Brida me dijo que excavara y, a falta de otra herramienta, usé *Agui-jón-de-avispa.* No había excavado ni un palmo cuando di contra metal. Oro. Oro auténtico. Monedas y pequeñas pepitas. Las monedas eran raras, grabadas con una escritura que no había visto antes; no eran ni runas danesas ni caracteres ingleses, sino algo muy raro que más tarde supe que procedían de unas gentes lejanas que vivían en el desierto y adoraban a un dios llamado Alá, que quizá sea un dios del fuego porque *al*, en nuestra lengua, significa arder. Hay muchos dioses, pero el pueblo que adoraba a Alá fabricaba buenas monedas y aquella noche desenterramos cuarenta y ocho, y una cantidad similar en oro suelto. Brida me contó haber visto a Ragnar y Ealdwulf enterrar el botín una noche. Había oro, peniques de plata y cuatro piezas de azabache, y sin duda aquél era el tesoro que Kjartan había esperado encontrar, pues sabía que Ragnar era rico, pero Ragnar lo había escondido muy bien. Todos los hombres ocultan una parte de su riqueza para el día en que llegue la adversidad. Yo he ocultado tesoros, en mi tiempo, e incluso he olvidado dónde estaba alguno, y puede que dentro de muchos años algún afortunado lo encuentre. Aquel tesoro, el tesoro de Ragnar, pertenecía a su hijo mayor, pero Ragnar –era raro pensar en él sólo como Ragnar, ya no como Ragnar el Joven–, estaba muy lejos en Irlanda, y yo dudaba de que siguiera vivo, pues seguro que Kjartan habría enviado hombres a matarlo. Pero como muerto o vivo no estaba allí, nos llevamos el tesoro.

–¿Qué hacemos? –me preguntó Brida aquella noche. Habíamos regresado a los bosques.

Yo ya sabía qué iba a hacer, y probablemente siempre lo había sabido. Soy un inglés de Inglaterra, pero fui danés mientras Ragnar vivió porque Ragnar me quería, cuidaba de mí y me llamaba su hijo, pero Ragnar ahora estaba muerto y yo no tenía más amigos entre los daneses. Tampoco es que tuviera amigos entre los ingleses, exceptuando a Brida, claro, y tal vez a Beocca, que sin duda me apreciaba de manera algo compleja; pero los ingleses eran mi gente y creo que lo supe desde el momento en que los vi derrotar por primera vez a los daneses en la colina de Æsc. Entonces sentí orgullo. El destino lo es todo, las hilanderas me habían tocado en la colina de Æsc y ahora, por fin, respondía a su llamada.

–Nos vamos al sur –dije.

–¿A un convento? –preguntó Brida, con Ælswith y sus amargos planes en mente.

–No. –No sentía deseos de unirme a Alfredo para aprender a leer y a dejarme las rodillas rezando–. Tengo familia en Mercia –dije. Nunca los había conocido, nada sabía de ellos, pero eran mi familia y la familia tiene obligaciones. Además, el dominio danés sobre Mercia era más laxo que en los demás sitios y a lo mejor podía encontrar un hogar y no ser una carga para nadie, porque llevaba oro.

He dicho que sabía qué iba a hacer, pero eso no es del todo cierto. La verdad es que me hallaba sumido en un pozo de tristeza, me tentaba la desesperación y de continuo andaba al borde del llanto. Quería que la vida siguiera igual, que Ragnar fuera mi padre, celebrar fiestas y reír. Pero el destino nos posee y, a la mañana siguiente, bajo una llovizna plomiza, enterramos a los muertos, pagamos con monedas de plata y tomamos el camino del sur. Éramos un chico al borde de la edad adulta, una chica y un perro, y nos dirigíamos a ninguna parte.

SEGUNDA PARTE

El último reino

CAPÍTULO VII

Me instalé en el sur de Mercia. Encontré otro tío, éste llamado *ealdorman* Æthelred, hijo de Æthelred, hermano de Æthelwulf, padre de Æthelred, y hermano de otro Æthelred que había sido el padre de Ælswith, la esposa de Alfredo; y el *ealdorman* Æthelred, con su confusa familia, me reconoció a regañadientes como su sobrino, aunque la bienvenida fue algo más cálida cuando le entregué dos monedas de oro y juré sobre un crucifijo que era todo el dinero que poseía. Supuso que Brida era mi amante, cosa en la que acertó, y después no le hizo el menor caso.

El viaje al sur fue cansado, como lo son todos los viajes en invierno. Durante un tiempo nos refugiamos en una casa de las tierras altas cerca de Meslach, y la familia nos tomó por forajidos. Llegamos a su choza una tarde de ventisca, ambos medio congelados, y pagamos por la comida y el alojamiento con unos cuantos eslabones de la cadena del crucifijo de plata que me había dado Ælswith, y por la noche, los dos hijos mayores vinieron a por el resto de nuestra plata, pero Brida estaba despierta, pues ya se temía la maniobra, y yo tenía a *Hálito-de-serpiente* y Brida a *Aguijón-de-avispa,* así que amenazamos con ensartar a los dos chicos. Después de aquello la familia fue amable, o por lo menos se asustaron lo suficiente para mostrarse dóciles, pues me creyeron cuando les dije que Brida era una hechicera.

Eran paganos, un resto de los muchos herejes ingleses que habían quedado en las altas colinas, los cuales aún no sabían que los daneses habían invadido Inglaterra. Vivían lejos de cualquier población, musitaban oraciones a Thor y Odín, y nos cobijaron durante seis semanas. Pagamos nuestra manutención cortando leña, ayudando a parir a sus ovejas y montando guardia junto a los corrales del ganado para mantener alejados a los lobos.

A principios de la primavera proseguimos nuestro viaje. Evitamos Hreapandune, pues allí era donde Burghred tenía su corte, la misma a la que había huido el desventurado Egberto de Northumbria, y no eran pocos los daneses instalados alrededor de la ciudad. No temía a los daneses, podía hablar con ellos en su propia lengua, conocía sus bromas y hasta me gustaban, pero si llegaban noticias a Eoferwic de que Uhtred de Bebbanburg seguía vivo, tal vez Kjartan pusiera precio a mi cabeza. Así que pregunté en todas las poblaciones por el *ealdorman* Æthelwulf, que había muerto luchando contra los daneses en Readingum, y supe que había vivido en un lugar llamado Deoraby, pero que los daneses ocuparon sus tierras y obligaron a su hermano pequeño a trasladarse a Cirrenceastre, que quedaba en el extremo sur de Mercia, muy cerca de la frontera con Wessex, y eso era bueno porque los daneses eran más numerosos en el norte de Mercia, así que nos dirigimos a dicho lugar y descubrimos que era otra ciudad romana, bien amurallada con piedra y madera y que el hermano de Æthelwulf, Æthelred, era ahora *ealdorman* y señor del lugar.

Llegamos cuando presidía una audiencia y esperamos en su salón entre los peticionarios y los testigos. Vimos azotar a dos hombres y marcar a un tercero en la cara y declararlo fuera de la ley por robar ganado, y después un secretario nos condujo hacia delante, convencido de que buscábamos satisfacción por alguna injusticia. El secretario nos dijo que nos inclináramos, y cuando yo me negué y el hombre intentó forzarme, le pegué un tortazo y conseguí llamar la atención de Æthelred. Era un hombre alto, de más de cuarenta años, casi calvo, con una inmensa barba y un aspecto tan amargado como el de Guthrum. Cuando le pegué al secretario, él hizo un gesto a los guardias que holgazaneaban en las esquinas del salón.

–¿Quién eres? –rugió.

–Soy el *ealdorman* Uhtred –dije, y el título detuvo a los guardias provocando que el secretario se retirara nervioso–. Soy el hijo de Uhtred de Bebbanburg –proseguí–, y de Æthelgifu, su esposa. Soy vuestro sobrino.

Se me quedó mirando. Supongo que mi aspecto era el de un andrajoso, pues estaba sucio por el viaje, llevaba el pelo largo y la ropa hecha jirones, pero tenía dos espadas y un orgullo desmedido.

–¿Eres el chico de Æthelgifu? –me preguntó.

–El hijo de vuestra hermana –contesté, aunque no estaba seguro de si había dado con la familia correcta, pero sí, y el *ealdorman* Æthelred se persignó en memoria de su hermana pequeña, a quien apenas recordaba, indicó a los guardias que se retiraran a sus puestos con un ademán y a continuación me preguntó qué quería.

–Refugio –dije, y él asintió a regañadientes. Le conté que había sido prisionero de los daneses desde la muerte de mi padre y él lo aceptó, pero no mostraba demasiado interés por mí; de hecho, mi llegada suponía una molestia, pues éramos un par de bocas más que alimentar, pero la familia conlleva obligaciones y el *ealdorman* Æthelred cumplió con las suyas. También intentó que me mataran.

Sus tierras, que se extendían hasta el río Sæfern al oeste, eran motivo de continuo asalto por parte de los britanos de Gales. Los galeses eran viejos enemigos, los cuales ya intentaron disuadir a nuestros ancestros de conquistar Inglaterra; en realidad, llaman a Inglaterra Lloegyr, que significa las Tierras

Perdidas, y se pasan el tiempo asaltando, pensando en asaltar o recitando odas sobre asaltos, y veneran al héroe llamado Arturo, que está durmiendo en su tumba pero que un día se levantará para conducir a los galeses a una gran victoria contra los ingleses para recuperar así las Tierras Perdidas. Sin embargo, y hasta el día de hoy, esto último no ha sucedido.

Un mes después de mi llegada, Æthelred oyó que una banda galesa había cruzado el Sæfern para robar el ganado de sus tierras junto a Fromtun, así que se dirigió allí con el fin de disuadirlos. Cabalgó hacia el oeste al frente de cincuenta hombres, pero ordenó al jefe de sus tropas, un guerrero llamado Tatwine, que bloqueara su retirada junto a la antigua ciudad romana de Gleawecestre. Le concedió a Tatwine una fuerza de veinte hombres que me incluía.

–Estás hecho un chicarrón –me dijo Æthelred antes de partir–, ¿has peleado alguna vez en un muro de escudos?

Vacilé, tentado de mentir, pero decidí que pinchar con una espada entre las piernas de los hombres no era lo mismo.

–No, señor –repuse.

–Ya es hora de que aprendas. Esa espada tiene que servir para algo. ¿De dónde procede?

–Era la espada de mi padre, señor –mentí, pues no quería explicar que no había sido prisionero de los daneses, ni que la espada fuera un regalo, pues Æthelred en ese caso esperaría que se la diera–. Es lo único que conservo de él –añadí con cierto dramatismo, y mi tío emitió un gruñido, me despidió y le dijo a Tatwine que me destinara al muro de escudos si había que pelear.

Lo sé porque me lo contó Tatwine cuando todo hubo terminado. Tatwine era un hombre corpulento, tan alto como yo, con un pecho como el de un herrero y gruesos brazos en los que se tatuaba marcas con tinta y una aguja. Las marcas no eran más que borrones, pero él alardeaba de que cada una era un hombre al que había matado en combate; una vez intenté contarlas pero lo dejé en la marca treinta y ocho. Las mangas le escondían el resto. No le hacía ninguna gracia tenerme en su banda de guerreros, y aún menos gracia le hizo que Brida insistiera en acompañarnos, pero yo le dije que le había prometido a mi padre no abandonarla jamás y que sabía hechizos que confundirían al enemigo; él se creyó ambas mentiras y, probablemente, pensó que en cuanto me mataran sus hombres podrían divertirse con Brida mientras él le entregaba *Hálito-de-serpiente* a Æthelred.

Los galeses habían cruzado el Sæfern bastante arriba, dirigiéndose al sur hacia los exuberantes prados de agua en los que engordaba el ganado. Les gustaba llegar rápido y marcharse rápido, antes de que los mercios pudieran agrupar sus fuerzas, pero Æthelred había sido informado de su llegada a tiempo y, mientras él se dirigía al oeste, Tatwine nos condujo al norte hacia el puente que cruzaba el río, que era la ruta más rápida para regresar a Gales.

Los asaltantes se metieron de lleno en la trampa. Llegamos al puente al anochecer, dormimos en un campo, nos levantamos antes del alba, y justo al salir el sol, vimos a los galeses con el ganado robado dirigiéndose hacia nosotros. Hicieron un esfuerzo por seguir la ruta del norte, pero sus caballos estaban cansados, los nuestros frescos, y se dieron cuenta de que no había escapatoria, así que volvieron al puente. Nosotros hicimos lo mismo, desmontamos y formamos el muro de escudos. Los galeses organizaron el suyo. Eran veintiocho, todos hombres de aspecto salvaje con el pelo enredado, largas barbas y capas a jirones, pero sus armas parecían cuidadas y sus escudos recios.

Tatwine chapurreaba su idioma y les dijo que si se rendían serían tratados con clemencia por su señor. Su única respuesta fue berrear, y uno de ellos se dio la vuelta, se bajó los calzones y nos enseñó su sucio trasero, gesto que interpretamos como un insulto galés.

No ocurrió nada entonces. Ellos estaban en su muro en la carretera, y el nuestro bloqueaba el puente. Nos insultaban a grito pelado y Tatwine prohibió a nuestros hombres devolver los gritos, y en dos ocasiones pareció que los galeses iban a lanzarse a todo correr a por sus caballos e intentar escapar galopando hacia el norte. Pero cada vez que lo intentaron, Tatwine ordenó a los criados que trajeran nuestros caballos, y los galeses entendieron que los perseguiríamos hasta prenderlos, así que volvieron a formar y se burlaron de nosotros por no atacar. Tatwine no era tan insensato. Los galeses nos superaban en número, lo cual significaba que podían rebasarnos, pero si nos quedábamos en el puente protegíamos nuestros flancos con los parapetos romanos, razón suficiente para desear que avanzaran ellos hasta allí. Me colocó en el centro de la fila, y después él se situó detrás de mí. Más tarde comprendí que estaba preparado para ocupar mi puesto cuando cayera. Yo tenía un viejo escudo con el asa suelta prestado por mi tío.

Tatwine trató de convencerlos de nuevo para que se rindieran, les prometió que sólo ajusticiarían a la mitad, pero dado que la otra mitad perdería una mano y un ojo, no resultó una oferta muy tentadora. Aun así ellos esperaron, y habrían esperado hasta que llegara la noche de no ser porque acudieron algunos lugareños, y uno de ellos, que tenía un arco y flechas, empezó a disparar a los galeses que llevaban bebiendo a ritmo constante toda la mañana. Tatwine nos había dado algo de cerveza, pero no demasiada.

Yo estaba nervioso. Más que nervioso, aterrorizado. No portaba armadura, mientras que el resto de los hombres de Tatwine se protegía con cota de malla o buen cuero. Tatwine llevaba casco, yo pelo. Esperaba morir, pero recordé mis lecciones y me colgué a *Hálito-de-serpiente* de la espalda y me abroché el tahalí alrededor de la garganta. Una espada se desenvaina mucho más fácilmente por encima del hombro, así que esperaba empezar la pelea con *Aguijón-de-avispa*. Sentía la garganta seca, me temblaba un músculo en la pierna izquierda, mi estómago andaba revuelto, pero entrelazado con aquel miedo bullía la emoción. Hasta allí me había conducido la vida, un muro de escudos, y, de sobrevivir, sería guerrero.

Las flechas se sucedieron una detrás de otra, en su mayoría se clavaban contra los escudos, pero un proyectil afortunado cruzó el muro y se hundió en el pecho de un hombre, que se derrumbó, y de repente el jefe galés perdió la paciencia y lanzó un poderoso grito. Y cargaron.

Era un pequeño muro de escudos, no una gran batalla. Una escaramuza por ganado, no un choque de ejércitos, pero fue mi primer muro e instintivamente sacudí mi escudo contra los de mis vecinos para asegurarme de que se tocaban, bajé a *Aguijón* con la intención de clavarla por debajo del borde de los escudos, y me agaché ligeramente para recibir la carga. Los galeses aullaban como locos, un ruido que pretendía asustarnos, pero yo estaba bien concentrado en lo que me habían enseñado como para que me distrajeran los alaridos.

–¡Ahora! –gritó Tatwine y todos empujamos nuestros escudos hacia delante y en el mío sentí un golpe como los del martillo de Ealdwulf contra el yunque, reparé en un hacha que volaba por encima de mi cabeza para abrirme el cráneo y me agaché, levantando el escudo, y le clavé al hombre mi *Aguijón* en la ingle. Se hincó directo y certero, como Toki me había enseñado, y ese tajo en la ingle es un ataque terrible, mortal, y el hombre lanzó un grito pavoroso, como el de una mujer al dar a luz, y la espada corta se quedó clavada en su cuerpo, manando sangre por la empuñadura, el hacha cayó por mi espalda y yo me levanté. Desenvainé *Hálito-de-serpiente* por el hombro izquierdo y fui a por el individuo que atacaba a mi vecino derecho. Fue un buen golpe, directo al cráneo, y recuperé la espada rasgando, para dejar que el filo de Ealdwulf hiciera su trabajo, y el hombre con *Aguijón* clavado en la ingle se había derrumbado a mis pies, así que le pateé la cara. Entonces gritaba, gritaba en danés, gritaba sus muertes, y de repente todo fue muy fácil, y pisé a mi primera víctima para rematar a la segunda, lo cual significaba que había roto nuestro muro, pero no importaba porque Tatwine estaba allí para cubrir mi puesto. Penetré en espacio galés, pero con dos muertos a mi lado; un tercer guerrero se volvió hacia mí, su espada se cernió sobre mi cabeza con trayectoria de guadaña, y yo la bloqueé con los tachones del escudo. Cuando intentó cubrirse el cuerpo, yo me abalancé con *Hálito-de-serpiente* sobre su garganta, se la rebané, y seguí el impulso de la espada hasta que se estrelló con un escudo a mis espaldas, y me di la vuelta, hecho una furia y un salvaje, y cargué contra un cuarto hombre, lo tumbé con la fuerza de mi peso y él empezó a implorar misericordia y no recibió ninguna.

Qué alegría tan grande. La alegría de la espada. Bailaba de alegría, la alegría me inundaba, la alegría de la batalla de la que Ragnar hablaba tantas veces, la alegría del guerrero. Si un hombre no la conoce, no es un hombre. Aquello no fue una batalla, no fue una auténtica matanza, sólo unos cuantos ladrones muertos, pero fue mi primera pelea y los dioses me concedieron su favor, dotaron mi brazo de velocidad y de fuerza mi escudo, y cuando terminó y yo bailé en la sangre de los muertos, supe que aquello era bueno. Supe que era más que bueno. En aquel momento habría podido conquistar el mundo y sólo lamentaba que Ragnar no me hubiese visto, pero entonces pensé que podría estar mirándome desde el Valhalla y levanté *Hálito-de-serpiente* hacia las nubes y grité su nombre. He visto a otros jóvenes salir de sus primeras batallas con la misma alegría y los he enterrado a la siguiente. Los jóvenes son unos insensatos y yo era joven. Pero también bueno.

Acabamos con los ladrones de ganado. Había doce muertos o tan malheridos que los contamos como si lo estuvieran, y el resto se dio a la fuga. Los capturamos con facilidad y, uno a uno, fueron degollados. Después regresé junto al hombre cuyo escudo había besado el mío en la primera embestida, y tuve que hacer fuerza con el pie en su ingle ensangrentada para liberar a *Aguijón-de-avispa* de su carne, y en ese momento lo único que quería era más enemigos para matar.

–¿Dónde has aprendido a pelear, chico? –me preguntó Tatwine.

Me volví hacia él como si fuera un enemigo, el orgullo me encendía la cara y *Aguijón* temblaba, sedienta de sangre.

–Soy *ealdorman* de Northumbria –le dije.

Se detuvo, cauteloso, después asintió.

–Sí, señor –repuso; se me acercó y me palpó los músculos del brazo derecho–. ¿Dónde has aprendido a pelear? –preguntó sin el ofensivo «chico».

–He observado a los daneses.

–Observado –repitió sin entonación alguna. Me miró a los ojos, después sonrió y me abrazó–. Santo Dios –dijo–, pero si estás hecho un salvaje. ¿Tu primer muro de escudos?

–El primero –admití.

–Y no será el último, te lo aseguro, no será el último.

En eso tuvo razón.

* * *

Parece inmodesto, pero he dicho la verdad. Estos días tengo a mi servicio poetas que cantan mis alabanzas, pero sólo porque se supone que eso es lo que tiene que hacer un señor, aunque con frecuencia me pregunto por qué hay que pagar a un hombre sólo por sus palabras. Estos palabreros no hacen nada, no cultivan nada, no matan enemigos, no pescan ni crían ganado. Sólo aceptan plata a cambio de palabras, que de todos modos son gratis. Desde luego es ingenioso, pero en realidad son de tanta utilidad como los curas.

Yo luchaba muy bien, eso no es ninguna mentira, pero había pasado mis años de crecimiento pensando en poca cosa más, y era joven, y los jóvenes son temerarios en la batalla, y además era fuerte y rápido y el enemigo estaba cansado. Dejamos las cabezas cortadas en los parapetos del puente a modo de advertencia para otros britanos que vinieran a visitar sus Tierras Perdidas, después cabalgamos hacia el sur para encontrarnos con Æthelred, que sin duda se sintió decepcionado de encontrarme vivo y hambriento, pero aceptó el veredicto de Tatwine asegurando mi utilidad como guerrero.

Tampoco es que hubiera mucha batalla, excepto contra forajidos y ladrones de ganado. A Æthelred le habría encantado enfrentarse a los daneses porque no soportaba su mandato, pero temía la venganza, así que ponía mucho cuidado en no ofenderlos. No era muy difícil, pues la presencia danesa apenas si era perceptible en aquella parte de Mercia, aunque de vez en cuando llegaban unos cuantos daneses a Cirrenceastre y exigían ganado, comida o plata, y no había más remedio que pagar. Lo cierto es que no consideraba al impotente rey Burghred su señor; en lugar de buscarlo en el norte, lo hacía en el sur, en Wessex, y si hubiera poseído algo de inteligencia en aquellos días, habría entendido que Alfredo estaba extendiendo su influencia por el sur de Mercia. La influencia no era evidente, no había soldados sajones patrullando los campos, pero los mensajeros de Alfredo iban y venían continuamente, hablaban con los hombres más importantes y los convencían de conducir sus soldados a Wessex en el caso de que los daneses volvieran a atacar.

Habría tenido que estar pendiente de aquellos mensajeros sajones, pero estaba demasiado involucrado con las intrigas de la casa de Æthelred para prestarles atención. Al *ealdorman* no le gustaba en exceso, pero su hijo mayor, también de nombre Æthelred, me detestaba. Era un año menor que yo, pero muy consciente de su cargo y odiaba profundamente a los daneses. También odiaba a Brida, sobre todo porque había intentado cepillársela obteniendo un rodillazo en la entrepierna como respuesta, y después de aquello la enviaron a trabajar en las cocinas del *ealdorman* Æthelred. El primer día ya me avisó de que no comiera de las gachas. Yo no las probé, pero el resto de la mesa pasó los siguientes dos días con el vientre suelto gracias a la enebrina y la raíz de ácoro bastardo que había añadido a la olla. El joven Æthelred y yo nos peleábamos continuamente, pero se anduvo con más ojo a partir del día en que me lié con él a puñetazos por azotar injustamente al perro de Brida.

Era una molestia para mi tío. Era demasiado joven, demasiado grande, demasiado escandaloso, demasiado orgulloso, demasiado indisciplinado, pero también era miembro de su familia, y señor, así que el *ealdorman* Æthelred no tenía más remedio que soportarme, contentándose con dejarme perseguir asaltantes galeses con Tatwine. Casi nunca los pillábamos.

Una noche, al regreso de una de aquellas persecuciones, le di el caballo a un sirviente para que lo cepillara mientras yo iba a buscar comida. Cuál no fue mi sorpresa al encontrarme, inesperadamente, con el padre Willibald en el salón, sentado junto a las ascuas del fuego. Al principio no lo reconocí, ni supo él quién era yo cuando entré todo sudoroso y con peto de cuero, botas altas, un escudo y dos espadas. Sólo vi una figura junto al fuego.

–¿Hay algo de comer aquí? –pregunté, con la esperanza de no tener que encender una vela y andar a tientas entre los siervos que dormían en la cocina.

–Uhtred –dijo él, y yo me volví para examinar la oscuridad. Entonces silbó como un mirlo y lo reconocí–. ¿Ésa que viene con vos es Brida? –preguntó el joven sacerdote.

También iba vestida de cuero, con una espada galesa a la cintura. *Nihtgenga* corrió hacia Willibald, al que no conocía, permitiéndole que lo acariciara. Tatwine y el resto de los guerreros entraron también, pero Willibald no les prestó atención.

–Espero que os encontréis bien, Uhtred.

–Lo estoy, padre –respondí–. ¿Y vos?

–Yo estoy muy bien –contestó.

Sonrió, claramente deseoso de que le preguntara qué había venido a hacer a la casa de Æthelred, pero yo fingí no mostrar interés.

–¿Tuvisteis algún problema cuando nos perdimos? –le pregunté en cambio.

–La dama Ælswith se enfadó mucho –admitió–, pero a Alfredo no pareció importarle. Aunque al padre Beocca le cayó una buena reprimenda.

–¿A Beocca? ¿Por qué?

–Porque Beocca lo había convencido de que queríais escapar de los daneses, y estaba equivocado. Aun así, tampoco pasó nada. –Sonrió–. Y ahora Alfredo me envía a mí para buscaros.

Me puse en cuclillas junto a él. Estábamos a finales del verano, pero la noche era sorprendentemente fría, así que eché otro tronco a la hoguera, de modo que saltaron chispas y salió despedido un hilillo de humo hasta las altas vigas.

–Alfredo os ha enviado –repetí sin entonación–. ¿Aún quiere enseñarme a leer?

–Quiere veros, señor.

Lo miré con sumo recelo. Me hacía llamar señor, y lo era por derecho de nacimiento, pero estaba muy imbuido por la idea danesa de que el señorío se lo ganaba uno, no se lo daban, y yo aún no me lo había ganado. Con todo, Willibald mostraba respeto.

–¿Por qué quiere verme? –pregunté.

–Quiere hablar con vos –repuso Willibald–, y cuando la conversación termine, sois libre de volver aquí o a cualquier otra parte que deseéis.

Brida me trajo un poco de pan duro y queso. Yo comí, sopesando sus palabras.

–¿De qué quiere hablar conmigo? –le pregunté a Willibald–. ¿De Dios?

El cura suspiró.

–Alfredo es rey desde hace dos años, Uhtred, y durante esos dos años sólo ha tenido dos cosas en mente. Dios y los daneses, pero creo que sabe que con lo primero no podéis ayudarle. –Sonreí. Los perros de Æthelred se habían despertado cuando Tatwine y sus hombres subieron a las elevadas plataformas en las que dormían. Uno de los perros se me acercó, a ver si le caía algo de comida, y yo le acaricié el denso pelaje y pensé que a Ragnar le habrían encantado aquellos canes. Ragnar estaba ahora en el Valhalla, de fiesta, bramando, peleando, jodiendo y bebiendo, y confié en que hubiera perros en el cielo de los hombres del norte, jabalíes del tamaño de bueyes y lanzas afiladas como navajas–. Sólo hay una condición para vuestro viaje –prosiguió Willibald–, y es que Brida no venga.

–¿Así que Brida no puede venir? –repetí.

–La dama Ælswith insiste en ello –contestó Willibald.

–¿Insiste?

–Ahora tiene un hijo –repuso Willibald–, alabado sea Dios, un niño precioso llamado Eduardo.

–Si yo fuera Alfredo –respondí–, también la mantendría ocupada.

Willibald sonrió.

–¿Vendréis entonces?

Con una mano acogí a Brida, que se había sentado a mi lado.

–Iremos –le prometí, y Willibald sacudió la cabeza ante mi obstinación, pero no intentó convencerme para que abandonara a Brida.

¿Por qué fui? Sin duda porque estaba aburrido. Porque a mi primo Æthelred no le gustaba un pelo. Porque las palabras de Willibald sugerían que Alfredo no me quería convertir en erudito, sino en guerrero. Fui porque el destino determina nuestras vidas.

Partimos por la mañana. Era un día de finales de verano, una fina llovizna bañaba los árboles cargados de hojas. Al principio cabalgamos por entre los campos de Æthelred, rebosantes de cebada y centeno, y sonoros, por el canto sincopado de los bitores, pero unos cuantos kilómetros más tarde llegamos al erial formado por la región fronteriza entre Wessex y Mercia. Hubo un tiempo en que aquellos campos habían sido fértiles, cuando los pueblos estaban llenos y las ovejas pastaban por las altas colinas, pero los daneses saquearon la región el verano anterior a su derrota en la colina de Æsc, y pocos hombres habían regresado para volver a cultivar la tierra. Alfredo, bien lo sabía, quería que la gente poblara la zona, cultivara y criara ganado; pero los daneses habían amenazado con matar a cualquier hombre que ocupara la tierra, pues sabían tan bien como Alfredo que dichos hombres buscarían protección en Wessex, que se convertirían en sajones del oeste y aumentarían la fuerza de la nación, y Wessex, en opinión de los daneses, existía sólo porque no habían sido capaces de conquistarlo.

Con todo, la tierra no estaba totalmente desierta. Unas cuantas personas seguían viviendo en los pueblos, y los bosques estaban llenos de forajidos. Ninguno nos salió al paso, hecho que supuso una alegría, porque aún conservábamos una buena parte del tesoro de Ragnar, que llevaba Brida. Cada una de las monedas iba envuelta en un pedazo de trapo, de modo que la ajada bolsa de cuero no tintineara cuando ella se movía.

Hacia el final del día, bastante al sur de aquella región, llegamos a tierras de Wessex, y los campos volvieron a ser frondosos y las poblaciones animadas. No era de extrañar que los daneses anhelaran aquella tierra.

Alfredo residía en Wintanceaster, la capital de Wessex y una hermosa ciudad en un territorio rico. Wintanceaster era una ciudad romana, y el palacio de Alfredo, en sus tres cuartas partes, también romano, aunque su padre había añadido un salón extra con vigas primorosamente talladas, y Alfredo parecía muy ocupado construyendo una iglesia aún más grande que el salón, con muros de piedra recubiertos por una telaraña de andamios cuando llegué. Un mercado se destacaba junto al nuevo edificio y recuerdo haber pensado qué raro era ver tanta gente y ningún danés. Los daneses eran muy parecidos a nosotros, pero en el norte de Inglaterra, cuando un danés paseaba por un mercado, la gente se apartaba, los hombres se inclinaban y se apreciaba el sentimiento de miedo. Allí no había nada de eso. Las mujeres regateaban por las manzanas, el pan, el queso y el pescado, y el único idioma que se escuchaba era el tosco acento de Wessex.

Brida y yo fuimos alojados en las dependencias romanas del palacio. Esta vez nadie intentó separarnos. Teníamos una pequeña habitación, encalada, con un colchón de paja, y Willibald dijo que deberíamos esperar allí, y así lo hicimos hasta que nos aburrimos de esperar, momento en que decidimos explorar el palacio, encontrándolo lleno de curas y monjes. Nos miraban de manera extraña, pues ambos llevábamos brazaletes con runas danesas. En aquellos días yo era un insensato, un insensato torpón, y no tuve la deferencia de quitarme los brazaletes. Cierto que algunos ingleses también los llevaban, especialmente los guerreros, pero nunca en el castillo de Alfredo. Había muchos guerreros en su casa, muchos de ellos grandes señores cortesanos de Alfredo que dirigían a sus vasallos y eran recompensados con tierras, pero dichos hombres se hallaban en inferioridad numérica frente a los curas, y sólo un puñado selecto, la guardia personal del rey, podía llevar armas en palacio. Lo cierto es que más parecía un monasterio que la corte de un rey. En una de las salas aparecían doce monjes copiando libros, trabajando afanosamente con las plumas, y había tres capillas, una junto a un patio lleno de flores. Era precioso aquel patio, confomaba un denso ambiente de flores en el que zumbaban las abejas. Y precisamente cuando *Nihtgenga* se meaba uno de los arbustos en flor, una voz habló detrás de nosotros.

–El patio es obra romana.

Me di la vuelta y vi a Alfredo. Hinqué una rodilla en el suelo, como debe hacer un hombre en presencia de su rey, y él me indicó que me levantara. Vestía calzones de lana, botas altas y una camisa de lino sencilla, y no llevaba escolta, ni guardias ni curas. Tenía la manga derecha manchada de tinta.

–Bienvenido, Uhtred –dijo.

–Gracias, señor –respondí, preguntándome dónde andaría su cortejo. Jamás lo había visto sin una cuadrilla de curas a distancia aduladora, pero aquel día estaba bastante solo.

–Y Brida –añadió–. ¿Tu perro?

–Pues sí –respondí desafiante.

–Parece un buen animal. Venid. –Y nos condujo por una puerta a lo que evidentemente era su estancia privada. Poseía un alto escritorio en el que podía escribir de pie. En ese escritorio había cuatro candeleros, aunque era de día y las velas no estaban encendidas. Como elemento auxiliar, se destacaba una mesita con un cuenco de agua para que pudiera lavarse la tinta de las manos. Una cama baja cubierta con pieles de oveja, un taburete sobre el que estaban apilados seis libros y un buen haz de pergaminos, así como un pequeño altar en el que se apreciaba un crucifijo de marfil y dos relicarios enjoyados. En el alféizar de una ventana se veían restos de comida. Apartó los platos, se arrodilló para besar el altar, se sentó en el alféizar y empezó a afilar unas plumas–. Muy amable por vuestra parte haber venido –dijo gentilmente–, quería hablar con vosotros después de la cena de esta noche, pero os he visto en el jardín, así que podemos hablar ahora. –Sonrió y, patán como yo era, le puse ceño. Brida se hallaba en cuclillas junto a la puerta, con *Nihtgenga* a su lado–. Me cuenta el *ealdorman* Æthelred que eres un guerrero temible, Uhtred –comentó Alfredo.

–He tenido suerte, señor.

–La suerte es buena, o eso me dicen mis guerreros. Aún no he meditado sobre una teología de la suerte, y puede que nunca lo haga. ¿Puede haber suerte si Dios dispone? –Frunció el ceño por unos instantes, claramente enfrascado en la aparente contradicción, pero después dejó de lado el problema como un entretenimiento para otro día–. Supongo que estaba equivocado al intentar animarte en el duro camino del sacerdocio.

–No hay nada de malo en animar, señor –respondí–, pero no tengo ningún deseo de ser sacerdote.

–Así que huiste de mí. ¿Por qué?

Supongo que esperaba que me mostrara avergonzado y evitara su pregunta, pero yo le dije la verdad.

–Volví a por mi espada –le dije. Ojalá hubiera tenido a *Hálito-de-serpiente* en aquel momento, porque detestaba ir sin ella, pero el guardia de la puerta de palacio había insistido en que entregara todas mis armas, incluso el pequeño cuchillo que usaba para comer.

Asintió con rostro serio, como si fuera un motivo válido.

–¿Es una espada especial?

–La mejor del mundo, señor.

Me sonrió, al reconocer el generoso entusiasmo de la juventud.

–Así que volviste con el *jarl* Ragnar.

Esta vez asentí, pero sin decir nada.

–Que no te tenía prisionero, Uhtred –prosiguió severo–. De hecho, nunca lo fuiste, ¿no es cierto? Te trataba como a un hijo.

–Lo quería mucho –respondí, de la forma más espontánea y natural.

Se me quedó mirando y yo me sentí incómodo. Tenía los ojos muy claros y daba la sensación de que me juzgaba.

–Aun así, en Eoferwic –prosiguió Alfredo con suavidad–, dicen que tú lo mataste.

Entonces llegó mi turno de horadarlo con la mirada. Me sentía furioso, confuso, perplejo y sorprendido, tan confundido que no supe qué contestar. ¿Pero por qué estaba tan sorprendido? ¿Qué otra cosa iba a decir Kjartan? Aunque yo pensaba que Kjartan me creía muerto.

–Es mentira –dijo Brida sin más.

–¿Sí? –me preguntó Alfredo con el mismo tono suave.

–Es mentira –respondí furioso.

–Jamás lo he dudado –respondió. Dejó las plumas y el cuchillo para inclinarse sobre el montón de pergaminos tiesos encima de los libros, y rebuscó entre ellos hasta encontrar el que buscaba–. ¿Kjartan? ¿Se pronuncia así?

–Kjartan –le corregí, e hice sonar la «j» como una «y».

–El *jarl* Kjartan, ahora –prosiguió Alfredo–, considerado un gran señor. Propietario de cuatro barcos.

–¿Todo eso está ahí escrito? –pregunté.

–Todo lo que descubro de mis enemigos está escrito –dijo Alfredo–, motivo por el cual tú estás aquí. Para contarme más cosas. ¿Sabías que Ivar Saco de Huesos ha muerto?

Me llevé instintivamente la mano al martillo de Thor, que llevaba debajo de la camisa.

–No. ¿Muerto? –Me quedé perplejo. Era tan profundo mi respeto por Ivar que casi le creía eterno, pero Alfredo decía la verdad. Ivar Saco de Huesos había muerto.

–Murió luchando contra los irlandeses –prosiguió Alfredo–, y el hijo de Ragnar ha regresado a Northumbria con sus hombres. ¿Se enfrentará a Kjartan?

–Si sabe que Kjartan mató a su padre –respondí–, le sacará las tripas.

–El *jarl* Kjartan ha jurado formalmente su inocencia en el asunto –continuó el rey.

–Miente como el bellaco que es.

–Es danés –prosiguió Alfredo–, y la verdad no florece entre ellos. –Me miró con desaprobación, sin duda por el cúmulo de mentiras que le había hecho creer durante todos aquellos años. Después se puso en pie y empezó a pasear por la pequeña sala. Me había dicho que estaba allí para hablarle de los daneses, pero durante los minutos siguientes fue él quien compartió información conmigo. Nos contó que el rey Burghred de Mercia estaba cansado de sus señores daneses y que había decidido huir a Roma.

–¿A Roma?

–A mí me llevaron en dos ocasiones cuando era niño –continuó–, y recuerdo la ciudad como un lugar muy sucio –eso lo dijo con un tono muy severo–, pero allí el hombre se siente cercano a Dios, así que es un buen lugar para rezar. Burghred es un hombre débil, pero nada hizo por aliviarnos de la pesada carga danesa, y en cuanto se marche, podemos suponer que los daneses ocuparán sus tierras. Llegarán a nuestra frontera. Estarán en Cirrenceastre. –Me miró–. Kjartan sabe que estás vivo.

–¿En serio?

–Claro que lo sabe. Los daneses tienen espías, como nosotros. –Y los espías de Alfredo, de eso me daba cuenta, debían de ser eficientes, porque él sabía muchas cosas–. ¿Acaso le importa a Kjartan que sigas vivo? –prosiguió–. Si cuentas la verdad sobre la muerte de Ragnar, Uhtred, vaya si le importa, porque puedes contradecir sus mentiras, y si Ragnar se entera de la verdad Kjartan tendrá buenos motivos para temer por su vida. Por lo tanto, a Kjartan le conviene eliminarte. Te lo digo sólo para que puedas replantearte el hecho de volver a Cirrenceastre donde los daneses tienen... –se detuvo un instante– influencia. Estarás más seguro en Wessex, ¿pero cuánto durará Wessex? –Evidentemente no esperaba respuesta y siguió paseando–. Ubba ha enviado hombres a Mercia, lo cual sugiere que él llegará detrás. ¿Has visto a Ubba?

–Muchas veces.

–Háblame de él.

Le conté cuanto sabía, le dije que era un gran guerrero, aunque muy supersticioso, y eso intrigó a Alfredo, que quiso saberlo todo sobre Storri el hechicero y las runas, y yo le conté que Ubba jamás peleaba por el placer de la batalla, sólo cuando las runas indicaban que podía ganar, y que en cuanto se enfrascaba en la pelea lo hacía con una fiereza tremenda. Alfredo lo apuntó todo, después me preguntó si conocía a Halfdan, el hermano pequeño, y yo le dije que sí, aunque poco.

–Halfdan está hablando de vengar a Ivar –comentó Alfredo–, así que es posible que no vuelva a Wessex. O por lo menos no demasiado pronto. Pero aunque Halfdan se marche a Irlanda, quedan paganos de sobra para atacarnos. –Entonces me contó que se había adelantado a un ataque aquel año, pero los daneses estaban desorganizados y no confiaba en que aquello durara mucho más–. Vendrán el año que viene –dijo–, y creo que los comandará Ubba.

–O Guthrum –dije.

–No me he olvidado de él. Ahora está en Anglia Oriental. –Le echó una mirada de desaprobación a Brida, al recordar sus historias sobre Edmundo. Brida, escasamente preocupada, le devolvió la mirada con los ojos entornados. Él volvió a mirarme a mí–. ¿Qué sabes de Guthrum?

De nuevo hablé y él apuntó. Le intrigaba la costilla en la melena de Guthrum, y se estremeció cuando le repetí la obsesión del danés por matar a todos los ingleses.

–Una tarea mucho más difícil de lo que cree –repuso Alfredo con sequedad. Dejó la pluma y empezó a pasear otra vez–. Hay distintos tipos de hombres –dijo–, y algunos son más temibles que otros. Yo temía a Ivar Saco de Huesos porque era frío y pensaba de manera calculadora. ¿A Ubba? No sé, pero sospecho que es peligroso. ¿Halfdan? Un insensato valiente, pero con la cabeza llena de serrín. ¿Guthrum? Es el menos temible de todos.

–¿El menos temible? –Dudaba de la afirmación. Guthrum podía ser el Desafortunado, pero era un jefe guerrero importante y comandaba una fuerza enorme.

–Piensa con el corazón, Uhtred –prosiguió Alfredo–, no con la cabeza. Puedes cambiar el corazón de un hombre, pero no su cabeza. –Recuerdo haberme quedado mirando a Alfredo entonces, pensar que soltaba estupideces como un caballo meadas, pero tenía razón. O casi, porque a mí intentó cambiarme sin conseguirlo nunca.

Una abeja se metió por la puerta, *Nihtgenga* intentó atraparla con la boca sin éxito y la abeja volvió a salir volando.

–Pero ¿Guthrum nos atacará? –preguntó Alfredo.

–Quiere dividiros –le dije–. Un ejército por tierra y el otro por mar, y los britanos de Gales.

Alfredo me miró con seriedad.

–¿Cómo sabes eso?

Y entonces le conté la visita de Guthrum a Ragnar, y la larga conversación que presencié. La pluma de Alfredo rasgaba sin cesar, la tinta salpicaba al chocar con las rugosidades del pergamino.

–Lo cual sugiere –hablaba mientras escribía–, que Ubba llegará a Mercia por tierra y Guthrum por mar desde Anglia Oriental. –En eso no acertó, pero en aquel momento parecía probable–. ¿Cuántos barcos puede traer Guthrum?

No tenía ni idea.

–¿Setenta? ¿Cien?

–Muchos más –respondió Alfredo severo–, y yo no puedo construir ni veinte para enfrentarme a ellos. ¿Has navegado, Uhtred?

–Muchas veces.

–¿Con los daneses? –preguntó con pedantería.

–Con los daneses –confirmé.

–Lo que me gustaría que hicieras... –dijo, pero en ese momento sonó una campana en alguna parte del palacio y él detuvo inmediatamente lo que estaba haciendo–. Oraciones –dijo dejando la pluma–, vienes. –No era una pregunta, sino una orden.

–Tengo cosas que hacer –dije, esperé un segundo y añadí–, señor.

Parpadeó sorprendido, pues no estaba acostumbrado a que los hombres se opusieran a sus deseos, especialmente cuando de recitar oraciones se trataba, pero yo mantuve una expresión obstinada y él no forzó la situación. Oímos pasos de sandalias en el pasillo junto a su estancia y él nos despidió mientras se apresuraba a unirse a los monjes que acudían al servicio. Un momento más tarde comenzaron los soporíferos cantos, y Brida y yo abandonamos el palacio. Fuimos a la ciudad, donde descubrimos una taberna en la que vendían cerveza decente. Alfredo no me había ofrecido. La gente de aquel local nos miraba con recelo, en parte porque llevábamos los brazaletes rúnicos y en parte por nuestros extraños acentos, el mío del norte y el de Brida del este, pero pesaron una esquirla de nuestra plata, la consideraron buena, y el ambiente de cautela desapareció cuando entró el padre Beocca, que nos vio y levantó sus manos manchadas de tinta a modo de bienvenida.

–He removido cielo y tierra para encontraros a los dos –dijo–, Alfredo quería veros.

–Alfredo quería rezar –le contesté.

–Le gustaría cenar contigo.

Bebí un poco de cerveza.

–Aunque viva cien años, padre –empecé a decir.

–Rezo para que vivas más que eso –contestó Beocca–, rezo para que vivas tanto como Matusalén.

Me pregunté quién sería ése.

–Aunque viva cien años –repetí–, confío en no tener que volver a comer con Alfredo.

Sacudió la cabeza con tristeza, pero accedió a sentarse con nosotros y tomarse una jarra de cerveza. Alargó la mano, estiró del cordón de cuero escondido bajo mi jubón y sacó el martillo. Chasqueó la lengua.

–Me mentiste, Uhtred –comentó con tristeza–. Cuando huisteis del padre Willibald, investigamos. ¡Jamás fuiste prisionero! ¡Te trataban como a un hijo!

–Sí, padre –confesé.

–¿Pero por qué no viniste con nosotros, entonces? ¿Por qué te quedaste con los daneses?

Sonreí.

–¿Qué habría aprendido aquí? –pregunté. Empezó a responder pero lo detuve–. Me habríais convertido en un escribano, padre –contesté–, y los daneses me han hecho un guerrero. Y necesitaréis guerreros cuando los daneses vuelvan.

Beocca lo entendió, pero seguía triste. Miró a Brida.

–¿Y vos, joven dama? Confío en que no mintierais.

–Yo siempre digo la verdad, padre –repuso con vocecilla–, siempre.

–Eso es bueno –dijo, después volvió a alargar el brazo para esconderme el amuleto–. ¿Eres cristiano, Uhtred? –preguntó.

–Vos mismo me bautizasteis, padre –respondí evasivo.

–No derrotaremos a los daneses a menos que nos mantengamos unidos en la fe –dijo con total honestidad, después sonrió–, ¿pero harás lo que quiere Alfredo?

–No sé qué quiere. Salió corriendo a desgastarse las rodillas antes de decírmelo.

–Quiere que sirvas en uno de los barcos que está construyendo –repuso. Yo me quedé con la boca abierta–. Estamos construyendo barcos, Uhtred –prosiguió Beocca con verdadero entusiasmo–, barcos para enfrentarnos a los daneses, pero nuestros marineros no son guerreros. Son, bueno, ¡marineros! Y pescadores, por supuesto, y comerciantes, pero necesitamos hombres que les enseñen lo que los daneses hacen. Sus barcos asaltan nuestras costas continuamente. Llegan dos barcos, tres, a veces más. Desembarcan, queman, matan, hacen esclavos y desaparecen. Pero con barcos podremos enfrentarnos a ellos. –Se pegó un puñetazo con la mano tonta en la buena que le provocó un gesto de dolor–. Eso es lo que Alfredo quiere.

Miré a Brida, que se limitó a encogerse de hombros como indicando que le parecía que Beocca decía la verdad.

Yo pensé en los dos Æthelred, el viejo y el joven, y en su poca simpatía hacia mí. Recordé la alegría de un barco sobre los mares, del viento rasgando las jarcias, de los remos hundiéndose y volviendo a salir entre destellos de sol, de las canciones de los remeros, del latido del timón, de la furia de la extensa agua verde contra el casco.

–Claro que lo haré –contesté.

–Alabado sea Dios –repuso Beocca. ¿Y por qué no?

* * *

Vi a Etelfleda antes de abandonar Wintanceaster. Tenía tres o cuatro años, creo, y no paraba de hablar. Era de cabellos rubios y dorados. Jugaba en el jardín fuera del estudio de Alfredo y recuerdo que tenía una muñeca de trapo, Alfredo estaba jugando con ella y a Ælswith le preocupaba que la pusiera demasiado nerviosa. Recuerdo su risa. Jamás perdió esa risa. Alfredo se portaba muy bien con ella porque adoraba a sus hijos. La mayoría del tiempo se mostraba solemne, pío y muy autodisciplinado, pero con los niños pequeños era juguetón y casi consiguió gustarme cuando lo vi chinchando a Etelfleda escondiéndole la muñeca detrás de la espalda. También recuerdo que Etelfleda fue corriendo hacia *Nihtgenga* y lo acarició, y Ælswith la llamó.

–Perro cochino –le dijo a su hija–, cogerás pulgas o algo peor. ¡Ven aquí! –Le dirigió a Brida una mirada cargada de amargura, y murmuró–: *¡Scrætte!* –que significa prostituta, y tanto Brida como Alfredo fingieron no oírla. Ælswith me ignoró, pero a mí no me importó en absoluto porque Alfredo había hecho llamar a un siervo de palacio que puso un casco y una cota de malla en la hierba.

–Son para ti, Uhtred –me dijo el rey.

El casco era de hierro, algo abollado en la coronilla por el golpe de un arma, bruñido con arena y vinagre, y con una visera en la que los agujeros para los ojos miraban como las cuencas de un cráneo. La malla era buena, aunque había sido perforada por una lanza o una espada en el lugar donde había estado el corazón del antiguo propietario, pero había sido reparada con habilidad por un experto herrero y valía muchas piezas de plata.

–Obtuvimos ambas piezas en la batalla de la colina de Æsc, las llevaba un danés –me dijo Alfredo. Ælswith nos observaba con mirada desaprobadora.

–Señor –dije y me agaché sobre una rodilla y le besé la mano.

–Un año de servicio –dijo–, es todo lo que te pido.

–Lo tenéis, señor –contesté, y sellé la promesa besándole los nudillos manchados de tinta.

Estaba deslumbrado. Ambas piezas de armadura eran infrecuentes y valiosas, y yo no había hecho nada para merecer tanta generosidad, a menos que comportarse como un grosero merezca concesiones. Eso es lo que significa ser un señor, un dador de brazaletes, y un señor que no distribuye la riqueza es un señor que perderá la lealtad de sus hombres; pero aun así, yo todavía no me había ganado aquellos presentes, aunque los agradecía. Me fascinaron y, por un momento, pensé en Alfredo como un hombre bueno, grande y admirable.

Debería haberlo pensado dos veces. Alfredo, por supuesto, era generoso; a diferencia de su esposa, jamás se mostró quisquilloso con sus regalos, pero, ¿por qué entregar una armadura tan valiosa a un joven novato como yo? Porque le resultaba útil. No demasiado, pero sí algo. Alfredo jugaba en ocasiones al ajedrez, un juego para el que yo tengo poca paciencia, pero en el ajedrez hay piezas de gran valor y piezas de muy poco, y yo era una de ésas. Las piezas de gran valor eran los señores de Mercia que, si podía vincular por vasallaje, prestarían ayuda a Wessex para combatir a los daneses, pero ya estaba buscando más allá de Mercia, en Anglia Oriental y Northumbria, y no tenía ningún señor de Northumbria en el exilio, salvo un servidor, y preveía un tiempo en el que lo necesitaría para convencer a las gentes del norte de aceptar un rey del sur. De haber sido realmente valioso, de haber podido llevarle la lealtad de la gente junto a su frontera, me habría entregado una esposa sajona, pues una mujer de alta cuna es el mejor regalo que un señor puede otorgar, pero un casco y una cota de malla eran suficientes para la lejana idea de Northumbria. Dudo mucho que pensara que iba a entregarle aquel país, pero sí veía que algún día podría resultarle útil en el proceso de dicha entrega, así que me ligó a él y convirtió las ligaduras en aceptables grilletes mediante alabanzas.

–Ninguno de mis hombres ha peleado en un barco –me dijo–, así que tienen que aprender. Puede que seas joven, Uhtred, pero tienes experiencia, lo que significa que sabes más que ellos. Así que ve y enséñales.

¿Yo? ¿Sabía más que sus hombres? Había navegado en la *Víbora del viento,* eso era todo, no había peleado nunca en un barco, aunque no iba a decírselo a Alfredo. Acepté sus regalos y me dirigí al sur, hasta la costa, y así se guardó un peón que en el futuro podía resultar útil. Para Alfredo, claro está, las piezas más valiosas del tablero eran los alfiles, que nosotros llamamos «obispos», los que en teoría rezaban por la expulsión de los daneses, y jamás un obispo pasó hambre en Wessex, pero yo no podía quejarme porque tenía una cota de malla, un casco de hierro y parecía un guerrero. Alfredo nos prestó caballos para el viaje y envió al padre Willibald con nosotros, no como guardián esta vez, sino porque insistía en que las tripulaciones de sus barcos debían contar con un cura que velara por su salud espiritual. Pobre Willibald. Se mareaba como un perro cada vez que remontábamos una ola, pero jamás abandonó sus responsabilidades, especialmente conmigo. Si las oraciones convirtieran a un hombre en cristiano, a estas alturas sería santo diez veces.

El destino lo es todo. Y ahora, en retrospectiva, veo la pauta de mi viaje vital. Comenzó en Bebbanburg y me llevó hacia el sur, cada vez más al sur, hasta que llegué a la otra costa de Inglaterra y no podía seguir bajando sin dejar de oír mi idioma. Ése fue el viaje de mi infancia. Como hombre lo he recorrido en dirección contraria, cada vez más hacia el norte, cargando con espadas, lanzas y hachas para desbrozar el camino hasta el lugar en el que empecé. El destino. Cuento con el favor de las hilanderas, al menos me han librado de la muerte hasta ahora. Y durante un tiempo me convirtieron en marinero.

Recibí la cota de malla y el casco en el año 874, el mismo en que el rey Burghred huyó a Roma y Alfredo esperaba a Guthrum para la primavera siguiente, pero no llegó, ni tampoco en verano, así que Wessex se libró de la invasión en 875. Guthrum debería haber llegado, pero era un hombre cauteloso, siempre esperaba lo peor, y pasó dieciocho meses completos reuniendo al ejército danés más grande que haya visto esta tierra. A su tiempo la hueste de Guthrum llegaría, y cuando lo hizo las tres hilanderas cortaron uno a uno todos los hilos de Inglaterra, hasta que la isla entera quedó colgada de un mechón, pero esa historia debe esperar y sólo la menciono ahora para explicar por qué tuvimos tiempo de prepararnos.

Y fui entregado al *Heahengel* que, horror del cielo, era el nombre del barco. Significa arcángel. No era mío, por supuesto; tenía un capitán llamado Werferth que había guiado una embarcación rechoncha comerciando por el mar antes de que lo convencieran para capitanear el *Heahengel*, y sus guerreros y tripulantes estaban comandados por una vieja y sombría bestia parda llamada Leofric. ¿Y yo? Yo era el último zurullo.

En realidad no me necesitaban. Todas las palabras aduladoras de Alfredo, que si yo iba a enseñar a sus marineros a luchar, y tal y cual, no eran más que eso, palabras. Pero me había convencido de unirme a su flota, y yo le había prometido un año, así que allí estaba, en el estupendo puerto de Hamtun, situado al principio de un largo brazo de mar. Alfredo ordenó construir doce barcos a un carpintero de ribera que había sido remero en una embarcación danesa antes de escapar en Francia y conseguir regresar a Inglaterra. Había pocas cosas que no supiera de batallas navales, y nada que yo pudiera enseñarle a nadie, aunque la batalla naval es cosa bien sencilla. Estrellas el barco contra el del enemigo, armas un muro de escudos y te cargas a la otra tripulación. Pero nuestro carpintero, hombre astuto donde los haya, había ingeniado un barco más grande que proporcionaba a su tripulación una ventaja, porque cabían más hombres y sus bordas, al ser más altas, hacían las veces de muralla; así pues, construyó doce barcos que al principio me parecían raros porque no tenían cabezas de bestias ni en proas ni en popas, aunque todos ostentaban un crucifijo clavado al mástil. La flota completa estaba comandada por el *ealdorman* Hacca, hermano del *ealdorman* del Hamptonscir, y lo único que hizo cuando llegué fue aconsejarme que envolviera mi cota de malla en un saco aceitado para que no se oxidara. Después me entregó a Leofric.

–Enséñame las manos –me ordenó Leofric. Lo hice y me miró con desdén–. Pronto tendrás ampollas, *earsling*.

Ésa era su palabra favorita, *earsling*. Significaba cagarruta. Ése era yo, aunque a veces me llamaba *endwerc*, que significa almorrana, y me hizo remero, uno de los dieciséis de *bæcbord*, que es la parte izquierda del barco mirando hacia la proa. El otro lado se llama *steorbord*, por encontrarse allí el timón. Llevábamos sesenta guerreros a bordo, treinta y dos en cada turno de remos a menos que pudiéramos izar la vela. Werferth iba al timón y Leofric paseaba de arriba abajo gritando como un energúmeno que remáramos más rápido.

Durante todo el otoño y el invierno remamos arriba y abajo del ancho canal de Hamtun y hasta el Solente, que es el mar situado al sur de la isla que llaman Wiht, y batallamos contra el viento y la marea, estrellando el *Heahengel* contra olas pequeñas y frías, hasta que nos convertimos en tripulación y conseguimos hacerlo saltar por el mar. Para mi sorpresa, descubrí que el *Heahengel* era un barco rápido. Pensaba que, al ser mucho más grande, sería más lento que los navíos daneses, pero era rápido, muy rápido, y Leofric lo estaba convirtiendo en un arma letal.

No le gustaba, y aunque me llamaba *earsling* y *endwerc*, no me enfrenté a él porque habría muerto. Era un hombre bajo, amplio, robusto como un buey, con la cara llena de cicatrices, un genio del demonio y una espada tan machacada que se había quedado fina como un cuchillo. Tampoco es que a él le importara, pues prefería el hacha. Sabía que yo era *ealdorman*, pero se la traía al pairo, lo mismo que el hecho de que hubiera servido en un barco danés.

–Lo único que nos pueden enseñar los daneses, *earsling* –me dijo–, es a palmarla.

Yo no le gustaba, pero él a mí sí. Por la noche, cuando llenábamos alguna de las tabernas de Hamtun, me sentaba a su lado a escuchar sus pocas palabras, que solían ser de desprecio, incluso hacia nuestros barcos.

–Doce –rugía–, ¿y cuántos van a traer los daneses?

Nadie respondía.

–¿Doscientos? Y nosotros, ¿qué tenemos, doce?

Brida consiguió enredarlo una noche para que nos contara sus batallas, todas ellas en tierra, y nos habló de la colina de Æsc; de cómo un hombre con un hacha rompió el muro de escudos danés, y estaba claro que el hombre era el propio Leofric; de cómo le había acortado el mango para que fuera más rápida de recuperar tras el golpe, aunque disminuía la fuerza del arma; de cómo el hombre había utilizado su escudo para contener al enemigo de la izquierda, matando primero al de enfrente y después al de la derecha, y luego la había emprendido a hachazo limpio contra las líneas danesas, a las que poco a poco fue esculpiendo. Me vio escucharle y se burló de mí como era habitual.

–¿Has estado en un muro de escudos, *earsling*?

Levanté un dedo.

–Rompió el muro enemigo –intervino Brida. Ella y yo vivíamos en el establo de la taberna y a Leofric le gustaba Brida aunque se negaba a llevarla a bordo porque consideraba que las mujeres traían mala suerte–. Rompió el muro –repitió–. Yo lo vi.

Me echó una ojeada, no muy seguro de si creerla o no. Yo no dije nada.

–¿Contra quién peleabas –preguntó al poco–, monjas?

–Galeses –repuso Brida.

–¡Bueno, galeses! Coño, pero si se matan en nada –dijo, una mentira como una casa, pero que le permitía seguir burlándose de mí, y al día siguiente, durante la práctica de pelea con varas se aseguró de enfrentarse conmigo, y me dio tal tunda que me dejó como un perro apaleado, me abrió una brecha en la cabeza y me dejó confundido–. Yo no soy galés, *earsling* –me dijo. Leofric me gustaba un montón.

El año llegó a su fin. Cumplí dieciocho años. El Gran Ejército danés no vino, pero sí sus barcos. Los daneses volvían a ser vikingos, y sus barcos dragones llegaron en pequeños grupos para saquear la costa de Wessex, para asaltar, violar, quemar y matar. Pero ese año Alfredo tenía preparados los barcos.

Y nos hicimos a la mar.

CAPÍTULO VIII

Pasamos la primavera, el verano y el otoño del año 875 remando arriba y abajo por la costa sur de Wessex. Fuimos divididos en cuatro flotillas, y Leofric comandaba *Heahengel*, *Ceruphin* y *Cristenlic*, que significan arcángel, querubín y cristiano respectivamente. Alfredo había escogido los nombres. Hacca, que estaba al cargo de la flota completa, navegaba en el *Evangelista*, el cual pronto adquirió reputación de ser un barco gafe, aunque su auténtica desgracia era tener a Hacca a bordo. Era un hombre bastante agradable, generoso con su plata, pero detestaba los barcos, detestaba el mar, y nada deseaba más que ser guerrero en tierra firme, lo que significaba que el *Evangelista* recalaba siempre en Hamtun para sufrir reparaciones.

Pero no el *Heahengel*. Le di a aquel remo hasta que me quedó el cuerpo dolorido y las manos duras como un roble, pero tanto remar me hizo ganar músculo, una barbaridad de músculo. Ahora era grande, grande, alto y fuerte, y de paso arrojado y agresivo. Nada deseaba más que probar el *Heahengel* contra un barco danés, y aun así nuestra primera confrontación fue un auténtico desastre. Bordeábamos Suth Seaxa, una costa maravillosa de recortados acantilados blancos, y *Ceruphin* y *Cristenlic* se habían alejado mar adentro mientras nosotros recorríamos la costa confiando en atraer un barco vikingo que nos persiguiera hasta una emboscada tendida por las otras dos embarcaciones. La trampa funcionó, pero el barco vikingo era mejor que el nuestro. Era más pequeño, mucho más pequeño, y lo perseguimos en contra de la marea, ganándole terreno a cada boga, pero entonces vieron a *Ceruphin* y *Cristenlic* emerger de repente por el sur, con los remos reflejando la luz del sol y las proas espumosas, y el capitán danés hizo virar el barco como una peonza y, con la marea ahora a su favor, se abalanzaron sobre nosotros.

–¡Lánzate hacia él! –le gritó Leofric a Werferth, que iba al timón, pero Werferth dio la vuelta, pues quería evitar la colisión y yo vi los remos del barco danés meterse en sus agujeros a medida que se acercaba por estribor, y romper uno a uno los nuestros. El impacto lanzó los asidores con tanta fuerza contra nuestros remeros que sumamos unas cuantas costillas rotas. Entonces los arqueros daneses, cuatro o cinco en total, empezaron a lanzar flechas. Una se clavó en el cuello de Werferth y el puente del timón se anegó de sangre, mientras Leofric aullaba preso de la rabia y la impotencia y los daneses, con los remos otra vez fuera, salían a toda prisa aprovechando la rápida bajamar. Se burlaban mientras nos bamboleábamos sobre las olas.

–¿Sabes pilotar un barco, *earsling*? –me preguntó Leofric mientras apartaba a un Werferth moribundo del timón.

–Sí.

–Pues lleva éste. –Regresamos a casa a trompicones, apenas con la mitad de los remos, y aprendimos dos lecciones: una era portar siempre remos de reserva, y la otra llevar arqueros. Por desgracia el *ealdorman* Freola, que comandaba el *fyrd* del Hamptonscir, dijo que no podía prescindir de ningún arquero, que ya tenía pocos, que los barcos se habían llevado demasiados guerreros suyos, y que además no los necesitaríamos. Hacca, su hermano, nos dijo que no diéramos más la lata.

–Arrojad lanzas –le aconsejó a Leofric.

–Quiero arqueros –insistió Leofric.

–¡Pues no los hay! –concluyó Hacca abriendo mucho las manos.

El padre Willibald quería escribir una carta a Alfredo.

–A mí me escuchará –dijo.

–Le escribís, y ¿luego qué pasará? –comentó Leofric con amargura.

–¡Nos enviará arqueros, por supuesto! –repuso el padre Willibald animoso.

–La carta –dijo Leofric–, llega a sus putos secretarios, que son todos curas, y la ponen en una pila, y la pila se lee lentamente, y cuando al final Alfredo la ve, quiere consejo, y acuden dos putos obispos a opinar, y Alfredo escribe la respuesta y dice que quiere saber más, y para entonces nos plantamos en la Candelaria y estamos todos muertos con la espalda llena de flechas danesas. –Miró con odio a Willibald, y a mí Leofric empezó a gustarme aún más. Me vio sonreír–. ¿Qué resulta tan gracioso, *endwerc*? –me preguntó.

–Yo te puedo conseguir arqueros –dije.

–¿Cómo?

Empleando una de las monedas de oro de Ragnar, que mostramos en la plaza del mercado y aseguramos ser de oro, con su extraña escritura, y que iría a parar al mejor arquero que ganara una competición que tendría lugar de allí a una semana. Aquella moneda valía más de lo que la mayoría de los hombres podía ganar en un año, y Leofric quería saber cómo la había conseguido, pero me negué a decírselo. Lo que hice fue plantar dianas, y corrió la voz de que se podía conseguir rico oro con flechas baratas, y se presentaron más de cuarenta hombres para probar su habilidad. Nos limitamos a embarcar a los doce mejores en el *Heahengel* y otros diez en el *Ceruphin* y el *Cristenlic*, después zarpamos. Nuestros doce protestaron, claro, pero Leofric les pegó cuatro gritos y todos decidieron al punto que nada deseaban más que navegar por la costa de Wessex con él.

–Para algo que ha salido chorreando del culo de una cabra –me dijo Leofric–, no eres del todo inútil.

–Habrá problemas cuando volvamos –le avisé.

–Pues claro que habrá problemas –coincidió–, problemas con la comarca, con el *ealdorman,* con el obispo y con toda la puta población. –De repente estalló en carcajadas, algo muy poco frecuente–. Así que primero vamos a matar unos cuantos daneses.

Eso hicimos. Y por casualidad topamos con el mismo barco que nos había puesto en ridículo. Intentó la misma maniobra que la vez anterior, pero en esta ocasión yo le lancé el *Heahengel* encima, nuestra proa se estampó contra su aleta y los doce arqueros ya estaban disparando flechas sobre la tripulación. *El Heahengel* había asaltado al otro barco, casi lo había hundido dejándolo inmóvil, y Leofric capitaneó una carga por la proa. La sentina vikinga empezó a teñir el agua de sangre. Dos de nuestros hombres consiguieron atar los dos barcos juntos, lo cual significaba que podía abandonar el timón, y sin molestarme en ponerme la cota o el casco, abordé al vikingo con *Hálito-de-serpiente* y me uní a la lucha. Los escudos entrechocaban en el ancho puente, las lanzas rasgaban, las espadas y las hachas giraban en molinetes, las flechas volaban por encima, los hombres gritaban, morían, la furia de la batalla, la alegría de la canción de la espada, y todo terminó antes de que el *Ceruphin* o el *Cristenlic* tuvieran tiempo de llegar.

Me encantaba. Ser joven, fuerte, poseer una buena espada y sobrevivir. La tripulación danesa estaba compuesta de cuarenta y seis hombres, y todos murieron menos uno, que se salvó porque Leofric aulló para que hiciéramos un prisionero. Tres de nuestros hombres perecieron, y seis recibieron heridas muy feas y fallecieron antes de que los lleváramos a tierra, pero achicamos el barco vikingo y lo remolcamos hasta Hamtun, y en su panza empapada de sangre encontramos un arcón de plata que habían robado del monasterio de Wiht. Leofric entregó una buena cantidad a los arqueros, de modo que, cuando llegamos a la orilla y nos enfrentamos con el alguacil, que exigía prescindir de los arqueros, sólo dos de ellos quisieron marcharse. El resto veía un modo de hacerse rico, así que se quedaron.

El prisionero se llamaba Hroi. Su señor, a quien habíamos matado en la batalla, se llamaba Thurkil y servía a Guthrum, que estaba en Anglia Oriental y se hacía llamar rey de aquel país.

–¿Sigue llevando el hueso en el pelo? –pregunté.

–Sí, señor –repuso Hroi. No me llamaba señor porque fuera *ealdorman*, pues eso no lo sabía. Me llamaba señor porque no quería que lo matara cuando terminara de interrogarlo.

Hroi no pensaba que Guthrum fuera a atacar aquel año.

–Espera a Halfdan –me dijo.

–¿Y dónde está Halfdan?

–En Irlanda, señor.

–¿Vengando a Ivar?

–Sí, señor.

–¿Conoces a Kjartan?

–Conozco a tres hombres con ese nombre, señor.

–Kjartan de Northumbria –dije–, padre de Sven.

–¿Os referís al *jarl* Kjartan?

–¿Ahora se hace llamar *jarl*? –pregunté.

–Sí, señor, sigue en Northumbria.

–¿Y Ragnar? ¿El hijo de Ragnar el Temerario?

–El *jarl* Ragnar está con Guthrum, señor, en Anglia Oriental. Tiene cuatro barcos.

Encadenamos a Hroi y lo enviamos custodiado a Wintanceaster, pues a Alfredo le gustaba hablar con los prisioneros daneses. No sé qué le pasó. Probablemente lo colgarían o le cortarían la cabeza, pues Alfredo no extendía la misericordia cristiana a los piratas paganos.

Y pensé en Ragnar el Joven, ahora el *jarl* Ragnar, y me pregunté si me encontraría con sus barcos en la costa de Wessex, y me pregunté también si Hroi no habría mentido y Guthrum sí invadiría aquel verano. Pensé que lo haría, pues había muchos enfrentamientos en la isla de Gran Bretaña. Los daneses de Mercia habían atacado a los britanos del norte de Gales, nunca descubrí por qué, y había bandas de daneses asaltando la frontera de Wessex. Sospecho que aquellas expediciones estaban destinadas a descubrir las debilidades sajonas antes de que Guthrum lanzara el ataque de su Gran Ejército, pero no vino ningún ejército y, cuando llegó la canícula, Alfredo se sintió lo bastante seguro como para dejar sus fuerzas en el norte de Wessex y venir a visitar la flota.

Su llegada coincidió con las noticias de que siete barcos daneses habían sido avistados cerca de Heilincigae, una isla que quedaba en aguas poco profundas no lejos del este de Hamtun, y las noticias se vieron confirmadas cuando vimos el humo de un poblado saqueado. Sólo teníamos la mitad de los barcos en Hamtun, el resto se había hecho a la mar, y uno de los seis en el puerto, el *Evangelista*, estaba en dique seco porque le estaban limpiando el casco. Hacca no estaba cerca de Hamtun, había ido probablemente a casa de su hermano, y seguro que le dio rabia perderse la visita del rey, pero Alfredo no nos avisó de su llegada, quizá porque quería vernos tal como éramos en lugar de aparecer de la forma más conveniente ante el anuncio de su inspección. En cuanto supo que los daneses estaban cerca de Heilincigae ordenó que nos hiciéramos todos a la mar y subió en el *Heahengel*, con dos de sus guardias y tres curas, uno de ellos Beocca, que se quedó conmigo junto al timón.

–Te has hecho más grande, Uhtred –me dijo, casi como un reproche. Ahora era por lo menos una cabeza más alto que él, y mucho más ancho de pecho.

–Si remarais, padre –le dije tras un breve silencio–, también os haríais más grande.

Dejó escapar una risita.

–No me imagino remando –contestó, después señaló el timón–. ¿Es difícil de llevar? –preguntó.

Le dejé gobernar y le sugerí que virara el barco ligeramente a estribor, y sus ojos bizcos se abrieron de sorpresa cuando intentó empujar el timón y se le resistió el agua.

–Hace falta fuerza –le dije volviendo a coger el timón.

–Eres feliz, ¿no? –parecía una acusación.

–Sí, lo soy.

–No tendrías que serlo –me dijo.

–¿No?

–Alfredo pensaba que esta experiencia te haría más humilde.

Miré al rey, situado en la proa con Leofric, y recordé sus dulces palabras cuando me dijo que tenía algo que enseñar a aquellas tripulaciones, y me di cuenta de que durante todo el tiempo supo que no tenía nada que aportar, y aun así me había dado el casco y la armadura. Supuse que aquello había sido así para que le entregara un año de mi vida y de ese modo Leofric pudiera extirparme a golpes la arrogancia de mi presuntuosa juventud.

–No ha funcionado, ¿eh? –le dije sonriendo.

–Dijo que había que domarte como a un caballo.

–Pero yo no soy un caballo, padre, soy señor de Northumbria. ¿Qué pensaba? ¿Que un año más tarde sería un cristiano manso dispuesto a hacer su voluntad?

–¿Es eso tan malo?

–Muy malo –contesté–. Necesita hombres como Dios manda para luchar contra los daneses, no parásitos que vencen.

Beocca suspiró, y después se persignó porque el pobre padre Willibald estaba alimentando a las gaviotas con su vómito.

–Ya es hora de que te cases, Uhtred –comentó Beocca con severidad.

Me lo quedé mirando perplejo.

–¡De que me case! ¿Por qué decís eso?

–Ya tienes edad –dijo Beocca.

–Y vos –repliqué–, y no estáis casado aún, ¿por qué tendría yo que hacerlo?

–No pierdo la esperanza –respondió Beocca. Pobre hombre, era bizco, estaba paralizado y tenía cara de comadreja enferma, cosa que no lo convertía en ningún favorito de las mujeres–. Pero hay una joven en Defnascir que tendrías que ver –me dijo entusiasmado–. ¡Una dama de muy buena cuna! Una criatura encantadora y –se detuvo, evidentemente a falta de más cualidades de la chica, o porque no podía inventar ninguna nueva– su padre era el alguacil de la comarca, que en paz descanse. Una chica encantadora, Mildrith, se llama. –Me sonrió expectante.

–La hija de un alguacil –dije sin entonación alguna–. ¿El alguacil del rey? ¿El alguacil de la comarca?

–Su padre era alguacil de Defnascir sur –contestó Beocca, despeñando al hombre por la escala social–, pero le dejó propiedades a Mildrith. Un buen pedazo de tierra en Exanceaster.

–La hija de un alguacil –repetí–, ¿no la hija de un *ealdorman*?

–Tiene dieciséis años, creo –dijo Beocca mientras observaba una playa de guijarros pasar al oeste.

–Dieciséis –dije con tono mordaz–, y soltera, lo que indica que tiene la cara como un saco de gusanos.

–Eso apenas importa –replicó molesto.

–Vos no tenéis que dormir con ella –repuse–, y seguro que será muy piadosa.

–Es una devota cristiana, me alegro de decir.

–¿La habéis visto? –pregunté.

–No –admitió–, pero Alfredo ha hablado de ella.

–¿Esto es idea de Alfredo?

–Le gusta ver a sus hombres asentados, que arraiguen en la tierra.

–Yo no soy uno de sus hombres, padre. Yo soy Uhtred de Bebbanburg, y los señores de Bebbanburg no se casan con piadosas zorras de baja alcurnia y con la cara agusanada.

–Tendrías que conocerla –insistió con el ceño fruncido–. El matrimonio es una cosa maravillosa, Uhtred, dispuesto por Dios para nuestra felicidad.

–¿Y vos cómo lo sabéis?

–Es así –insistió débilmente.

–Ya soy feliz –respondí–. Me trajino a Brida y mato daneses. Buscad a otro hombre para Mildrith. ¿Por qué no os casáis vos con ella? Cielo santo, padre, ¡pero si debéis de andar por la treintena! Si no os casáis pronto, moriréis virgen. ¿Sois virgen?

Se sonrojó, pero no respondió porque Leofric se acercaba al puente del timón con cara de muy pocos amigos. Nunca se le veía contento, pero en aquel momento parecía aún más cabreado que de costumbre y supuse que habría discutido con Alfredo, una discusión que claramente había perdido. Alfredo iba tras él, con una serena mirada de indiferencia en su alargado rostro. Dos de sus curas le pisaban los talones, cargando con pergamino, tinta y plumas, y entonces reparé en que estaban tomando notas.

–¿Cuál dirías tú, Uhtred, que es el equipamiento más importante para un barco? –me preguntó Alfredo. Uno de los curas mojó la pluma preparado para mi respuesta, después se tambaleó cuando el barco cogió una ola. Dios sabe qué parecerían las notas de aquel día–. ¿La vela? –me apuntó Alfredo–. ¿Lanzas? ¿Arqueros? ¿Escudos? ¿Remos?

–Cubos –repuse.

–¿Cubos? –me miró con desaprobación, sospechando que me estaba burlando de él.

–Cubos para achicar el agua, señor –repuse y le señalé con la cabeza el casco del *Heahengel*, en el que cuatro hombres recogían agua y la tiraban por la borda, aunque una buena parte caía sobre los remeros–. Lo que en verdad necesitamos, señor, es un calafateado mejor.

–Apuntadlo –indicó Alfredo a los curas, después se puso de puntillas para mirar la tierra llana que había entre nosotros y el lago salado donde se habían avistado los barcos.

–Hace mucho que se habrán marchado –rezongó Leofric.

–Ruego porque no sea así –contestó Alfredo.

–Los daneses no nos esperan –repuso Leofric. Estaba de un humor de perros, hasta el punto de hablarle mal a su rey–. No son imbéciles –prosiguió–, desembarcan, asaltan y se marchan. Habrán zarpado con la marea baja. –La marea acababa de cambiar otra vez y ahora subía en nuestra contra, aunque nunca comprendí muy bien las mareas en las extensas aguas de Hamtun, pues allí había el doble que en el resto de parajes marinos. Las mareas de Hamtun o actuaban según leyes diferentes o se confundían por los canales.

–Los paganos estuvieron aquí al alba –dijo Alfredo.

–Y ahora navegarán a millas de distancia –repuso Leofric. Hablaba con Alfredo como si fuera otro miembro de la tripulación, sin mostrarle ningún respeto, pero Alfredo siempre era paciente con aquel tipo de insolencia. Conocía la valía de Leofric.

Pero Leofric no tenía razón aquel día. Los barcos vikingos no se habían ido, seguían en Heilincigae, los siete, pues habían quedado atrapados por la marea baja. Esperaban a que subiera para volver a flotar, pero llegamos primero al acceder al lago salado por la pequeña entrada que hay desde la orilla norte del Solente. Una vez atravesada, el barco se adentra en un mundo de pantanos, bancos de arena, islas y trampas para peces, no muy distinto a las aguas del Gewæsc. Llevábamos a bordo un hombre que había crecido en aquellas aguas, y él nos guiaba, pero los daneses carecían de dicha pericia y se habían confundido por una hilera de varas, clavadas en la arena con la marea baja para señalar un canal, las cuales fueron movidas deliberadamente con el fin de atraerlos a un bajío de barro en el que ahora estaban atrapados.

Algo espléndido. Los teníamos atrapados como a zorros en una guarida de una sola salida, y todo cuanto teníamos que hacer era anclar en la entrada del lago salado, confiar en que nuestras anclas aguantaran las fuertes corrientes, esperar a que regresaran a flote, y después masacrarlos, pero Alfredo tenía prisa. Quería regresar con sus fuerzas terrestres e insistió en que lo devolviéramos a Hamtun antes del anochecer, así que, en contra del consejo de Leofric, se nos ordenó atacar inmediatamente.

Aquello también era espléndido, pero no podíamos acercarnos al banco de barro directamente porque el canal era estrecho y supondría ir en fila india, así que el primer barco se enfrentaría a siete navíos daneses solo, y tuvimos que remar bastante para llegar a ellos por el sur, lo que significaba que podían escapar por la entrada del lago salado si la marea los devolvía a flote, cosa que podía suceder en cualquier momento, y Leofric murmuró entre dientes que estábamos haciéndolo todo mal para enfrentarnos en una batalla. Se sentía furioso con Alfredo.

Mientras tanto, el rey se mostraba fascinado con los barcos enemigos, que jamás había visto tan de cerca.

–¿Son esas bestias representaciones de sus dioses? –me preguntó, refiriéndose a los bellos mascarones labrados de proas y popas, que alardeaban de sus monstruos, dragones y serpientes.

–No, señor, sólo bestias –contesté. Estaba a su lado, pues había entregado el timón al hombre que conocía aquellas aguas, y le conté al rey que las cabezas labradas podían quitarse para no aterrorizar a los espíritus de la tierra.

–Apunta eso –le ordenó a un cura–. ¿Y las veletas en los mástiles? –me preguntó, mirando la que tenía más cerca, pintada con un águila–, ¿también están concebidas para asustar a los espíritus?

No respondí. Me hallaba absorto mirando los siete barcos sobre la cenagosa joroba del bajío, y reconocí uno: La *Víbora del viento.* La franja de metal de la proa se veía claramente, pero aun así lo habría reconocido. *Víbora del viento,* la preciosa *Víbora del viento,* un barco de ensueño, allí, en Heilincigae.

–¿Uhtred? –me llamó Alfredo.

–Sólo son veletas, señor –respondí. Y si allí estaba la *Víbora del viento,* ¿se hallaría también Ragnar? ¿O es que Kjartan se había quedado el barco y se lo había alquilado a algún capitán?

–Parece que se toman muchas molestias para decorar un barco –comentó Alfredo irritado.

–Los hombres aman sus barcos –le dije–, y luchan por ellos. Se honra aquello por lo que se lucha, señor. Nosotros deberíamos decorar los nuestros. –Hablaba con dureza, pues pensaba que apreciaríamos más nuestros barcos si ostentaran bestias en las proas y tuvieran nombres como es debido del tipo *Derramasangre, Lobo marino* o *Fabricaviudas.* En cambio, el *Heahengel* conducía al *Ceruphin* y al *Cristenlic* por aguas traicioneras, y detrás llevábamos al *Apóstol* y al *Eftwyrd,* que significaba «día del juicio», y era tal vez el que mejor nombre tenía de toda la flota porque envió a más de un danés al abrazo del mar.

Los daneses estaban cavando, trataban de hacer más hondo el inseguro canal y así sacar los barcos, pero a medida que nos íbamos acercando, cayeron en la cuenta de que jamás completarían una tarea tan desproporcionada y regresaron a sus embarcaciones para tomar armadura, cascos, escudos y armas. Yo me puse la cota de malla cuyo forro de cuero apestaba a sudor rancio, me encasqueté el yelmo y me até *Hálito-de-serpiente* a la espalda y *Aguijón-de-avispa* a la cintura. Aquélla no iba a ser una batalla naval, sino terrestre, muro de escudos contra muro de escudos, una matanza en el barro, y los daneses tenían ventaja porque podían apelotonarse en el lugar en que teníamos que desembarcar y venir por nosotros cuando bajáramos, y no me gustaba. Veía que Leofric temía la situación, pero Alfredo parecía bastante tranquilo mientras se ponía el casco.

–Dios está con nosotros –dijo.

–Ya puede estarlo –murmuró Leofric, después levantó la voz para gritarle al timonel–. ¡Mantenlo aquí! –Había que tener habilidad para mantener quieto al *Heahengel* en la corriente, pero ciamos y empezamos a dar vueltas mientras Leofric observaba la orilla. Supuse que estaba esperando a que llegaran las demás naves para poder desembarcar todos juntos, pero había visto una lengua de arena fangosa que sobresalía de la orilla, decidiendo entonces que si varábamos allí el *Heahengel* nuestros primeros hombres en la proa no tendrían que enfrentarse a un muro de escudos compuesto por siete tripulaciones vikingas. La lengua era estrecha, no tendría anchura suficiente más que para tres o cuatro hombres, y una batalla allí podría equilibrar las fuerzas.

–Buen sitio para morir, *earsling* –me dijo, y me condujo hacia delante. Alfredo se apresuró detrás de nosotros–. Esperad –le espetó Leofric a su rey con tanta brutalidad que de hecho Alfredo le obedeció–. ¡Embarranca en la lengua! –le gritó al timonel–, ¡ahora!

Ragnar estaba allí. Vi el ala de águila ondear en su poste, y entonces lo vi a él, tan parecido a su padre que por un momento creía que volvía a ser un chico.

–¿Listo, *earsling*? –me preguntó Leofric. Había reunido a sus seis mejores guerreros, estábamos en la proa, y detrás de nosotros los arqueros se preparaban para disparar flechas contra los daneses que se apresuraban hacia el estrecho banco de arena fangosa. Nos abalanzamos hacia delante en el momento en que la proa del *Heahengel* rascó el fondo–. ¡Ahora! –gritó Leofric, y saltamos al agua, que nos llegaba a la altura de las rodillas, y entonces instintivamente juntamos los escudos, montamos el muro y yo desenvainé *Aguijón* cuando llegaron los primeros daneses.

–¡Matadlos! –gritó Leofric, y yo empujé el escudo hacia delante oyéndose un increíble estrépito de tachones de hierro contra madera de tilo, un hacha salió volando por encima de mi cabeza, pero la detuvo el escudo del hombre que tenía detrás, y yo la emprendí a tajo limpio por debajo del mío, intentando clavar *Aguijón* hacia arriba, pero se me quedó atrapado en un escudo danés. Lo liberé, volví a clavarlo y sentí un dolor en el tobillo cuando un arma rajó agua y bota. La sangre se extendió por el agua, pero seguía en pie, y volví a empujar, olía a los daneses, las gaviotas gritaban por encima de nuestras cabezas, y llegaban más daneses, pero también se nos unían los hombres que iban llegando, algunos metidos en el agua hasta la cintura, y el frente de la batalla era entonces una competición de empujones, porque nadie tenía espacio para desenvainar un arma. Fue una batalla de escudos entre gruñidos y maldiciones, y Leofric, a mi lado, pegó un grito y nosotros hicimos un esfuerzo más, los daneses se retiraron medio paso y nuestras flechas volaron por encima de nuestros cascos, yo hinqué *Aguijón,* sentí cómo rompía cuero o malla, lo retorcí entre la carne, volví a sacarlo, empujé con el escudo, agaché la cabeza, volví a empujar, volví a clavar, fuerza bruta, recios escudos y buen acero, nada más. Un hombre se estaba ahogando, la sangre fluía sobre las ondas que provocaban sus espasmos, y digo yo que estaríamos gritando, pero no lo recuerdo bien. Recuerdo, sí, los empujones, el olor, los gritos de los rostros barbudos, la furia, y entonces *Cristenlic* embistió contra el flanco de la fila danesa, tiró a los hombres al agua, los ahogó, los aplastó, y su tripulación saltó a las pequeñas olas con lanzas, espadas y hachas. Llegó un tercer barco, bajaron más hombres, y yo oí a Alfredo detrás de mí, gritándonos que rompiéramos su fila, que los matáramos. Yo no paraba de clavar *Aguijón* contra los tobillos de un hombre, un tajo detrás de otro, empujaba con el escudo, entonces tropezó y nuestra fila avanzó, y él intentó dirigir un golpe hacia mi ingle, pero Leofric dejó caer su hacha y convirtió el rostro del enemigo en una máscara de sangre y dientes rotos–. ¡Empujad! –chilló Leofric, embestimos contra el enemigo y de repente la fila cedió y empezaron a correr.

No los habíamos vencido. No huían de nuestras espadas y lanzas, retrocedían porque la marea empezaba a levantar los barcos, y corrieron a salvarlos. Salimos corriendo a trompicones detrás, aunque más bien a trompicones iba yo solo, porque el tobillo derecho me sangraba, y seguíamos sin tener suficientes hombres en tierra para derrotar las tripulaciones que subían a toda prisa a los barcos, aunque una dotación, todos hombres valientes, se quedó en la arena para contenernos.

–¿Estás herido, *earsling*? –me preguntó Leofric.

–No es nada.

–Quédate atrás –me ordenó. Estaba haciendo formar a los hombres del *Heahengel* en un muro de escudos, un muro para lanzarse contra la única y valerosa tripulación que quedaba, y Alfredo estaba allí, con una armadura de malla brillante, y los daneses debían de saber que era un gran señor, pero no abandonaron sus barcos por el honor de matarlo. Creo que de haber traído Alfredo el estandarte del dragón, los daneses lo habrían reconocido, se habrían quedado para enfrentarse con nosotros, y bien podrían habernos matado o capturado a Alfredo, pero los daneses procuraban siempre evitar demasiadas bajas y detestaban perder sus preciosos barcos, así que lo único que querían era largarse cuanto antes de aquel lugar. Con tal objeto estaban dispuestos a pagar el precio de un barco para salvar al resto, y aquel barco no era la *Víbora del viento*. Vi cómo la empujaban por el canal, la vi salir de allí hacia atrás, con los remos desalojando más arena que agua, y empecé a correr por encima de las olas, chapoteando, di la vuelta a nuestro muro de escudos y abandoné la batalla a mi derecha mientras le gritaba al barco.

–¡Ragnar! ¡Ragnar! –Las flechas volaban por encima de mi cabeza. Una se me clavó en el escudo, otra me ladeó el casco, y eso me recordó que Ragnar no me reconocería con él puesto, así que bajé *Aguijón* y me descubrí la cabeza–. ¡Ragnar!

Las flechas se detuvieron. Los muros de escudos chocaban uno contra el otro, los hombres morían, la mayoría de los daneses estaba escapando, y el *jarl* Ragnar me miró desde el otro lado de la distancia que se abría entre nosotros, y yo no pude leer la expresión de su rostro, pero había impedido que sus arqueros siguieran disparándome. Entonces se llevó las manos a la boca a modo de altavoz.

–¡Aquí! –gritó–, ¡mañana al anochecer! –Y sus remos mordieron el agua, la *Víbora del viento* viró como una bailarina, las palas levantaron el agua y desapareció.

Recuperé *Aguijón* y regresé para unirme a la batalla, pero ya había terminado. Nuestras tripulaciones masacraron a aquella única dotación danesa, a todos excepto a un puñado de hombres que Alfredo ordenó dejar vivos. El resto conformaba una pila sangrienta en la playa, y los despojamos de armas, armaduras y ropas y dejamos sus cuerpos blancos para las gaviotas. El barco era un navío viejo y lleno de filtraciones que remolcamos hasta Hamtun.

Alfredo se mostraba contento. En realidad había dejado escapar seis barcos, pero fue una victoria de todos modos y las noticias animarían a sus tropas a luchar en el norte. Uno de los curas interrogó a los prisioneros y apuntó sus respuestas en un pergamino. Alfredo les hizo también sus propias preguntas, que el cura tradujo, y cuando averiguó todo cuanto pudo, se me acercó hasta el timón y observó la sangre que teñía el puente bajo mi pie derecho.

–Peleas bien, Uhtred.

–Hemos peleado mal, señor –le dije, y era cierto. Su muro de escudos había aguantado, y si no se hubieran retirado para rescatar los barcos, incluso nos habrían podido hacer retroceder hasta el mar. Yo no había estado muy bien. Hay días en que la espada y el escudo parecen torpes, y el enemigo más rápido, y aquél había sido uno de esos días. Me sentía enojado conmigo mismo.

–Estabas hablando con uno de ellos –me dijo Alfredo con tono acusador–. Te he visto. Hablabas con uno de los paganos.

–Le decía, señor –le conté–, que su madre era una puta, su padre un cagarro del infierno y sus hijos caca de comadreja.

Se estremeció. Alfredo no era ningún cobarde y conocía la ira de la batalla, pero jamás le gustaron los insultos de los hombres. Creo que le habría encantado que la guerra fuera decorosa. Miró hacia atrás del *Heahengel*, cuya estela teñía de rojo el sol poniente.

–El año que me prometiste está a punto de terminar –dijo.

–Cierto, señor.

–Rezo para que te quedes con nosotros.

–Cuando Guthrum llegue, señor –le contesté–, vendrá con una flota que oscurecerá el mar, y nuestra docena de barcos será aplastada. –Pensaba que de eso trataría la discusión con Leofric, de la futilidad de intentar controlar una invasión por mar con doce barcos con mal nombre–. Si me quedo –pregunté–. ¿De qué voy a servir si no nos atrevemos a sacar la flota?

–Lo que dices es cierto –comentó Alfredo, lo cual me indicó que su discusión con Leofric había sido sobre otra cuestión–, pero las tripulaciones también pueden luchar en tierra. Leofric me dice que eres el mejor guerrero que ha visto jamás.

–Eso es porque él no se ha visto, señor.

–Ven a verme cuando llegue la hora –dijo–, y encontraré un lugar para ti.

–Sí, señor –le dije, pero en un tono que sólo reconocía que entendía lo que quería, no que indicara que fuera a obedecerle.

–Pero debes saber una cosa, Uhtred –su voz era severa–, cualquier hombre que comande mis tropas tiene que saber leer y escribir.

Casi me parto de la risa.

–¿Para poder leer los Salmos, señor? –pregunté sarcástico.

–Para poder leer mis órdenes –repuso Alfredo con frialdad–, y enviarme noticias.

–Sí, señor –repetí.

Habían colocado balizas iluminadas en Hamtun para que pudiéramos encontrar el camino de vuelta, y el viento nocturno removía los reflejos líquidos de la luna y las estrellas a medida que nos deslizábamos hasta nuestro embarcadero. Se distinguían luces en la orilla, hogueras, cerveza, comida y risas, y lo mejor de todo: la promesa de ver a Ragnar al día siguiente.

* * *

Ragnar corrió un riesgo enorme, por supuesto, al regresar a Heilincigae, aunque puede que pensara, como de hecho sucedió, que nuestros barcos necesitarían como mínimo un día para recuperarse de la batalla. Había heridos que atender y armas que afilar, así que ninguno de nuestros barcos salió a la mar aquel día.

Brida y yo cabalgamos hasta Hamanfunta, población que vivía de las trampas para anguilas, la pesca y las salinas, y una astilla de plata sirvió para alojar nuestros caballos y para que un pescador nos llevara hasta Heilincigae, donde ya no vivía nadie porque los daneses los habían masacrado a todos. El pescador no estaba dispuesto a esperarnos, demasiado asustado por la cercana noche y los lamentos de los fantasmas de la isla, pero prometió volver a la mañana siguiente.

Brida, *Nihtgenga* y yo recorrimos aquel lugar, pasamos junto a la pila de cadáveres daneses del día anterior que habían sido picoteados por las gaviotas, cerca de las cabañas quemadas en las que la gente había hecho su humilde vida junto al mar y el pantano antes de que llegaran los vikingos, y después, a medida que se ponía el sol, arrastramos vigas chamuscadas hasta la orilla, y yo las prendí con yesca y pedernal. Las llamas ardieron al atardecer y Brida me tocó el brazo al avistar la *Víbora del viento*, recortada contra el cielo oscuro, al pasar por la entrada del lago salado. Los últimos coletazos del día teñían el mar de carmesí y reflejaban los remaches dorados de la bestia de proa.

La observé, pensé en el miedo que dicha visión provocaba en Inglaterra. Dondequiera que hubiera un riachuelo, una bahía o una desembocadura, los hombres temían ver aparecer los barcos daneses. Tenían miedo de las bestias de la proa, de los hombres tras las bestias, y rezaban por librarse de la furia de los hombres del norte. Yo adoraba aquella visión. Adoraba la *Víbora del viento.* Sus remos subían y bajaban, oía los asideros crujir en sus luchaderos forrados de cuero, vi los hombres cubiertos de malla de su proa, y entonces el casco embarrancó en la arena y los remos se detuvieron.

Ragnar apoyó la escalera contra la proa. Todos los barcos daneses cuentan con una pequeña escalera que les permite bajar a la playa, y él bajó los peldaños lentamente y solo. Llevaba cota de malla completa, casco y la espada a un costado, y en cuanto llegó a tierra caminó hasta las pequeñas llamas de nuestra hoguera como un guerrero en busca de venganza. Se detuvo a distancia de lanza y me miró a través de los agujeros negros del yelmo.

–¿Mataste a mi padre? –me preguntó con crudeza.

–Por mi vida –dije–, por Thor –me saqué el amuleto del martillo y lo agarré–, por mi alma –proseguí–, no lo maté.

Se quitó el casco, dio un paso adelante y nos abrazamos.

–Sabía que no habías sido tú –me dijo.

–Fue Kjartan –respondí–, y nosotros lo vimos. –Le contamos toda la historia: que nosotros estábamos en el bosque vigilando el carbón, que nos quedamos aislados de la casa, y que la quemaron y los mataron a todos.

–Si hubiera podido matar a uno solo de ellos –dije–, lo habría hecho, y habría muerto al hacerlo, pero Ravn siempre decía que debía quedar al menos un superviviente para contar la historia.

–¿Qué ha dicho Kjartan? –preguntó Brida.

Ragnar se sentó, y dos de sus hombres trajeron pan, arenques secos, queso y cerveza.

–Kjartan dijo –hablaba con suavidad– que los ingleses se alzaron contra la casa, azuzados por Uhtred, y que él mismo se vengó de los asesinos.

–¿Y le creíste? –le pregunté.

–No –admitió–. Son muchos los hombres que me han contado que lo hizo él, pero ahora es el *jarl* Kjartan, dirige tres veces más hombres que yo.

–¿Y Thyra? –pregunté–. ¿Ella qué dice?

–¿Thyra? –Se me quedó mirando, perplejo.

–Thyra sobrevivió –le conté–. Se la llevó Sven.

Sólo me miraba. No sabía que su hermana estaba viva, y vi la ira apoderarse de su rostro, levantó entonces la mirada a las estrellas y aulló como un lobo.

–Es cierto –intervino Brida–. Dejaron viva a tu hermana.

Ragnar sacó la espada y la clavó en la arena. Puso la mano derecha sobre el acero.

–Aunque sea lo último que haga –juró–, voy a matar a Kjartan, a su hijo y a todos sus seguidores. ¡A todos!

–Te ayudaré –le dije. Me miró desde el otro lado de las llamas–. Quería a tu padre –proseguí–, y él me trató como a un hijo.

–Agradezco tu ayuda, Uhtred –respondió Ragnar formalmente. Limpió la arena de la espada y la volvió a envainar en su funda forrada de borrego–. ¿Te vienes con nosotros?

Me sentí tentado. Incluso me sorprendió lo tentado que me sentía. Quería irme con Ragnar, quería la vida que había vivido con su padre, pero el destino nos gobierna. Le había jurado fidelidad a Alfredo durante unas cuantas semanas más, y había luchado junto a Leofric durante todos aquellos meses, y luchar junto a otro hombre en un muro de escudos crea lazos de afecto muy profundos.

–No puedo ir –dije, y deseé haber podido decir lo contrario.

–Yo sí –dijo Brida, y en cierto modo no me sorprendió. No le gustaba nada que la dejáramos en Hamtun cuando salíamos a patrullar la costa, se sentía atada e inútil, no requerida, y creo que añoraba la vida danesa. Detestaba Wessex. Detestaba a sus curas, su desaprobación y la negación de todo cuanto era alegre.

–Eres testigo de la muerte de mi padre –le dijo Ragnar, aún en tono formal.

–Lo soy.

–Te doy la bienvenida –dijo, y me volvió a mirar.

Sacudí la cabeza.

–Por el momento le he jurado lealtad a Alfredo. En invierno estaré libre de ese juramento.

–Pues ven con nosotros en invierno –me dijo Ragnar–, subiremos a Dunholm.

–¿Dunholm?

–Ahora es la fortaleza de Kjartan. Ricsig le deja vivir allí.

Pensé en el señorío de Dunholm, erguido sobre su elevado peñasco, envuelto por el río, protegido por su roca maciza, las altas murallas y una fuerte guarnición.

–¿Y si Kjartan marcha sobre Wessex? –pregunté.

Ragnar sacudió la cabeza.

–No lo hará, porque no va donde estoy yo, así que tendré que ir yo a buscarle.

–¿Te teme, entonces?

Ragnar sonrió, y si Kjartan hubiera visto aquella sonrisa se habría estremecido.

–Me teme –repuso Ragnar–. He oído que envió hombres a matarme a Irlanda, pero su barco terminó a la deriva y los *skraeling* despacharon a la tripulación, así que vive en el miedo. Niega la muerte de mi padre, pero me sigue temiendo.

–Una última cosa –dije, y le hice un gesto a Brida con la cabeza para que sacara la bolsa de cuero, con el oro, azabache y plata–. Era de tu padre –dije–, y Kjartan jamás lo encontró. Nosotros sí, y hemos gastado una parte, pero lo que queda es tuyo. –Le tendí la bolsa y al instante me convertí en pobre.

Me la devolvió sin pensárselo dos veces, volviéndome a hacer rico.

–Mi padre también te quería –dijo–, y yo tengo riquezas suficientes.

Comimos, bebimos, dormimos, y al alba, cuando se levantó una ligera neblina por entre los juncos, la *Víbora del viento* se marchó. Las últimas palabras de Ragnar fueron una pregunta.

–¿Thyra está viva?

–Sobrevivió –contesté–, así que supongo que está viva.

Nos abrazamos, se marcharon y yo me quedé solo.

Lloré por Brida. Me sentía dolido. Era demasiado joven para saber cómo tomarme un abandono. Durante la noche traté de convencerla para que se quedara, pero era dueña de una voluntad tan férrea como el metal de Ealdwulf, y se marchó con Ragnar en la neblina del alba y yo me quedé llorando. En aquel momento odié a las tres hilanderas, siempre tramando crueles chanzas en sus vulnerables hebras, y entonces el pescador regresó y me llevó de vuelta a casa.

* * *

Las tormentas de otoño azotaron las costas y la flota de Alfredo quedó a buen recaudo durante el invierno, arrastrada a tierra por caballos y bueyes, y Leofric y yo cabalgamos hasta Wintanceaster sólo para descubrir que Alfredo estaba en sus propiedades de Cippanhamm. El guardia de la puerta nos permitió la entrada en el palacio de Wintanceaster, ya fuera porque me reconoció o porque le aterrorizó Leofric, y dormimos allí, pero el sitio seguía infestado de monjes a pesar de la ausencia de Alfredo, así que pasamos el día en una taberna cercana.

–¿Y qué vas a hacer, *earsling*? –me preguntó Leofric–. ¿Renovarás tu juramento con Alfredo?

–No lo sé.

–No lo sabes –repitió sarcástico–. ¿Se ha llevado Brida tu decisión?

–Podría volver con los daneses –dije.

–Eso me daría la oportunidad de matarte –comentó alegremente.

–O quedarme con Alfredo.

–¿Y por qué no haces eso?

–Porque él no me gusta –contesté.

–No tiene que gustarte. Es tu rey.

–No es mi rey –dije–. Yo soy de Northumbria.

–Vaya que sí, *earsling*, vaya que sí. Un *ealdorman* de Northumbria, ¿eh?

Asentí, pedí más cerveza, partí una hogaza en dos y le tendí un pedazo a Leofric.

–Lo que tendría que hacer –dije–, es volver a Northumbria. Hay un hombre al que tengo que matar.

–¿Una deuda de sangre?

Asentí de nuevo.

–Hay una cosa que sé de las deudas de sangre –me dijo Leofric–, y es que duran toda la vida. Tienes años de sobra para matarlo, pero sólo si sigues vivo.

–Viviré –contesté a la ligera.

–No, si los daneses toman Wessex no vivirás. O puede que vivas, *earsling*, pero bajo su mandato, su ley y sus espadas. Si quieres ser un hombre libre, quédate y lucha por Wessex.

–¿Por Alfredo?

Leofric se recostó, se desperezó, eructó y bebió un largo trago.

–A mí tampoco me gusta –admitió–, ni me gustaron sus hermanos cuando fueron reyes ni me gustó su padre cuando era rey, pero Alfredo es distinto.

–¿Distinto?

Se dio unos golpecitos en la frente llena de cicatrices.

–El muy cabrón piensa, *earsling*, que es más de lo que tú o yo haremos nunca. Sabe lo que hay que hacer, y no lo subestimes. Puede ser implacable.

–Es rey –repuse–, ha de serlo.

–Implacable, generoso, pío, aburrido, ése es Alfredo. –Leofric hablaba con tono amargado–. Cuando era pequeño su padre le regaló unos guerreros de juguete. Ésos de madera, ¿sabes cuáles te digo? Unas cositas pequeñas. Los ponía en fila y no había uno fuera de sitio, ni uno, ¡ni una mota de polvo en ninguno de ellos! –Parecía que consideraba aquello como algo espantoso, porque fruncía el entrecejo mientras hablaba–. Después, cuando cumplió quince años o así, hizo el animal durante un tiempo. Se cepillaba cualquier sierva de palacio, y no tengo ninguna duda de que las ponía también en fila y se aseguraba de que no tuvieran ni una mota de polvo antes de endiñársela.

–He oído que también tuvo un hijo bastardo –dije.

–Osferth –contestó Leofric, y me sorprendió que lo supiera–, escondido en Winburnan. El muy desgraciado debe de andar por los seis o siete años. Tú no deberías saber que existe.

–Ni tú.

–Se lo hizo a mi hermana –dijo Leofric, y cuando vio la cara que puse, añadió–: No soy el único guapo de la familia, *earsling*. –Sirvió más cerveza–. Eadgyth era sirvienta en palacio y Alfredo aseguró amarla. –Adoptó una expresión de desdén, después se encogió de hombros–. Pero ahora vela por ella. Le da dinero, envía curas para que recen por su alma. Su mujer sabe del pobrecillo bastardo, pero no le deja a Alfredo acercarse a él.

–Odio a Ælswith –dije.

–Una zorra del demonio –coincidió alegremente.

–Y me gustan los daneses –dije.

–¿Te gustan? ¿Entonces por qué los matas?

–Me gustan –dije, haciendo caso omiso de la pregunta–, porque no tienen miedo de la vida.

–No son cristianos, quieres decir.

–No son cristianos –acepté–. ¿Y tú?

Leofric lo pensó durante unos instantes.

–Supongo que sí –admitió a regañadientes–, pero tú no, ¿verdad? –Sacudí la cabeza, le mostré el martillo de Thor y se rió–. ¿Y qué vas a hacer, *earsling*, si vuelves con los paganos? Aparte de saldar la deuda de sangre, claro.

Ésa era una buena pregunta y pensé en ella tanto como me lo permitió la cerveza.

–Serviré a un hombre llamado Ragnar –dije–, como serví a su padre.

–¿Por qué abandonaste al padre?

–Porque lo mataron.

Leofric puso ceño.

–Así que te puedes quedar allí mientras tu señor esté vivo, ¿es eso? Y sin señor no eres nada.

–No soy nada –admití–. Pero quiero estar en Northumbria para recuperar la fortaleza de mi padre.

–¿Ragnar hará eso por ti?

–Podría hacerlo. Su padre lo habría hecho, creo.

–Y si recuperas tu fortaleza –preguntó–, ¿serás el señor? ¿Señor de tu propia tierra? ¿O lo serán los daneses?

–Los daneses.

–Así que te conformas con ser esclavo, ¿eh? Sí, señor, no señor, dejadme que os aguante la polla mientras me meáis encima, señor...

–¿Y qué pasa si me quedo aquí? –pregunté con amargura.

–Comandarás hombres –dijo.

Me reí.

–Alfredo tiene señores de sobra para servirle.

Leofric sacudió la cabeza.

–No. Posee unos cuantos señores guerreros, es cierto, pero necesita más. Se lo dije el día que se nos escaparon aquellos hijos de puta, le dije que me enviara a tierra y me diera hombres. Se negó –descargó un porrazo en la mesa–. Le dije que soy un guerrero como es debido, ¡pero el muy cabrón se negó!

Así que de eso trataba, pensé, la discusión.

–¿Por qué se negó? –le pregunté.

–Porque no sé leer –gruñó Leofric–, ¡y no pienso aprender ahora! Lo intenté una vez, y no entiendo un pijo. Y además no soy señor, ¿no? Ni siquiera soy *thegn*. Sólo soy el hijo de un siervo que resulta que sabe cómo matar a los enemigos del rey, pero eso no basta para Alfredo. Dice que puedo ayudar –pronunció la palabra como si le supiera amarga– a uno de sus *ealdormen*, pero que no puedo comandar hombres porque no sé ni puedo aprender a leer.

–Yo sí puedo –dije, o dijo la bebida.

–Te cuesta mucho entender las cosas, *earsling*–aseguró con una sonrisa–. ¿Pero acaso no eres un puto señor? Tienes que saber leer.

–No, en realidad no sé. Sólo un poco. Palabras cortas.

–¿Pero puedes aprender?

Lo pensé.

–Puedo.

–Y tenemos las tripulaciones de doce barcos en busca de empleo –dijo–. Se los llevamos a Alfredo, le decimos que los comanda el *ealdorman* Cagarruta, y él que te dé un libro, tú te lees todas esas bonitas palabras y después cogemos, tú y yo, y nos llevamos a esos cabrones a la guerra y les hacemos un poquito de pupa a los daneses de tus amores.

No dije ni que sí ni que no, porque no estaba seguro de lo que quería. Me preocupaba estar de acuerdo siempre con lo que dijera el último que pasaba; decidí seguir a Ragnar cuando lo vi, y ahora me seducía la visión del futuro que me dibujaba Leofric. No estaba seguro, así que en lugar de contestar que sí o que no volví al palacio y busqué a Merewenna. Descubrí que, en efecto, era la doncella que había provocado las lágrimas de Alfredo aquella noche en que lo espié en el campamento mercio junto a Snotengaham. Pero, a diferencia de él, yo sí sabía qué quería hacer con ella, y después no lloré en absoluto.

Y al día siguiente, ante la insistencia de Leofric, cabalgamos hasta Cippanhamm.

CAPÍTULO IX

Supongo, si estáis leyendo estas páginas, que habréis aprendido a leer, lo que tal vez signifique que algún monje o cura del demonio os habrá pelado los nudillos a base de golpes, hinchado a collejas o algo peor. Evidentemente, nadie me hizo nada de eso, pues ya no era ningún niño, pero tuve que soportar las burlas mientras me esforzaba con las letras. Me enseñó sobre todo Beocca, siempre quejándose de que lo distraía de su auténtica tarea, que era la redacción de la vida de Swithun, el obispo que había en Wintanceaster cuando Alfredo era pequeño. Otro cura lo traducía al latín, dado que el dominio que Beocca poseía de dicha lengua no bastaba para la tarea, y las páginas iban a ser enviadas a Roma en la esperanza de que santificaran a Swithun. Alfredo se tomó un gran interés en la obra, y se pasaba el tiempo viniendo al estudio de Beocca para preguntarle si sabía que una vez Swithun predicó el Evangelio a una trucha, o le cantó un salmo a una gaviota, y Beocca escribía las anécdotas entusiasmado, y después, cuando Alfredo se marchaba, regresaba a regañadientes a cualquiera que fuera el texto que me obligaba a descifrar.

–Lee en voz alta –decía, y después protestaba con grandes aspavientos–. ¡No, no, no! ¡*Forlithan* tiene que naufragar! Es la vida de san Pablo, Uhtred, ¡y el apóstol naufragó! ¡No es en absoluto esa palabra que tú has leído!

La volví a mirar.

–¿No pone *forlegnis*?

–¡Claro que no! –exclamó y se puso rojo de indignación–. Esa palabra significa... –Se detuvo, al reparar en que no me estaba enseñando inglés, sino a leerlo.

–Prostituta –contesté–, sé lo que significa. Sé hasta lo que cobran. Hay una pelirroja en la taberna de Chad que...

–*Forlithan* –me interrumpió–, la palabra es *forlithan*. Sigue leyendo.

Aquellas semanas fueron raras. Ya era un guerrero, un hombre, y aun así parecía que era otra vez un niño cuando me esforzaba con las letras negras que reptaban por los ajados pergaminos. Aprendía con las vidas de los santos, y al final Beocca no pudo resistirse a dejarme leer parte de su gestante vida de Swithun. Esperaba mis alabanzas, pero yo me aburría.

–¿No podemos buscar algo más interesante? –le pregunté.

–¿Más interesante? –La mirada de Beocca era claramente reprobatoria.

–Algo sobre la guerra –le sugerí–, sobre los daneses. Sobre escudos, lanzas y espadas.

Hizo una mueca.

–¡Me espanta sólo pensar en tales escritos! Hay algunos poemas –volvió a hacer la mueca y decidió no hacerme partícipe de ellos–, pero esto –y le dio unas palmaditas al pergamino–, esto despertará tu inspiración.

–¿Inspiración? ¿Porque Swithun recompuso una vez unos huevos rotos?

–Fue un acto de santidad –me reprendió Beocca–. La mujer era vieja y pobre, los huevos era lo único que tenía para vender, y tropezó y los rompió. ¡Se enfrentaba a morir de hambre! El santo le arregló los huevos y, alabado sea Dios, pudo venderlos.

–¿Pero por qué Swithun no le dio simplemente dinero? –pregunté–, ¿o se la llevó a su casa y le dio de comer?

–¡Es un milagro! –insistió Beocca–, una demostración del poder de Dios.

–Me gustaría ver un milagro –dije recordando la muerte del rey Edmundo.

–Eso es una debilidad en ti –replicó Beocca con severidad–. Debes tener fe. Es fácil creer con milagros, motivo por el que nunca se debe rezar para pedirlos. Es mucho mejor encontrar a Dios a través de la fe que de los milagros.

–¿Entonces para qué están los milagros?

–Oh, sigue leyendo, Uhtred –me contestó el pobre hombre cansado–, por el amor de Dios, sigue leyendo.

Seguí leyendo. Pero la vida en Cippanhamm no era todo lectura. Alfredo salía de caza al menos dos veces por semana, aunque no era el tipo de caza que yo había conocido en el norte. Jamás cazaba jabalíes, prefería disparar con arco a los venados. La presa era conducida hasta el rey por batidores, y si no aparecía pieza pronto se aburría y regresaba con sus libros. Creo que en verdad sólo iba a cazar porque era algo propio de un rey, no porque lo disfrutara; se trataba de una tarea que había que soportar. A mí me encantaba, claro está. Mataba lobos, ciervos, zorros y jabalíes, y fue en una de aquellas cacerías del jabalí cuando conocí a Etelwoldo.

Etelwoldo era el sobrino mayor de Alfredo, el joven que tendría que haber sucedido a su padre, el rey Etelredo, aunque ya no era ningún muchacho, pues tenía sólo un mes menos que yo, y en muchos aspectos se me parecía, salvo que él había sido protegido por su padre y por Alfredo y jamás había matado a un hombre o participado en una batalla. Era alto, robusto, fuerte y tan salvaje como un potro sin domar. Tenía una melena oscura, la cara enjuta de su familia, y ojos poderosos que llamaban la atención de todas las criadas. Cazaba conmigo y con Leofric, bebía con nosotros, venía de putas con nosotros cuando podía escaparse de los curas que le hacían de guardianes, y se quejaba constantemente de su tío, aunque dichas quejas sólo me las transmitía a mí, nunca a Leofric, a quien Etelwoldo temía.

–Robó la corona –dijo una vez Etelwoldo de Alfredo.

–El *witan* consideró que eras demasiado joven –señalé.

–Ahora ya no soy tan joven, ¿verdad? –preguntó indignado–, así que Alfredo debería abdicar en mi favor.

Brindé por la idea con una jarra de cerveza, pero nada dije.

–¡Ni siquiera me deja pelear! –prosiguió Etelwoldo con amargura–. Dice que tengo que ser cura. Si será imbécil, el muy hijo de puta. –Bebió un trago antes de mirarme con seriedad–. Habla con él, Uhtred.

–¿Y qué le voy a decir? ¿Que no quieres ser cura?

–Eso lo sabe. No, dile que pelearé contigo y con Leofric.

Lo pensé durante un rato, después sacudí la cabeza.

–No es una buena idea.

–¿Por qué no?

–Porque –le contesté– tiene miedo de que tu nombre se transforme en leyenda.

Etelwoldo frunció el ceño.

–¿Una leyenda? –preguntó perplejo.

–Si te conviertes en guerrero famoso –le dije, pues sabía que estaba en lo cierto–, los hombres te seguirán. Ya eres príncipe, algo peligroso en sí mismo, y Alfredo no querrá que te conviertas en un famoso príncipe guerrero, ¿verdad?

–Cabrón meapilas –repuso Etelwoldo. Se apartó la larga melena negra de la cara y observó taciturno a Eanflæd, la pelirroja que tenía habitación en la taberna, donde atendía a muchos parroquianos–. Señor, qué guapa es –comentó–. Una vez lo pillaron cepillándose a una monja.

–¿Alfredo? ¿A una monja?

–Eso me contaron. Y siempre andaba detrás de las muchachas. ¡No era capaz de tener abrochados los calzones! Ahora lo controlan los curas. Lo que tendría que hacer –prosiguió con tono amargado–, es rebanarle el pescuezo a ese hijo de puta.

–Cuéntale eso a cualquier otro –le dije–, y te colgarán.

–Podría huir y unirme a los daneses –sugirió.

–Podrías –le contesté–, y serías bien recibido.

–¿Y después, me utilizarían? –preguntó, con lo que demostraba no ser un completo insensato.

Asentí.

–Serías como Egberto o Burghred, o ese nuevo de Mercia.

–Ceolwulf.

–Rey a su servicio –proseguí. Ceolwulf, un *ealdorman* mercio que fue nombrado rey de su país ahora que Burghred se estaba dejando las rodillas en Roma, pero Ceolwulf no era más rey de lo que lo había sido Burghred. Acuñaba moneda, por supuesto, y administraba justicia, pero todos sabían que en su consejo había daneses y que no se atrevía a hacer nada en contra suya–. ¿Es eso lo que quieres? –le pregunté–. ¿Huir con los daneses y serles útil?

Sacudió la cabeza.

–No. –Trazó un dibujo sobre la mesa con la cerveza derramada–. Mejor no hacer nada.

–¿Nada?

–Si no hago nada –dijo con toda sinceridad–, puede que el muy cabrón la palme. ¡Siempre está enfermo! Tampoco puede durar mucho, ¿no? Y su hijo aún está en pañales. ¡Así que si muere, seré rey! ¡Cristo bendito! –La blasfemia fue pronunciada porque acababan de entrar en la taberna dos curas, ambos de su cortejo, y venían en su busca para meterlo en la cama.

Beocca no aprobaba mi amistad con Etelwoldo.

–Es una criatura insensata –me advirtió.

–También lo soy yo, o eso me decís.

–Pues entonces no necesitas más insensatez. Ahora vamos a leer cómo el santo Swithun construyó la puerta este de la ciudad.

Para la Epifanía ya leía tan bien como un niño de doce años despierto, según Beocca, y aquello bastaba, porque Alfredo, después de todo, no me exigía interpretar textos teológicos, sino descifrar sus órdenes en el caso de que algún día decidiera darme alguna, y aquello, por supuesto, era el quid de la cuestión. Leofric y yo queríamos comandar tropas, para cuyo fin yo había soportado las enseñanzas de Beocca y aprendido a apreciar la santa habilidad de Swithun con truchas, gaviotas y huevos rotos, pero la concesión de dichas tropas dependía del rey, y lo cierto es que no había demasiadas que comandar.

El ejército de Wessex constaba de dos partes. La primera y más pequeña estaba compuesta por los propios hombres del rey, sus siervos, que cuidaban de él y su familia. No hacían nada más porque eran guerreros profesionales, pero no eran demasiados, y ni Leofric ni yo queríamos unirnos a la guardia real porque implicaba quedarnos cerca de Alfredo, lo cual, a su vez, implicaba ir a la iglesia.

La segunda parte del ejército, y con mucho la mayor, era el *fyrd*, y ésta, a su vez, estaba dividida entre las comarcas. A cada comarca, bajo su *ealdorman* y alguacil, le correspondía reclutar al *fyrd* que, en teoría, estaba compuesto de todos los hombres capaces dentro de los límites de la comarca. Eso implicaba un gran número de hombres. El Hamptonscir, por ejemplo, podía reunir tranquilamente tres mil hombres en armas, y sólo nueve comarcas en Wessex eran capaces de convocar números similares. Aun así, excepto las tropas que servían a los *ealdormen*, el *fyrd* estaba compuesto en su mayoría por granjeros. Algunos poseían algún tipo de escudo, había bastantes lanzas y hachas, pero las espadas y la armadura escaseaban, y lo que era peor, el *fyrd* siempre se mostraba reacio a ir más allá de las fronteras de la comarca, e incluso más reacio todavía a servir cuando había trabajo que hacer en la granja. En la batalla de la colina de Æsc, la única que los sajones del oeste ganaron contra los daneses, las tropas reales fueron las artífices de la victoria. Divididas entre Alfredo y su hermano constituyeron la punta de lanza de la batalla, mientras el *fyrd*, como era su costumbre, hizo amagos de atacar y sólo se implicó en la batalla cuando los soldados de verdad la habían ganado ya. El *fyrd*, en suma, era tan útil como un agujero en una bota, pero allí precisamente era donde Leofric esperaba encontrar hombres.

Exceptuando a las tripulaciones de los barcos que se emborrachaban en las tabernas de invierno de Hamtun. Ésos eran los hombres que Leofric quería, y para conseguirlos teníamos que convencer a Alfredo de relevar a Hacca de su mando. Por suerte para nosotros, el propio Hacca llegó a Cippanhamm y rogó que lo apartaran de la flota. Rezaba cada día, le dijo a Alfredo, para no volver a ver nunca más el océano.

–Me mareo, señor.

Alfredo siempre se mostraba comprensivo con los hombres enfermos, pues él mismo se encontraba mal a menudo, y ya debía de saber que Hacca no era el comandante adecuado para la flota, pero su problema era sustituirlo. Para cuyo fin convocó a cuatro obispos, dos abades y un cura que le aconsejaran, y supe por Beocca que todos rezaban por el nuevo nombramiento.

–¡Haz algo! –me gruñó Leofric.

–¿Y qué coño quieres que haga?

–¡Tienes amigos entre los curas! Habla con ellos. Habla con Alfredo, *earsling*. –Rara vez me seguía llamando cagarruta, sólo cuando se cabreaba.

–No le gusto –le dije–. Si le pido que nos ponga al mando de la flota se la dará a cualquiera menos a nosotros. Nombrará a un obispo, probablemente.

–¡Mierda! –exclamó Leofric.

Al final, nos solucionó la papeleta Eanflæd. La pelirroja era una criatura bondadosa que sentía un cariño especial por Leofric, y nos oyó discutir, se sentó y estampó una palmada en la mesa para hacernos callar. Nos preguntó el porqué de nuestra pelea. Después se sorbió los mocos, porque estaba resfriada.

–Quiero que esta cagarruta inútil –Leofric me señalaba con el pulgar– sea nombrado comandante de la flota, pero es demasiado joven, demasiado feo, demasiado horrible y demasiado pagano, y Alfredo está demasiado ocupado escuchando a una pandilla de obispos que acabarán nombrando a algún vejestorio coñazo que no distinga la proa de su polla.

–¿Qué obispos? –quiso saber Eanflæd.

–Los de Sciresburnan, Wintanceaster, Winburnan y Exanceaster –le dije.

Sonrió, volvió a sorberse los mocos, y dos días más tarde fui convocado en presencia de Alfredo. Resultó que el obispo de Exanceaster tenía debilidad por las pelirrojas.

Alfredo me recibió en su salón; un bello edificio con vigas, viguetas y una chimenea de piedra en el centro. Sus guardias nos vigilaban desde la puerta, en la que un grupo de peticionarios aguardaba la audiencia real, y una piña de curas rezaba al otro extremo del salón, pero ambos estábamos solos junto a la chimenea, donde Alfredo paseaba de arriba abajo mientras hablaba. Me dijo que estaba considerando mi nombramiento como comandante de la flota. Hizo hincapié en el «considerando». Dios, prosiguió, estaba guiando su elección, pero ahora tenía que hablar conmigo para ver si el consejo de Dios concordaba con su propia intuición. Confiaba mucho en la intuición. Una vez me echó un discursito sobre el ojo interior del hombre, sobre cómo podía conducirnos a una más elevada sabiduría, y me atrevería a decir que estaba en lo cierto, pero nombrar un comandante de la flota no requería de sabiduría mística, sólo había que buscar un luchador salvaje que quisiera matar daneses.

–Dime –prosiguió–, ¿ha fomentado tu fe el hecho de haber aprendido a leer?

–Sí, señor –contesté con fingida sinceridad.

–¿En serio? –Parecía dudarlo.

–La vida de san Swithun –respondí, levantando una mano como para indicar que me había sobrecogido–, ¡y qué historia, la de Chad! –Me quedé callado, como si no se me ocurrieran suficientes alabanzas para aquel peñazo de hombre.

–¡El bendito Chad! –exclamó Alfredo contento–. ¿Sabes que hombres y ganado sanaron gracias al polvo de su cadáver?

–Un milagro, señor –apostillé.

–Me gusta mucho oírtelo decir, Uhtred –comentó Alfredo–, y tu fe me llena de alegría.

–Me produce gran felicidad, señor –respondí, acentuando mi semblante más serio.

–Porque sólo con la fe en Dios derrotaremos a los daneses.

–Desde luego, señor –repuse con tanto entusiasmo como fui capaz de reunir, mientras me preguntaba por qué no me nombraba de una vez comandante y lo dejábamos estar.

Pero se sentía inspirado.

–Recuerdo la primera vez que nos vimos –dijo–, me impresionó tu fe infantil. Fue una revelación para mí, Uhtred.

–Me alegro de ello, señor.

–Y después –se volvió hacia mí frunciendo el ceño–, detecté una pérdida de fe en ti.

–Dios nos pone a prueba, señor –contesté.

–¡Desde luego! ¡Desde luego! –Se estremeció repentinamente. Siempre fue un hombre enfermo. Se desmayó de dolor durante su boda, aunque eso pudo deberse al espanto de saber con qué se estaba casando, pero lo cierto es que tenía tendencia a sufrir ataques de súbita agonía. Eso, me contó, era mejor que su primera enfermedad, la cual consistía en una aflicción llamada *ficus*, que era una auténtica *endwerc*, tan dolorosa y sangrienta que a veces no podía ni sentarse, y en ocasiones volvía a salirle el *ficus*, pero la mayoría de las veces le dolía el estómago–. Dios nos pone a prueba –prosiguió–, y creo que Dios te estaba probando. Quisiera pensar que has superado la prueba.

–Yo creo que sí, señor –le dije con toda gravedad, deseando que aquella ridícula conversación terminara de una vez.

–Pero sigo vacilando en nombrarte comandante –admitió–. ¡Eres joven! Cierto que has dado muestras de tu diligencia aprendiendo a leer, y que eres de noble cuna, pero es más fácil encontrarte en una taberna que en una iglesia, ¿no es verdad?

Eso me puso punto en boca, al menos durante un par de segundos, pero entonces recordé una cosa que me había dicho Beocca en el transcurso de sus interminables lecciones y, sin pensarlo, sin saber siquiera lo que realmente significaban pronuncié las palabras en voz alta:

–«Vino el Hijo del hombre, que come y bebe –dije– y...».

–Decís: «He aquí un hombre glotón y borracho». –Terminó Alfredo la frase–. Tienes razón, Uhtred, razón en reprenderme. ¡Gloria a Dios! Cristo fue acusado de pasarse el tiempo en las tabernas, y yo lo había olvidado. ¡Está en las sagradas escrituras!

Que los dioses me ayuden, pensé. Estaba ebrio de Dios, pero no era ningún imbécil, y ahora se me revolvía como una serpiente.

–Y me cuentan que pasas tiempo con mi sobrino. Dicen que lo distraes de sus lecciones.

Me llevé la mano al corazón.

–Juro, señor –dije–, que no he hecho otra cosa que disuadirlo de cualquier impulso temerario. –Y eso era cierto, o bastante cierto. Jamás había animado a Etelwoldo en sus momentos más enloquecidos en los que imaginaba rebanarle el pescuezo a Alfredo o salir huyendo para unirse con los daneses. Sí que lo animaba a beber, a salir de putas y a la blasfemia, pero nada de eso me parecía temerario–. Os doy mi palabra, señor –dije.

Los juramentos eran poderosos. Todas nuestras leyes se basaban en juramentos. La vida, la lealtad y la obediencia dependían de juramentos, y mi uso de la palabra lo convenció.

–Gracias –contestó con sinceridad–, y debo decirte, Uhtred, que para mi sorpresa el obispo de Exanceaster ha tenido un sueño en el que un mensajero de Dios se le ha aparecido y le ha dicho que debería convertirte en comandante de la flota.

–¿Un mensajero de Dios? –pregunté.

–Un ángel, Uhtred.

–Alabado sea Dios –respondí con gravedad, mientras pensaba en cómo le iba a gustar a Eanflæd saberse ángel.

–Aun así –dijo Alfredo, y volvió a hacer una mueca cuando el dolor le atacó el recto o el estómago–, aun así –repitió, y supe que se me venía encima algo inesperado–, me preocupa que procedas de Northumbria, y tu compromiso con Wessex no nazca del corazón.

–Estoy aquí, señor –le dije.

–¿Pero durante cuánto tiempo?

–Hasta expulsar a los daneses, señor.

No me hizo ni caso.

–Necesito hombres ligados a mí por Dios –dijo–, por Dios, el amor, la obligación, la pasión y la tierra. –Se detuvo, me observó, y supe que el aguijón venía en la última palabra.

–Tengo tierra en Northumbria –dije, con Bebbanburg en mente.

–Tierra de Wessex –dijo–, tierra que poseerás, que defenderás, tierra por la que lucharás.

–Bendito pensamiento –dije, y se me hundió el alma porque empezaba a temerme lo que venía detrás.

Sólo que no vino enseguida. De repente, cambió inesperadamente de tema y se puso a hablar, con gran coherencia, sobre la amenaza danesa. La flota, dijo, había conseguido reducir los asaltos vikingos, pero esperaba que el nuevo año trajera una flota danesa, una demasiado grande como para que se le opusieran nuestros doce barcos.

–No me quiero arriesgar a perder la flota –dijo–, así que dudo mucho que podamos enfrentarnos a ellos por mar. Espero un ejército terrestre de paganos que cruce el Temes y que su flota asalte nuestra costa sur. Puedo contener uno, pero no al otro, así que el trabajo del comandante de la flota consistirá en seguir sus barcos y acosarlos. Distraerlos. Que miren hacia otro lado mientras yo destruyo al ejército de tierra.

Le dije que me parecía buena idea, que probablemente lo era, aunque me preguntaba cómo se suponía que doce barcos iban a distraer a una flota entera, pero ése sería un problema que tendría que esperar hasta que llegara la flota enemiga. Alfredo entonces regresó a la cuestión de la tierra y ése, por supuesto, sería el factor decisivo que me otorgaría o negaría la flota.

–Quiero ligarte a mí, Uhtred –dijo solemnemente.

–Os prestaré juramento, señor –repuse.

–Desde luego que sí –espetó–, pero aun así quiero que pertenezcas a Wessex.

–Un elevado honor, señor –dije. ¿Qué otra cosa podía decir?

–Tienes que ser de Wessex –prosiguió, luego sonrió como si me estuviera haciendo un favor–. Hay una huérfana en Defnascir –continuó diciendo, y aquí llegaba–, una chica que me gustaría ver casada.

No dije nada. ¿De qué sirve protestar cuando la espada ejecutora está ya a mitad de trayectoria?

–Se llama Mildrith, y me es muy querida. Una muchacha piadosa, modesta y fiel. Su padre era el alguacil del *ealdor-*

man Odda, y proporcionará tierras a su marido, buenas tierras, y me gustaría que fueran para un hombre bueno.

Le sonreí y confié en que no pareciera muy forzado.

–Será un hombre afortunado, señor –dije–, el que se case con una chica a la que apreciáis.

–Pues ve a su casa –me mandó–, y cásate con ella –la espada dio de lleno–, y te nombraré comandante de la flota.

–Sí, señor –contesté.

Leofric, por supuesto, se rió como una grajilla loca.

–No está tonto, ¿eh? –me dijo cuando se hubo recuperado–. Te está convirtiendo en sajón del oeste. ¿Y qué sabes de esa tal *Miltewærc*? –*Miltewærc* es una piedra en el bazo.

–Mildrith –le dije–, y es piadosa.

–Claro que es piadosa. No querría que te casaras con ella si fuera una despatarrada.

–Es huérfana –dije–, y tiene unos dieciséis o diecisiete años.

–¡Cristo! ¿Tan vieja? ¡Menuda vacaburra fea tiene que ser! Pero pobre, debe de estar dejándose las rodillas para que la libren de una cagarruta podrida como tú. ¡Pero ése es su destino! Así que vamos a casarte, a ver si por fin podemos matar algún danés.

Era invierno. Habíamos pasado la Navidad en Cippanhamm, y aquello no se parecía en nada a Yule, y ahora nos dirigíamos al sur entre la escarcha, la lluvia y el viento. El padre Willibald nos acompañaba, pues seguía siendo sacerdote de la flota, y mi plan era llegar a Defnascir, hacer la desgracia que tuviera que hacer, y volver directamente a Hamtun para asegurarme de que el trabajo de invierno en los doce barcos estuviera haciéndose como era debido. En invierno es cuando hay que rascar, limpiar, calafatear y asegurar los barcos para la primavera, y pensar en barcos me hizo soñar con los daneses, y con Brida, y me pregunté dónde estaría, qué haría, y si nos volveríamos a ver. Y pensé en Ragnar. ¿Habría encontrado a Thyra? ¿Seguiría vivo Kjartan? Aquél era otro mundo, ahora, y yo sabía que me alejaba de él y para quedar atrapado entre los hilos de la ordenada vida de Alfredo. Intentaba convertirme en sajón del oeste, y casi estaba consiguiéndolo. Había jurado luchar por Wessex y parecía que tenía que casarme también con él, pero seguía aferrándome al antiguo sueño de recuperar Bebbanburg.

Adoraba Bebbanburg, y casi llegué a querer lo mismo a Defnascir. Cuando Thor creó el mundo con el cadáver de Ymir hizo un buen trabajo al conformar Defnascir y la comarca de al lado, Thornsæta. Ambas eran hermosas tierras de suaves colinas y arroyos rápidos, de ricos campos y suelo denso, de elevados brezales y buenas bahías. Se vivía muy bien en ambas comarcas, y habría podido ser muy feliz en Defnascir de no haber amado más Bebbanburg. Bajamos a caballo por el valle del río Uisc, entre los campos de tierra roja bien cuidados, dejamos atrás ricas poblaciones y altas casas hasta llegar a Exanceaster, la principal ciudad de la comarca. Era obra de los romanos, que habían construido una fortaleza sobre la colina, por encima del Uisc, y la habían rodeado con una muralla de sílex, piedra y ladrillo, y la muralla seguía allí. Unos guardias nos abordaron al llegar a la puerta norte.

–Venimos para ver al *ealdorman* Odda –dijo Willibald.

–¿Por qué motivo?

–El del rey –repuso Willibald orgulloso, mostrando con grandes ademanes una carta que llevaba el sello de Alfredo, aunque dudo que los guardias lo reconocieran, pero parecían impresionados y nos dejaron entrar en una ciudad de edificios romanos semiderruidos entre los que se alzaba una iglesia de madera junto a la casa del *ealdorman* Odda.

El *ealdorman* nos hizo esperar, pero al final llegó con su hijo y una docena de vasallos, y uno de sus curas leyó la carta del rey en voz alta. Era la voluntad de Alfredo que Mildrith se casara con su leal mandatario, el *ealdorman* Uhtred, y ordenaba a Odda que preparara una ceremonia con la máxima diligencia posible. A Odda no le gustaron las noticias. Era un hombre mayor, de por lo menos cuarenta años, con el pelo gris y un rostro grotesco debido a unos quistes sebáceos. A su hijo, Odda el Joven, le gustaron aún menos, y puso mala cara al oírlas.

–No es apropiado, padre –se quejó.

–Es el deseo del rey.

–Pero...

–¡Es el deseo del rey!

Odda el Joven se calló. Era más o menos de mi edad, casi diecinueve años, bien plantado, moreno y elegante, con una túnica negra tan limpia como el vestido de una mujer, y rematada en hilo de oro. Un crucifijo de oro pendía de su cuello. Me dirigió una mirada sombría, y debí parecerle sucio por el viaje y hasta harapiento. Después de inspeccionarme y hallarme tan atractivo como un chucho mojado, dio media vuelta y salió del salón a grandes zancadas.

–Mañana por la mañana –anunció Odda con desgana– el obispo os podrá casar. Pero antes tenéis que pagar el precio de la novia.

–¿El precio de la novia? –pregunté. Alfredo no había mencionado nada de aquello, aunque desde luego era la costumbre.

–Treinta y tres chelines –contestó Odda directamente, y lo hizo esbozando una sonrisa.

Treinta y tres chelines era una fortuna. Un botín. El precio de un buen caballo de guerra o de un barco. Me quedé desconcertado, y oí a Leofric ahogar una exclamación detrás de mí.

–¿Eso es lo que dice Alfredo? –quise saber.

–Eso es lo que digo yo –contestó Odda–, porque Mildrith es mi ahijada.

No me extraña que sonriera. El precio era excesivo y dudaba de que yo pudiera pagarlo, y si no podía pagarlo la muchacha no sería mía y, aunque Odda no lo supiera, la flota tampoco sería mía. Ni, por supuesto, el precio eran sólo treinta y tres chelines, o trescientos noventa y seis peniques de plata, era el doble, pues también era la costumbre que el marido entregara a su nueva esposa una suma equivalente después de consumado el matrimonio. Ese segundo obsequio no era en absoluto asunto de Odda, y yo dudaba mucho de que fuera a querer pagarlo, del mismo modo que el *ealdorman* Odda estaba ahora seguro, por mi vacilación, de que no le iba a pagar el precio de la novia, sin el cual no habría contrato matrimonial.

–¿Puedo conocer a la dama? –pregunté.

–Podéis conocer a la dama mañana por la mañana, durante la ceremonia –contestó Odda con firmeza–, pero sólo si pagáis el precio de la novia. De otro modo, no.

Pareció decepcionado cuando abrí mi bolsa y saqué una moneda de oro y treinta y seis peniques de plata. Y más decepcionado todavía al ver que no era la única moneda que poseía, pero ahora estaba atrapado.

–La conoceréis mañana –me dijo–, en la catedral.

–¿Por qué no ahora? –pregunté.

–Porque está recogida rezando sus oraciones –contestó el *ealdorman,* y con eso nos despidió.

Leofric y yo encontramos un lugar donde dormir en una taberna cercana a la catedral, que era la iglesia del obispo, y aquella noche yo me emborraché como una cuba. Me peleé con alguien, no tengo ni idea de con quién, y sólo recuerdo que Leofric, que no estaba tan borracho como yo, nos separó y tumbó a mi contrincante. Después de aquello yo me fui al patio del establo y vomité toda la cerveza que me acababa de beber. Bebí un poco más, dormí mal, me desperté para oír la lluvia sobre el techo del establo y volví a vomitar.

–¿Por qué no nos vamos a Mercia? –le sugerí a Leofric. El rey nos había prestado sus caballos, y a mí no me importaba robarlos.

–¿Y qué hacemos allí?

–¿Buscar hombres? –sugerí–. ¿Pelear?

–No seas burro, *earsling* –me dijo Leofric–. Queremos la flota. Y si no te casas con la vacaburra, no voy a conseguir comandarla.

–La comando yo –dije.

–Pero sólo si te casas, y entonces tú comandarás la flota y yo te comandaré a ti.

El padre Willibald llegó en aquel momento. Había dormido en el monasterio contiguo a la taberna y vino para asegurarse de que estaba listo, así que se alarmó al ver mi estado.

–¿Qué es esa marca que tenéis en la cara?

–Un cabrón que me pegó anoche –contesté–. Estaba borracho. Él también, pero yo lo estaba mucho más. Siga mi consejo, padre, no se meta nunca en peleas borracho como un piojo.

Desayuné más cerveza. Willibald insistió en que me pusiera mi mejor túnica, que no era decir demasiado porque estaba manchada, arrugada y rota. Yo habría preferido llevar la cota de malla, pero Willibald dijo que era inapropiada para una iglesia, y supongo que tenía razón. Le dejé cepillarme e intentar sacar las peores manchas de la lana. Me até el pelo con una cinta de cuero, me abroché *Hálito-de-serpiente* y *Aguijón-de-avispa*, y Willibald volvió a decirme que no debería llevarlas en lugar sagrado, pero yo insistí en ir armado, y entonces, como un hombre condenado, me dirigí a la catedral con Willibald y Leofric.

Llovía a cántaros. El agua rebotaba en las calles, recorría las alcantarillas como si fueran riachuelos, chorreaba desde el tejado de paja de la catedral. Un viento frío y enérgico soplaba del este y encontró todas las grietas en la catedral de madera, de modo que las velas de los altares titilaban, apagándose algunas de ellas. Era una iglesia pequeña, no mucho mayor que la casa quemada de Ragnar, y debía de haber sido construida sobre cimientos romanos, porque el suelo era de losas de piedra encharcadas en ese momento por la lluvia. El obispo ya había llegado, otros dos curas trasteaban con las velas del altar mayor, y entonces llegó el *ealdorman* Odda con mi novia.

Que me echó un vistazo y se echó a llorar.

* * *

¿Qué esperaba? Una mujer que pareciera una vacaburra, supongo, una mujer con la cara picada de viruelas, de expresión amargada y ancas de buey. Nadie espera querer a su esposa, no si se casa por tierras y posición, y yo me estaba casando por las tierras y ella porque no tenía otra elección, y tampoco hay que darle demasiadas vueltas, porque así es como funciona el mundo. Mi trabajo consistía en tomar la tierra, trabajarla, hacer dinero, y el de Mildrith en darme hijos y asegurarse de que hubiera comida y cerveza en mi mesa. Así es el sagrado sacramento del matrimonio.

Yo no quería casarme con ella. Por derecho, como *ealdorman* de Northumbria, podía esperar casarme con una hija de la nobleza, una hija que me aportara mucha más tierra que casi un centenar de fanegas montañosas en Defnascir. Habría podido aspirar a casarme con una hija que aumentara las tierras y el poder de Bebbanburg, pero estaba claro que eso no iba a suceder, así que iba a casarme con una muchacha de baja cuna, que sería conocida como la dama Mildrith y que bien podría haber mostrado algo de gratitud, pero lloró y hasta intentó zafarse del *ealdorman* Odda.

Él quizá simpatizaba con ella, pero había pagado el precio de la novia, así que la llevaron al altar con el obispo, quien había vuelto de Cippanhamm con un buen resfriado para proclamarnos obedientemente marido y mujer.

–Que la bendición de Dios Padre –pronunció–, Dios Hijo y el Espíritu Santo sean con vosotros. –Estuvo a punto de decir amén, pero en cambio se sorbió los mocos ruidosamente.

–Amén –concluyó Willibald. Nadie dijo nada más.

Así que Mildrith era mía.

Odda el Joven nos observaba mientras abandonábamos la iglesia, y probablemente pensó que no lo vi, pero vaya si lo vi, y lo marqué con una cruz pues sabía perfectamente por qué estaba mirando.

La verdad es, siendo yo el primer sorprendido, que Mildrith era deseable. Esa palabra no le hace justicia, pero es muy difícil recordar un rostro de hace tanto tiempo. A veces, en sueños, la veo, y parece real, pero cuando me despierto e intento recordar su cara no lo consigo. Recuerdo que tenía la piel clara y pálida, que su labio superior sobresalía demasiado, que tenía los ojos muy azules y su pelo era del mismo color dorado que el mío. Era alta, algo que no le gustaba nada porque pensaba que la hacía poco femenina, y una expresión nerviosa, como si temiera continuamente el desastre, lo cual puede resultar muy atractivo en una mujer, y confieso que la encontraba atractiva. Eso me sorprendió, de hecho me dejó perplejo, pues una mujer como ella hacía tiempo que tendría que haberse casado. Tenía casi diecisiete años, y a esa edad la mayoría de mujeres ya han dado a luz tres o cuatro veces o han muerto en el intento, pero a medida que cabalgábamos hacia sus posesiones al oeste de la desembocadura del Uisc, escuché parte de su historia. Ella iba tirada por un carro y dos bueyes que Willibald había insistido en cubrir con guirnaldas de flores. Leofric, Willibald y yo cabalgábamos a su lado, y Willibald le iba haciendo preguntas, que ella respondía diligentemente porque era un cura y un hombre amable.

Su padre, dijo, le había dejado tierra y deudas, y las deudas eran mayores que el valor de la tierra. Leofric empezó con las risitas al oír la palabra deudas. Yo no dije nada, empeñado como estaba en seguir mirando al frente.

El problema, nos contó Mildrith, dio comienzo al conceder su padre un diezmo de sus posesiones como *ælmesæcer*, que era la tierra dedicada a la iglesia. La iglesia no la posee, pero tiene derecho a todo lo que la tierra genere, tanto en cosecha como en ganado, y su padre había hecho la concesión, aclaró Mildrith, porque todos sus hijos excepto ella habían muerto, y quería el favor de Dios. Yo sospechaba que lo que en realidad había querido era el favor de Alfredo, pues en Wessex un hombre ambicioso hacía bien en velar por la iglesia si quería que el rey velara por él.

Pero tras los asaltos daneses el ganado había sido sacrificado, la cosecha falló, y la iglesia llevó a su padre ante la ley por no proporcionarle las rentas de la tierra prometidas. Wessex, descubrí, era muy devoto de la ley, y todos los hombres de ley son curas, hasta el último de ellos, lo que significa que la ley es la iglesia, y cuando el padre de Mildrith murió la ley dispuso que le debía a la iglesia una enorme suma de dinero, muy por encima de su capacidad de pago, y Alfredo, que tenía el poder para levantar la deuda, se negó a hacerlo. Lo que significaba que cualquier hombre que se casara con Mildrith se casaba también con la deuda contraída, y ningún hombre se había mostrado inclinado a aceptar la carga, hasta que cayó en la trampa un lerdo de Northumbria como un borracho que se despeña por una colina.

Leofric se desternillaba. Willibald parecía preocupado.

–¿Y a cuánto asciende la deuda? –pregunté.

–A dos mil chelines, señor –repuso Mildrith con una vocecilla.

Leofric por poco se asfixia de la risa, y yo gustoso lo habría asesinado allí mismo.

–¿Y aumenta cada año? –preguntó Willibald.

–Sí –contestó Mildrith, negándose a mirarme a los ojos. Un hombre más sensato habría investigado las circunstancias de Mildrith antes de redactar el contrato matrimonial, pero yo no había visto el matrimonio más que como una ruta abierta hacia la flota. Así que ahora tenía la flota, la deuda, la chica, y también un enemigo nuevo, Odda el Joven, que ansiaba a Mildrith para sí, aunque su padre, muy sensato, se negó a cargar a su familia con la cercenante deuda, ni, sospechaba, quería que su hijo se casara por debajo de su rango.

Hay una jerarquía entre los hombres. A Beocca le gustaba contarme que reflejaba la jerarquía del cielo, y puede que así sea, y aunque yo de eso no sé nada, sí sé cómo se organizan los hombres. Arriba de todo está el rey, y debajo sus hijos. Después vienen los *ealdormen*, que son señores nobles de la tierra, y sin tierra un hombre no puede ser noble, aunque yo lo fuera porque jamás renuncié a mis reivindicaciones sobre Bebbanburg. El rey y sus *ealdormen* son la fuerza de un reino, los hombres que poseen extensos territorios y pueden reclutar ejércitos, y debajo de ellos están los nobles menores, normalmente llamados alguaciles, que son los responsables de la ley en la tierra de un señor, aunque un hombre puede dejar de ser alguacil si no complace a su señor. Los alguaciles son nombrados entre los *thane*, señores feudales que pueden conducir vasallos a la guerra, pero carecen de las grandes posesiones de nobles como Odda o mi padre. Debajo de los *thane* están los *ceorls*, que son hombres libres, pero si un *ceorl* pierde su manera de ganarse la vida bien puede convertirse en siervo, es decir, descender a la base del montón de estiércol. Los siervos pueden ser, y a menudo lo son, liberados, pero a menos que un amo le entregue tierra o dinero, volverá a convertirse en siervo. El padre de Mildrith había sido *thegn*, y Odda lo había nombrado alguacil, responsable de mantener la paz en una amplia franja del sur de Defnascir, pero también había sido un *thegn* con tierra insuficiente, cuya insensatez le había hecho disminuir la poca que poseía, así que dejó a Mildrith en la ruina, lo que la convertía en esposa inadecuada para el hijo de un *ealdorman*, aunque se la consideraba válida para un señor exiliado de Northumbria. En realidad yo no era más que otro peón en el tablero de Alfredo, y sólo me la había entregado para responsabilizarme del pago a la iglesia de una suma enorme.

Era una araña, pensé con amargura, una araña color negro sotana que no hacía más que tejer pegajosas redes, y yo que me creía tan listo cuando había hablado con él en Cippanhamm. En verdad habría podido rezar abiertamente a Thor antes de mearme en las reliquias del altar de Alfredo y él me habría entregado la flota igualmente, porque sabía que la flota poco tendría que hacer en la próxima guerra, y sólo había querido atraparme para sus futuras ambiciones en el norte de Inglaterra. Así que ahora estaba atrapado, y el hijo de puta del *ealdorman* Odda me había abierto la puerta de la trampa.

Pensar en el *ealdorman* de Defnascir me trajo una pregunta a la cabeza.

–¿Cuánto dinero os ha entregado Odda en concepto de dote de la novia? –le pregunté a Mildrith.

–Quince chelines, señor.

–¿Quince chelines? –repetí escandalizado.

–Sí, señor.

–Hurón hijo de puta –comenté.

–Sácale el resto a tajo limpio –gruñó Leofric. Dos ojos de un azul infinito lo miraron, después se posaron en mí, y por último desaparecieron dentro de la capa otra vez.

Sus casi cien fanegas de tierra, ahora de mi propiedad, quedaban en las colinas junto a la desembocadura del río Uisc, en un lugar llamado Oxton, que significa granja de bueyes. Era un refugio, que dirían los daneses, una casa de labranza, y la paja del tejado estaba tan cubierta de hierba y musgo que parecía un montículo en la tierra. No había salón, y un noble necesita un salón en el que alimentar a sus vasallos; pero sí poseía un cobertizo para ovejas, y otro para cerdos, y tierra suficiente para mantener a dieciséis siervos y cinco familias de vasallos, todos los cuales fueron reunidos para recibirme, así como media docena de criados de la casa, en su mayoría también siervos, y recibieron a Mildrith con cariño, pues, desde la muerte de su padre, había vivido con las damas de compañía de la esposa del *ealdorman* Odda, mientras la granja quedaba en manos de un hombre llamado Oswald, tan de fiar como un zorro cuidando gallinas.

Esa noche cenamos guisantes, puerros, pan rancio y cerveza amarga, y ése fue mi primer banquete matrimonial en mi propia casa, que también era una casa asediada por las deudas. A la mañana siguiente dejó de llover y desayuné un poco más de pan rancio y de cerveza amarga, y después caminé con Mildrith hasta la cima de una colina desde la que se divisaba la lengua de mar que se extendía por la zona como la hoja gris de un hacha.

–¿Dónde va toda esta gente –le pregunté refiriéndome a sus siervos y vasallos– cuando atacan los daneses?

–A las colinas, señor.

–Me llamo Uhtred.

–A las colinas, Uhtred.

–Tú no vas a ir a las colinas –afirmé convencido.

–¿No? –Alarmada, abrió los ojos hasta casi desorbitarlos.

–Vendrás conmigo a Hamtun –le informé–, y tendremos una casa allí mientras comande la flota.

Asintió, claramente nerviosa, y después le cogí una mano, se la abrí y deposité en ella treinta y tres chelines, tantas monedas que se le cayeron sobre el regazo.

–Son tuyos, esposa –le dije.

Y eso era. Mi esposa. Y ese mismo día partimos hacia el este, marido y mujer.

* * *

La historia se acelera en este punto. Cobra velocidad como un arroyo que discurre por un barranco entre las colinas y, como una cascada que se despeña espumosa por entre rocas revueltas, se vuelve furiosa y violenta, incluso confusa. Pues fue en aquel año de 876 cuando los daneses hicieron el mayor esfuerzo hasta la fecha para deshacerse del último reino de Inglaterra, siendo la matanza enorme, salvaje y repentina.

Guthrum el Desafortunado dirigió el ataque. Había estado viviendo en Grantaceaster, se hacía llamar rey de Anglia Oriental, y Alfredo, creo yo, supuso que recibiría aviso si el ejército de Guthrum abandonaba aquel lugar; pero los espías sajones fracasaron y los avisos no llegaron, y el ejército danés iba al completo a caballo. Así que las tropas de Alfredo estaban en el lugar equivocado cuando Guthrum cruzó el Temes con sus hombres y atravesó el centro de Wessex para capturar una gran fortaleza en la costa sur. Aquella fortaleza era la de Werham y no quedaba demasiado lejos de Hamtun, aunque entre nosotros y ella se interponía un vasto mar interior llamado el Poole. El ejército de Guthrum asaltó Werham, la capturó, violó a las monjas del convento, y lo hizo todo antes de que Alfredo tuviera tiempo de reaccionar. Una vez dentro de la fortaleza, Guthrum se hallaba protegido por dos ríos, uno al norte de la ciudad y el otro al sur. Al este se extendía el vasto y plácido Poole, y una muralla y fosos enormes guardaban el único acceso posible por el oeste.

No había nada que pudiéramos hacer. En cuanto supimos que los daneses se habían apoderado de Werham nos preparamos para zarpar, pero nada más llegar a mar abierto avistamos su flota y eso cercenó nuestras ambiciones.

Nunca en mi vida había visto tantos barcos. Guthrum había cruzado Wessex con casi mil jinetes, pero entonces llegó el resto de su ejército por mar y los barcos oscurecían el agua. Había cientos de embarcaciones. Más tarde dijeron que trescientas cincuenta, aunque yo creo que había menos, pero sin duda más de doscientas. Barco tras barco, una proa en forma de dragón daba paso a otra tras la cabeza de una serpiente; las palas de los remos batían el mar hasta volverlo blanco, una flota que se dirigía a la batalla, y lo único que pudimos hacer fue regresar a Hamtun con el rabo entre las piernas y rezar para que no les diera por asaltar Hamtun y despacharnos a todos.

No vinieron. La flota se unió a Guthrum en Werham, de modo que ahora un colosal ejército danés tenía su guarida en el sur de Wessex, y yo recordaba el consejo de Ragnar a Guthrum. Divide sus fuerzas, dijo entonces Ragnar, lo cual implicaba tal vez la existencia de otro ejército danés en algún lugar del norte, esperando el momento de atacar, y cuando Alfredo se dirigiera contra aquel segundo ejército, Guthrum saldría de las murallas de Werham para embestir su retaguardia.

–Es el fin de Inglaterra –comentó Leofric sombrío. No era dado a la melancolía, pero aquel día se sentía abatido. Mildrith y yo teníamos una casa en Hamtun, cerca del agua, y cenaba con nosotros casi todas las noches que dormíamos en la ciudad. Aún sacábamos los barcos, siempre en flotilla de doce, con la esperanza de sorprender a algún barco danés despistado, pero los asaltantes sólo salían del Poole en formaciones grandes, nunca menos de treinta embarcaciones, razón por la cual no me atrevía a perder la marina de Alfredo en un ataque suicida contra alguna de aquellas grandes expediciones. Durante la canícula llegó una fuerza danesa a las aguas de Hamtun, remaron casi hasta nuestro embarcadero, y nosotros atamos nuestros barcos entre sí, nos encasquetamos las armaduras, afilamos las armas y esperamos su ataque. Pero no tenían más ganas de batalla de las que teníamos nosotros. Para alcanzarnos habrían tenido que salvar un canal lleno de barro y por allí sólo cabían dos barcos desplegados, así que se contentaron con burlarse de nosotros desde mar abierto para después marcharse.

Guthrum aguardó en Werham, y más tarde supimos que a quien esperaba era a Halfdan, que conducía una fuerza mixta de hombres del norte y britanos de Gales. Halfdan había estado en Irlanda, vengando la muerte de Ivar, y tenía que traer a Gales su flota y su ejército, reunir allí una gran fuerza y cruzar después el mar del Sæfern para atacar Wessex. Pero, según Beocca, Dios intervino. Dios o las tres hilanderas. El destino lo es todo, pues llegaron noticias de que Halfdan había muerto en Irlanda, y de los tres hermanos sólo Ubba quedaba vivo, pero seguía en el ignoto y salvaje norte. Los irlandeses habían matado a Halfdan, junto a muchos de sus hombres en una batalla despiadada, así que aquel año los irlandeses salvaron Wessex.

En Hamtun no sabíamos nada de aquello. Emprendíamos nuestras tímidas incursiones y aguardábamos las noticias del segundo golpe que recibiría Wessex, pero siguieron sin llegar, y entonces, cuando las primeras galernas otoñales azotaron la costa, Alfredo, cuyo ejército estaba acampado al oeste de Werham, envió un mensajero que exigía presentarme ante el rey. El mensajero era Beocca, y para mi sorpresa, me alegró verlo, aunque me molestara que me entregara la orden verbalmente.

–¿Para qué aprendí a leer –le pregunté–, si no me traéis órdenes escritas?

–Uhtred, aprendiste a leer –me contestó de forma desenfadada– para mejorar tu mente, claro está. –Entonces vio a

Mildrith y empezó a boquear como un pez fuera del agua–. ¿Ésta es...? –empezó a decir, y se quedó tieso como un palo.

–La dama Mildrith –le informé.

–Querida dama –dijo Beocca, después tomó aire y empezó a revolverse como un cachorro en busca de una caricia–. Conozco a Uhtred –consiguió decir finalmente– ¡desde que era un niño pequeño! Desde que no era más que un niño pequeñín.

–Ha crecido lo suyo desde entonces –contestó Mildrith, y a Beocca le pareció una bromita encantadora, pues se echó a reír descontroladamente.

–¿Por qué –pregunté cuando conseguí contener su alborozo– he de ir a ver a Alfredo?

–Porque Halfdan ha muerto, alabado sea Dios, y no va a llegar ningún ejército del norte, alabado sea de nuevo, ¡así que Guthrum busca un acuerdo! Las negociaciones ya han empezado y alabado sea Dios también por eso. –Se mostraba radiante, como si él fuera el responsable de esta oleada de buenas noticias, y puede que lo fuera porque siguió diciendo que la muerte de Halfdan era el resultado de muchas oraciones–. Hemos rezado tanto, Uhtred. ¿Comprendes ahora el poder de la oración?

–Alabado sea Dios, desde luego que sí –respondió Mildrith en mi lugar. Era realmente muy piadosa, pero nadie es perfecto. También estaba embarazada, pero Beocca no reparó en ello y yo no se lo dije.

Dejé a Mildrith en Hamtun para cabalgar con Beocca hasta el campamento sajón. Doce soldados de las tropas reales nos servían de escolta, pues la ruta nos llevaba cerca de la orilla norte del Poole y antes de que empezaran las conversaciones para la tregua los barcos daneses habían asaltado aquella costa.

–¿Qué quiere Alfredo de mí? –le pregunté a Beocca constantemente; insistía en que, a pesar de sus negativas, alguna idea debía de tener, pero aseguraba ignorarlo y al final dejé de preguntar.

Llegamos a las puertas de Werham una fría tarde de otoño. Alfredo se hallaba recogido en una tienda que hacía las veces de capilla real, y el *ealdorman* Odda y su hijo esperaban fuera. El *ealdorman* asintió a modo de saludo comedido y su hijo me ignoró. Beocca se introdujo en la tienda para unirse a las oraciones, y mientras tanto yo me puse en cuclillas, desenvainé *Hálito-de-serpiente* y la afilé con la piedra que guardaba en mi bolsa.

–¿Esperáis entrar en combate? –me preguntó el *ealdorman* Odda con amargura.

Miré a su hijo.

–Puede –respondí, después volví a mirar al padre–. Le debéis dinero a mi esposa –le dije–, dieciocho chelines. –Él se sonrojó, no dijo nada, pero su hijo se llevó la mano a la empuñadura de la espada y eso me provocó una sonrisa, y me puse en pie blandiendo ya la hoja desnuda de *Hálito-de-serpiente.* El *ealdorman* Odda apartó a su hijo con gesto enfadado–. ¡Dieciocho chelines! –les grité, después volví a acuclillarme y seguí afilando el acero.

Mujeres. Los hombres pelean por ellas, y ésa era otra lección que debía aprender. De niño pensaba que los hombres sólo forcejeaban por tierras o poder, pero luchaban por las mujeres en la misma medida. Mildrith y yo estábamos inesperadamente satisfechos uno del otro, pero era evidente que Odda el Joven me detestaba porque me había casado con ella, y me preguntaba si se atrevería a hacer algo al respecto. Beocca me contó una vez la historia de un príncipe de tierras lejanas que secuestró a la hija del rey, y éste condujo su ejército a la tierra del príncipe y en ella murieron miles de bravos guerreros intentando recuperarla. ¡Miles! Y todo por una mujer. De hecho, la discusión que empezaba esta historia, la rivalidad entre el rey Osbert de Northumbria y Ælla, el hombre que quería ser rey, comenzó porque Ælla le había robado la mujer a Osbert. He oído que algunas mujeres se quejan de no tener poder y de que los hombres controlan el mundo, y es verdad, pero las mujeres aún conservan el poder de conducir a los hombres a la batalla y a la tumba que aguarda.

Estaba un tanto absorto pensando en estas cosas cuando Alfredo salió de la tienda. Tenía la expresión de beatífica complacencia que adoptaba siempre que acababa de rezar sus oraciones, pero también caminaba un poco tieso, probable indicación de que el *ficus* volvía a molestarle, y aquella noche, durante la cena, se mostró claramente incómodo. Ésta consistió en una pasta indescriptible que yo no habría vacilado en arrojar a los cerdos, pero había pan y queso suficiente, así que no me morí de hambre. Sí noté que Alfredo se mostraba distante conmigo, sin apenas demostrar interés alguno por mí, y lo achaqué al fracaso de la flota en obtener una victoria real durante aquel verano; aun así, era él quien me había convocado, y yo me preguntaba por qué me ignoraba de ese modo.

Con todo, a la mañana siguiente, me hizo llamar después de las oraciones y caminamos arriba y abajo fuera de la tienda real, sobre la cual ondeaba el estandarte del dragón al sol de otoño.

–¿La flota no puede evitar que los daneses abandonen el Poole? –me preguntó molesto.

–No, señor.

–¿No? –El tono era cortante–. ¿Por qué no?

–Porque, señor –contesté–, nosotros sólo tenemos doce barcos y ellos doscientos. Podríamos matar unos cuantos, pero al final nos aplastarían, os quedaríais sin flota y ellos seguirían teniendo más de doscientos barcos.

Creo que Alfredo lo sabía, pero aun así no le gustó mi respuesta. Hizo una mueca, después dio unos cuantos pasos más en silencio.

–Me alegro de que te hayas casado –comentó de repente.

–Con una deuda que pagar –repliqué yo.

No le gustó mi tono, pero lo permitió.

–La deuda, Uhtred –me reprochó–, es con la iglesia, así que debes aceptarla gustoso. Además, eres joven, tienes tiempo para pagar. El Señor, recuérdalo, ama a los dadivosos. –Ésa era una de sus sentencias preferidas, y si no la he oído mil veces no la he oído ninguna. Se dio la vuelta y miró hacia atrás–. Espero tu presencia en las negociaciones –me dijo, pero no me explicó por qué, ni aguardó mi respuesta; se marchó sin más.

Él y Guthrum estaban hablando. Se había levantado una carpa entre el campamento de Alfredo y la muralla oeste de Werham, y fue debajo de aquel refugio donde tras muchas fatigas se firmó la tregua. Alfredo hubiese preferido asaltar Werham, pero el acceso era estrecho, la muralla elevada y en buen estado de conservación, y los daneses más que numerosos. Habría sido una batalla arriesgada en la que los daneses tenían las de ganar, así que Alfredo desechó la idea. En cuanto a los daneses, se hallaban atrapados. Habían confiado en la llegada de Halfdan para atacar a Alfredo por la retaguardia, pero aquél había muerto en Irlanda, así que los hombres de Guthrum eran demasiados para marcharse en los barcos, por grande que fuera la flota, y si intentaban hacerlo por tierra tendrían que enfrentarse a Alfredo en la estrecha franja abierta entre los dos ríos, lo cual provocaría una gran matanza. Yo recordaba que Ravn me contaba lo mucho que los daneses temían perder demasiados hombres porque no podían reemplazarlos con rapidez. Guthrum podía quedarse donde estaba, por supuesto, pero Alfredo lo sitiaría, y ya había ordenado que se vaciaran todos los silos, graneros y almacenes a un día de distancia del Poole. Los daneses se morirían de hambre en invierno.

Lo que significaba que ambas partes no tenían más alternativa que la paz, así que Alfredo y Guthrum habían estado discutiendo los términos y yo llegué justo cuando terminaban las negociaciones. Ya era demasiado tarde para que la flota danesa se arriesgara a emprender el largo viaje para rodear la costa sur de Wessex, así que Alfredo accedió a que Guthrum se quedara en Werham durante el invierno. También accedió a abastecerlos de comida a condición de que no asaltaran, y accedió también a entregarles plata porque sabía que los daneses siempre querían plata, y a cambio ellos prometieron permanecer en Werham pacíficamente y en primavera se marcharían del mismo modo, momento en que su flota regresaría a Anglia Oriental y el resto del ejército marcharía hacia el norte a través de Wessex, vigilados por nuestros hombres hasta que llegaran a Mercia.

Nadie, en ninguno de los dos bandos, creyó tales promesas, así que tuvieron que asegurarse mediante rehenes de cada una de las partes. Los prisioneros debían ser nobles, o sus vidas no serían garantía de nada. Una docena de *jarls* daneses, de los que no conocía a ninguno, tenían que ser entregados a Alfredo, y un número equivalente de nobles ingleses irían a parar a Guthrum.

Motivo por el cual yo había sido convocado. He aquí la razón por la que Alfredo se había mostrado tan distante conmigo, pues supo en todo momento que yo sería uno de los rehenes. Mi utilidad había disminuido aquel año por la impotencia de la flota, pero mi rango seguía sirviendo para negociar, así que me hallé entre los elegidos. Era el *ealdorman* Uhtred, y útil porque era noble. Observé la inmensa sonrisa de Odda el Joven cuando mi nombre fue aceptado por los daneses.

Guthrum y Alfredo intercambiaron juramentos entonces. Alfredo insistió en que el cabecilla danés jurara con una mano sobre las reliquias que Alfredo siempre llevaba consigo. Entre ellas se contaban una pluma de la paloma que Noé había soltado en el arca, un guante que había pertenecido a san Cedd y, lo más sagrado de todo, un anillo para los dedos de los pies de María Magdalena. El santo anillo, lo llamaba Alfredo, y un divertido Guthrum puso la mano sobre el pedacito de oro y juró que mantendría sus promesas. Después insistió en que Alfredo pusiera una mano sobre el hueso que le colgaba del pelo e hizo al rey de Wessex jurar por una madre muerta que los sajones del oeste mantendrían el tratado. Sólo cuando se efectuaron aquellos juramentos, santificados por el oro de una santa y el hueso de una madre, se intercambiaron los rehenes, y cuando recorrí el espacio entre ambas partes, Guthrum debió de reconocerme porque me observó largo y tendido, y después fuimos escoltados, con ceremonia, hasta Werham.

Donde el *jarl* Ragnar, hijo de Ragnar, me dio la bienvenida.

* * *

Hubo alegría en aquel encuentro. Ragnar y yo nos abrazamos como hermanos, pues yo lo consideraba un hermano. Él me palmeó la espalda, me sirvió cerveza y me dio noticias. Kjartan y Sven seguían vivos y aún en Dunholm. Ragnar se enfrentó a ellos en un encuentro formal al que ambas partes debían asistir sin armas, y Kjartan juró su inocencia declarando asimismo que nada sabía de Thyra.

–El muy cabrón mintió –me dijo Ragnar–, y sé que mintió. Y sabe que va a morir.

–¿Pero todavía no?

–¿Cómo voy a tomar Dunholm?

Brida estaba allí, compartía la cama de Ragnar, y me saludó con calidez, pero no con tanto entusiasmo cono *Nihtgenga,* que me saltó encima y me lavó la cara a lametones. A Brida le divirtió que fuera a ser padre.

–Pero te hará bien –me dijo.

–¿Me hará bien? ¿Por qué?

–Porque te convertirás en un hombre como es debido.

Creía que ya lo era, aun así me faltaba algo, algo que jamás había confesado a nadie, ni a Mildrith, ni a Leofric, ni tampoco entonces a Ragnar o a Brida. Había luchado contra los daneses, había visto barcos arder y hombres ahogarse, pero no había peleado nunca en un gran muro de escudos. Había peleado en pequeños, tripulación contra tripulación, pero nunca me había enfrentado en un extenso campo de batalla y observado los estandartes enemigos ocultar el sol, y conocido el miedo que sobrecoge cuando cientos de miles de hombres llegan a la matanza. Estuve en Eoferwic, y en la batalla de la colina de Æsc, y vi el choque de los muros, pero no participé en primera fila. Tomé parte en peleas, pero habían sido pequeñas, y las pequeñas peleas terminan rápido. Nunca había soportado el prolongado derramamiento de sangre, las horribles luchas cuando la sed y el cansancio debilitan a los hombres y sus enemigos, y no importa cuántos mates, porque siguen viniendo. Sólo cuando hubiera hecho aquello, pensé, podría llamarme a mí mismo un hombre como es debido.

Echaba de menos a Mildrith y eso me sorprendió. También echaba de menos a Leofric, aunque lo pasaba muy bien en compañía de Ragnar, y la vida de rehén no era dura. Vivíamos en Werham, recibíamos suficiente comida y observábamos cómo el gris del invierno acortaba los días. Uno de los rehenes era un primo de Alfredo, un cura llamado Wælla, el cual se mostraba intranquilo y a veces lloraba, pero el resto nos encontrábamos más o menos satisfechos. Hacca, que había comandado la flota de Alfredo, se hallaba entre los rehenes, y era el único al que conocía bien, pero yo pasaba el tiempo con Ragnar y sus hombres, que me aceptaban como a uno de ellos e incluso intentaron convertirme de nuevo en danés.

–Tengo esposa –les dije.

–¡Pues tráetela! –exclamó Ragnar–. Nunca hay bastantes mujeres.

Pero ahora era inglés. No odiaba a los daneses, de hecho prefería su compañía a la de los otros rehenes, pero era inglés. El viaje estaba hecho. Alfredo no había cambiado mis lealtades, pero Leofric y Mildrith sí, eso o las tres hilanderas se habían cansado de incordiarme, aunque Bebbanburg seguía acosándome y yo no sabía cómo iba a volver a ver aquel precioso lugar de nuevo si permanecía leal a Alfredo.

Ragnar aceptó mi decisión.

–Pero si hay paz –dijo–, ¿me ayudarás a luchar contra Kjartan?

–¿Si? –repetí.

Se encogió de hombros.

–Guthrum sigue anhelando Wessex. Todos lo queremos.

–Si hay paz –prometí–, iré al norte.

Pero sinceramente dudaba de que fuera a haberla. En primavera Guthrum abandonaría Wessex, liberaría a los rehenes, ¿y después qué? El ejército danés seguía existiendo y Ubba aún estaba vivo, así que arremeterían otra vez contra Wessex, y Guthrum debía de estar pensando lo mismo porque hablaba con todos los rehenes en un intento por descubrir la fuerza de Alfredo.

–Es una gran fuerza –le dije–, podríais matar su ejército y reuniría otro. –Eso era una tontería, claro está, pero, ¿qué esperaba que le dijera?

Dudo de que convenciera a Guthrum, pero Wælla, el cura primo de Alfredo, le metió el temor de Dios en el cuerpo. Guthrum pasaba horas hablando con Wælla, y yo le hacía de intérprete a menudo. No le preguntaba sobre tropas o barcos, sino sobre Dios. ¿Quién era el Dios cristiano? ¿Qué ofrecía? Le fascinó el episodio de la crucifixión y creo que, de haber tenido tiempo, Wælla hasta habría podido convencer a Guthrum de convertirse. Desde luego Wælla lo pensaba porque me pidió encarecidamente que rezara por dicha conversión.

–Está cerca, Uhtred –me dijo entusiasmado–, ¡en cuanto se bautice habrá paz!

Así son los sueños de los curas. Los míos estaban con Mildrith y el niño que crecía en su vientre. Ragnar soñaba con la venganza. ¿Y Guthrum?

A pesar de su fascinación por el cristianismo, Guthrum sólo soñaba con una cosa.

Soñaba con la guerra.

TERCERA PARTE

El muro de escudos

CAPÍTULO X

El ejército de Alfredo se retiró de Werham. Se quedaron unos cuantos sajones para vigilar a Guthrum, pero muy pocos, pues los ejércitos eran caros de mantener y, una vez reunidos, tenían la costumbre de ponerse enfermos, así que Alfredo aprovechó la tregua para enviar a los hombres de los *fyrds* de vuelta a sus granjas mientras él y las tropas reales se dirigían a Sciréburnan, que quedaba a medio día de marcha al noroeste de Werham y que, felizmente para Alfredo, era hogar de un obispo y sede de un monasterio. Beocca me contó que Alfredo pasó aquel invierno leyendo los antiguos códigos legales de Kent, Mercia y Wessex, y sin duda se estaba preparando para compilar sus propias leyes, cosa que hizo al final. Estoy seguro de que fue feliz aquel invierno, criticando las normas de sus ancestros y soñando con la sociedad perfecta en la que la iglesia nos dijera qué no hacer y el rey nos castigara por hacerlo.

Huppa, el *ealdorman* de Thornsæta, comandaba los pocos hombres que habían quedado frente a las fortificaciones de Werham, mientras que Odda el Joven guiaba una tropa de jinetes que patrullaban las orillas del Poole, pero ambos efectivos eran escasos y poco más podían hacer aparte de vigilar a los daneses; pero ¿por qué tendrían que hacer más? Se pactó una tregua, Guthrum había jurado sobre el santo anillo y Wessex estaba en paz.

La festividad de Yule no fue nada espectacular en Werham, aunque los daneses hicieron cuanto pudieron y por lo menos había cerveza en abundancia, así que los hombres se emborracharon, pero mi principal recuerdo de aquel Yule es de Guthrum llorando. Las lágrimas inundaron su rostro cuando un arpista tocó una melodía triste y un escaldo recitó un poema sobre la madre de Guthrum. Su belleza, cantó el escaldo, rivalizaba con la de las estrellas, y su bondad era tal que las flores brotaban en invierno para rendirle homenaje.

–Era una zorra rancia –me susurró Ragnar–, más fea que un cubo de mierda.

–¿La conociste?

–Ravn la conocía. Solía decir que habría derribado un árbol con la voz.

Guthrum hacía honor a su apodo: el Desafortunado. Estuvo tan cerca de destruir Wessex, que sólo la muerte de Halfdan pudo arrebatarle el premio; no fue su culpa, pero, existía cierto resentimiento creciente entre el ejército atrapado. Los hombres murmuraban que nada prosperaba bajo el liderazgo de Guthrum, y puede que esa desconfianza lo volviera más malhumorado que nunca, o puede que fuera el hambre.

Pues los daneses pasaban hambre. Alfredo mantuvo su palabra y envió comida, pero nunca había suficiente, y yo no comprendía por qué los daneses no se comían sus caballos, los cuales pastaban durante el invierno en los pantanos entre la fortaleza y el Poole. Aquellos caballos se estaban quedando en los huesos, los daneses añadieron el poco heno que encontraron en la ciudad a su miserable dieta de pasto, y cuando terminaron el heno empezaron a arrancar la paja de algunos de los tejados de Werham, y esa pobre dieta mantuvo a los caballos vivos hasta los primeros atisbos de la primavera. Di la bienvenida a aquellas nuevas señales de que el año avanzaba; el canto de los cagaaceites, las violetas perrunas que crecían en los lugares resguardados, las plantas con forma de cola de cordero en los castaños y las primeras ranas en el pantano. La primavera llegaba, y cuando la hierba se tornara verde, Guthrum se marcharía y los rehenes seríamos liberados.

Recibíamos pocas noticias, exceptuando las que nos daban los daneses, pero a veces alguno de nosotros recibía un mensaje, normalmente clavado a un sauce que había fuera de la puerta, y uno de aquellos mensajes estaba dirigido a mí. Por primera vez di las gracias porque Beocca me hubiese enseñado a leer, pues el padre Willibald me había escrito y me contaba que tenía un hijo. Mildrith había dado a luz antes de Yule y el niño estaba sano y la madre también, y que el bebé se llamaba Uhtred. Lloré cuando leí aquello. No esperaba sentir tanta emoción, pero la sentía, y cuando Ragnar me preguntó por qué estaba llorando y se lo conté, sacó un barril de cerveza y lo festejamos celebrando lo más parecido a una fiesta que pudimos conseguir, y me regaló un pequeño brazalete de plata para el niño. Tenía un hijo. Uhtred.

Al día siguiente ayudé a Ragnar a reflotar la *Víbora del viento.* Había pasado todo el invierno en tierra para ser calafateada, y llenamos la sentina de las piedras que le servían de lastre, aparejamos el mástil y después matamos una liebre que logramos atrapar en los campos donde los caballos intentaban pastar, y Ragnar vertió la sangre de la libre sobre la proa de la *Víbora* e invocó a Thor para que le enviara buen viento y a Odín para que le proporcionara grandes victorias. Nos comimos la liebre aquella noche y nos bebimos la última cerveza, y a la mañana siguiente llegó un barco con cabeza de dragón. Me parecía increíble que Alfredo no hubiera ordenado a nuestra flota patrullar las aguas de la boca del Poole, pero ninguna de nuestras embarcaciones estaba allí, así que un único barco danés subió río arriba para traerle un mensaje a Guthrum.

Ragnar se mostró un tanto impreciso sobre el barco. Venía de Anglia Oriental, me dijo, lo cual resultó ser mentira, y sólo traía noticias de aquel reino, otra mentira. En realidad procedía del oeste, de los alrededores de Cornwalum, las tierras de los galeses, pero eso sólo lo supe después y, en aquel momento, no me importó, porque Ragnar también me dijo que tendríamos que marcharnos pronto, muy pronto, y sólo tenía cabeza para el hijo que aún no había visto: Uhtred Uhtredson.

Aquella noche Guthrum dio un banquete para los rehenes, un buen banquete, con comida y cerveza que había traído el barco dragón recién llegado, y Guthrum nos alabó por haber sido buenos invitados, nos entregó a cada uno un brazalete y nos prometió que muy pronto nos liberaría.

–¿Cuándo? –pregunté.

–¡Pronto! –Su largo rostro brilló a la luz de la hoguera al levantar hacia mí un cuerno de cerveza–. ¡Pronto! ¡Ahora bebe!

Todos bebimos, y tras el banquete los rehenes nos dirigimos al salón del convento donde Guthrum insistía en que durmiésemos. De día podíamos pasear por donde quisiéramos dentro de las líneas danesas, y podíamos llevar armas si nos apetecía, pero de noche quería a todos los rehenes en un lugar para que sus guardias de capas negras nos mantuvieran vigilados, y fueron aquellos guardias los que vinieron por nosotros en el corazón de la noche. Portaban antorchas y nos despertaron a patadas, ordenándonos salir de allí inmediatamente, y uno de ellos me apartó de un puntapié a *Hálito-de-serpiente* cuando fui a por ella.

–Salid fuera –gruñó, y cuando volví a intentar coger la espada me llevé un varazo en la cabeza con el asta de una lanza, y dos lanzas más me pincharon el culo, así que no tuve más remedio que salir a trompicones por la puerta donde ráfagas de viento escupían lluvia. El viento rasgaba las antorchas en llamas que iluminaban la calle donde al menos cien daneses esperaban, todos armados, y vi que habían ensillado a los delgados caballos y mi primer pensamiento fue que aquellos eran los hombres que nos escoltarían hasta las líneas sajonas.

Entonces Guthrum, envuelto en una capa negra, se abrió paso entre los hombres con cascos. Nada dijo. Guthrum, con el rostro sombrío, el hueso blanco en el pelo, se limitó a asentir, y sus capas negras desenvainaron. El primero en morir fue el pobre Wælla. Guthrum se estremeció ligeramente al morir el cura, pues creo que le gustaba, pero entonces yo ya me estaba dando la vuelta, listo para enfrentarme a los hombres frente a mí, aunque desarmado y sabiendo que aquella pelea sólo podía terminar con mi muerte. Ya llegaba una espada hacia mí, que sostenía un danés con jubón de cuero remachado con hierro, y sonreía mientras dirigía la hoja contra mi vientre desprotegido, y seguía sonriendo cuando el hacha se le hundió entre los ojos. Recuerdo el golpe del arma al clavarse, el chorro de sangre a la luz de las llamas, el ruido del hombre al caer sobre la calle de losas y grava, y mientras tanto las protestas desesperadas de los demás rehenes que iban siendo asesinados, pero yo sobreviví. Ragnar había lanzado el hacha y ahora se erguía junto a mí, espada en mano. Iba ataviado con el equipo de guerra, cota de malla pulida, altas botas y casco decorado con dos alas de águila, y en la ruda luz de las antorchas centelleantes parecía un dios llegado a Midgard.

–Deben morir todos –insistió Guthrum. Los demás rehenes estaban muertos o moribundos, con las manos ensangrentadas por sus fútiles intentos por protegerse del acero, y una docena de guerreros daneses, con las espadas rojas, se dirigía hacia mí para terminar la tarea.

–Para matar a éste –gritó Ragnar–, tendréis que matarme a mí primero. –Sus hombres salieron de entre el gentío para respaldar a su señor. Los superaban en número por lo menos cinco a uno, pero eran daneses y no mostraban miedo.

Guthrum se quedó mirando a Ragnar. Hacca aún no estaba muerto y se retorcía en su agonía. Guthrum, irritado porque el hombre siguiera vivo, sacó la espada y se la clavó a Hacca en la garganta. Los hombres de Guthrum estaban quitándoles los brazaletes a los muertos, brazaletes que sólo horas antes habían sido regalos de su señor.

–Deben morir todos –repitió Guthrum cuando Hacca se quedó quieto–. Alfredo matará ahora a todos nuestros rehenes, así que debe ser hombre por hombre.

–Uhtred es mi hermano –dijo Ragnar–, y os invito a matarlo, señor, pero antes tendréis que matarme a mí.

Guthrum se apartó.

–No es momento de que los daneses peleen entre sí –admitió a regañadientes, y envainó la espada para indicar que podía vivir. Crucé la calle para buscar al hombre que me había robado a *Hálito-de-serpiente, Aguijón-de-avispa* y mi armadura, y me los entregó sin protestar.

Los hombres de Guthrum estaban montando.

–¿Qué pasa? –le pregunté a Ragnar.

–¿A ti qué te parece? –me preguntó agresivo.

–Creo que estáis rompiendo la tregua.

–No hemos llegado hasta aquí –dijo–, para marcharnos como perros apaleados. –Me observaba mientras me abrochaba el tahalí–. Ven con nosotros.

–¿Que vaya con vosotros adónde?

–A conquistar Wessex, por supuesto.

No niego que sentí un tirón en las cuerdas de mi corazón, la tentación de unirme a los salvajes daneses en su carrera por Wessex, pero era fácil resistirse.

–Tengo esposa –le dije–, e hijo.

Me hizo una mueca.

–Alfredo te ha atrapado, Uhtred.

–No –repuse–, lo han hecho las hilanderas. –Urðr, Verðandi y Skuld, las tres mujeres que tejían nuestros hilos al pie de Yggdrasil y que habían decidido mi destino. El destino lo es todo–. Tengo que volver con mi mujer.

–Pero aún no –me dijo Ragnar con media sonrisa, llevándome al río donde una pequeña barca nos condujo hasta donde la recién botada *Víbora del viento* estaba anclada. Media tripulación se hallaba ya a bordo, como Brida, que me sirvió un desayuno de pan y cerveza. Con la primera luz, cuando había justo el suficiente gris en el cielo para revelar el fango brillante de las orillas del río, Ragnar ordenó levantar el ancla y bajamos corriente abajo con la marea, deslizándonos y adelantando las siluetas oscuras de otros barcos daneses hasta llegar a un tramo del río lo suficientemente ancho como para hacer virar a la *Víbora del viento*, y allí se colocaron los remos, los hombres halaron, y el barco viró grácilmente, ambas filas empezaron a bogar y se lanzó disparada por el Poole, donde la mayoría de la flota danesa estaba anclada. No fuimos muy lejos, sólo hasta una orilla yerma de una gran isla que hay en el centro del Poole, hogar de ardillas, aves marinas y zorros. Ragnar dejó que el barco llegara hasta la orilla y cuando la proa tocó la playa, me abrazó.

–Eres libre –me dijo.

–Gracias –le contesté con ardor, pues recordaba los cadáveres ensangrentados en el convento de Werham. Me sujetó por los hombros.

–Tú y yo –me dijo– estamos unidos como hermanos. No lo olvides. Ahora vete.

Chapoteé por entre los pantanales mientras la *Víbora del viento*, de un gris fantasmal con las primeras luces del alba, retrocedía. Brida se despidió con un grito, oí el batir de los remos y el barco se marchó.

La isla era un lugar inhóspito. Antes vivían pescadores y cazadores de pájaros, y un anacoreta, un ermitaño que había ocupado un árbol hueco en el centro de la isla, pero la llegada de los daneses los había echado a todos, y ahora los restos de las casas de los pescadores no eran más que madera quemada sobre suelo negro. Tenía la isla para mí, y desde su orilla observé la vasta flota danesa enfilar hacia la entrada del Poole, aunque se detuvieron allí en lugar de adentrarse en el mar porque el viento, racheado, había refrescado aún más y ahora era casi un vendaval que soplaba del sur, y las olas estaban rompiendo con fuerza por encima de la lengua de arena que protegía su nuevo fondeadero. La flota danesa se desplazó hasta allí, supuse, porque quedarse en el río habría expuesto a sus tripulaciones a los arqueros sajones que se encontrarían ya entre las tropas que reocuparan Werham.

Guthrum había conducido a sus jinetes fuera de Werham, eso era evidente, y los daneses que se habían quedado en la ciudad estaban ahora apelotonados en los barcos, donde esperaban que el temporal amainara para poder zarpar, aunque no tenía la menor idea de hacia adónde.

El viento del sur sopló durante todo el día, empeoró y trajo consigo una lluvia cortante, y acabé aburriéndome de ver a la flota danesa revolverse sobre sus anclas, así que exploré la orilla de la isla y encontré los restos de un pequeño bote medio oculto en un matorral. Lo eché al agua y descubrí que flotaba bastante bien. Seguramente el viento me alejaría de los daneses, así que esperé a que cambiara la marea y entonces, medio empapado en el bote roto, conseguí huir. Usé un pedazo de madera como tosca pala, pero el viento aullaba en ese momento y me empapó durante toda la travesía por aquella extensión de agua hasta que, al caer la noche, llegué a la orilla norte del Poole y allí me convertí de nuevo en *sceadugengan*, buscando el camino entre juncos y pantanos, hasta que hallé terreno firme donde me refugié en unos arbustos para dormir un sueño roto. Por la mañana caminé hacia el este, sacudido todavía por el viento y la lluvia, y así llegué a Hamtun aquella tarde.

Descubrí entonces que Mildrith y mi hijo habían desaparecido.

Se los había llevado Odda el Joven.

El padre Willibald me contó la historia. Odda llegó aquella mañana, mientras Leofric aseguraba los barcos contra el duro viento en la orilla, y dijo que los daneses habían roto la tregua, que habían matado a los rehenes, que podían venir a Hamtun en cualquier momento, y que Mildrith tenía que huir.

–Ella no quería ir, señor –me informó Willibald, y se notaba timidez en su voz. Mi ira lo estaba asustando–. Tenían caballos, señor. –Como si eso lo explicara todo.

–¿No has mandado llamar a Leofric?

–No me dejaron, señor –se detuvo–. Pero estábamos asustados, señor. Los daneses habían roto la tregua y pensábamos que estabais muerto.

Leofric partió en su persecución, y cuando supo que Mildrith se había ido Odda le llevaba por lo menos media mañana de ventaja, y Leofric ni siquiera sabía dónde se había dirigido.

–Al oeste –le dije–, de vuelta a Defnascir.

–¿Y los daneses? –preguntó Leofric–. ¿Dónde van?

–¿De vuelta a Mercia? –supuse.

Leofric se encogió de hombros.

–¿Atravesando Wessex? ¿Con Alfredo al acecho? ¿Y dices que iban a caballo? ¿En qué estado estaban los caballos?

–En mal estado, medio muertos de hambre.

–Entonces no han ido a Mercia –contestó con seguridad.

–Puede que vayan a encontrarse con Ubba –sugirió Willibald.

–¡Ubba! –Hacía tiempo que no oía aquel nombre.

–Se oían rumores, señor –dijo Willibald nervioso–, de que se encontraba con los britanos en Gales. Que tenía la flota en el Sæfern.

Eso tenía sentido. Ubba reemplazaba a su hermano muerto, Halfdan, y evidentemente conducía otra fuerza de daneses contra Wessex, ¿pero dónde? Si cruzaba el ancho mar del Sæfern llegaría a Defnascir, o puede que marchara rodeando el río, que se dirigiera al centro del país por el norte, pero por el momento no me importaba. Sólo quería encontrar a mi esposa y a mi hijo. Había orgullo en aquel deseo, por supuesto, pero no sólo eso. Mildrith y yo estábamos hechos el uno para el otro, la había echado de menos, quería ver a mi hijo. La ceremonia en la catedral, empapada por la lluvia, había obrado su magia y la quería de vuelta. Y quería castigar a Odda el Joven por llevársela.

–Defnascir –repetí–, ahí ha ido el cabrón. Y ahí es donde nos vamos mañana. –Odda, así lo sentía, regresaría a la seguridad de su hogar. No porque temiera mi venganza, porque suponía que estaba muerto, sino porque le preocupaban los daneses, y a mí me preocupaba que se lo hubieran encontrado de camino al oeste.

–¿Tú y yo? –preguntó Leofric.

Sacudí la cabeza.

–Nos llevamos el *Heahengel* y una dotación ofensiva completa.

Leofric parecía escéptico.

–¿Con este tiempo?

–El viento amaina –dije, y era cierto, aunque aún golpeaba los techos y las contras, pero a la mañana siguiente estaba más calmado, aunque no demasiado, pues el agua de Hamtun seguía moteada de blanco cuando las pequeñas olas llegaban furiosas a la playa, lo que sugería que las aguas tras el Solente serían procelosas. Pero había claros, el viento soplaba desde el este y yo no podía esperar. Dos miembros de la tripulación, ambos pescadores toda su vida, intentaron disuadirme del viaje. Ya habían visto ese tiempo antes, decían, y la tormenta regresaría, pero yo me negué a creerlos y ellos, preciso es reconocerlo, embarcaron por su propia voluntad, igual que el padre Willibald, cosa muy valerosa por su parte, pues el pobre odiaba el mar y se enfrentaba al más agitado temporal que hayamos visto nunca.

Remamos hasta salir de las aguas de Hamtun, izamos la vela en el Solente, metimos los remos y corrimos delante del viento del este como si la serpiente *Comecadáveres* nos empujara por la popa. El *Heahengel* martilleaba contra las aguas encrespadas, desplazaba el agua blanca a gran altura, corría, y eso mientras seguimos en aguas resguardadas. Entonces dejamos atrás los blancos riscos al final de la isla de Wiht, las rocas denominadas Nædles, las agujas, y las primeras aguas tumultuosas golpearon el *Heahengel* y la embarcación escoró con ellas. Aun así seguíamos volando, el viento disminuía y el sol brillaba por rendijas entre las nubes oscuras e incidía coruscante sobre el mar bravo. Entonces, de repente, Leofric aulló para avisarme señalando hacia delante.

Me indicaba la flota danesa. Como yo, habían considerado que el tiempo podía mejorar, y debían de tener prisa para unirse a Guthrum, porque la flota entera salía del Poole y se dirigía hacia el sur para rodear la rocosa isla, lo cual significaba que, como nosotros, se dirigían hacia el oeste. Probablemente se dirigían hacia Defnascir o puede que planearan rodear limpiamente Cornwalum para unirse a Ubba en Gales.

–¿Quieres atacarlos? –me preguntó Leofric con aire sombrío.

Orcé para colocarnos rumbo al sur.

–Los rodearemos por fuera –dije, y lo que quería indicar es que nos dirigiríamos mar adentro, dudando de que alguno de sus barcos se molestara en perseguirnos. Tenían prisa por llegar a dondequiera que fuesen y con suerte, pensé, el

Heahengel los dejaría atrás, pues era un barco rápido y ellos seguían aún muy cerca de la costa.

Navegamos con el viento y había en ello regocijo, la alegría de guiar un barco a través de un mar enfurecido, aunque dudo que los hombres que achicaban el *Heahengel* lo estuvieran pasando muy bien, con toda el agua que tenían que tirar por la borda, y fue uno de aquellos hombres el que miró hacia atrás y me avisó a gritos. Me di la vuelta para ver una negra borrasca gestándose encima del mar revuelto. Era un nubarrón furioso, negro y cargado de lluvia, que llegaba rápido, tan rápido que Willibald, que había estado agarrándose a la borda para vomitar, se hincó de hinojos, se persignó y empezó a rezar.

–¡Arriad la vela! –le grité a Leofric, y él se lanzó hacia ella tambaleándose, pero tarde, demasiado tarde, pues la borrasca nos estalló encima.

Durante un instante brilló el sol, pero al siguiente nos convertimos en un juguete del diablo, pues la tormenta se desencadenó sobre nosotros con la fuerza de un muro de escudos. El barco se tambaleó, agua, viento y oscuridad nos machacaban en un caos repentino, y el *Heahengel* cedió a su fuerza, escorándose por completo. No podía hacer nada por mantenerlo erguido, y vi a Leofric tambalearse en el puente mientras estribor se sumergía bajo el agua.

–¡Achicad! –gritaba desesperado–, ¡achicad! –Y entonces, con un crujido como el de un trueno, la gran vela quedó hecha jirones que azotaban la verga, y el barco se enderezó lentamente, pero estaba demasiado sumergido en el agua, y yo hacía uso de toda mi fuerza para intentar girarlo, darle poco a poco la vuelta para poder cambiar nuestro rumbo y aproar el barco hacia aquella agitación de mar y viento. Los hombres rezaban, se persignaban y achicaban, y los restos de la vela más los cabos sueltos azotaban enloquecidos, eran demonios hechos jirones, y el repentino vendaval aullaba como si las jarcias estuvieran llenas de furias, y pensé entonces que era una lástima morir en el mar tan poco tiempo después de que Ragnar me salvara la vida.

De algún modo conseguimos meter seis remos en el agua y entonces, con dos hombres por remo, bogamos para meternos en aquel pandemónium. Doce hombres empujaban los seis remos, tres intentaban cortar las jarcias rotas para liberarnos de ellas, y los demás echaban agua por la borda. No dábamos órdenes, porque no se oía nada con aquel viento ensordecedor que le erizaba la piel al mar y la azotaba produciendo espuma blanca. El oleaje era imponente, pero no suponía un peligro para el *Heahengel* pues lo surcaba, aunque las crestas blancas sí rompían y amenazaban con empaparnos. Entonces vi oscilar el mástil, los obenques ceder, y grité inútilmente, pues nadie me podía oír. El gran palo de picea se rompió y cayó. Se cayó de lado por una de las bordas, de modo que empezó a entrar agua otra vez, pero Leofric y una docena de hombres consiguieron tirar el mástil al mar, chocó contra nuestra borda y después pegó una sacudida al barco, porque aún estaba sujeto a él por una maraña de cabos de piel de foca. Vi a Leofric sacar un hacha de la sentina sumergida y emprenderla contra la maraña de cuerdas, pero le grité con todas mis fuerzas que dejara estar el hacha.

Porque el mástil, atado a nosotros y flotando aún detrás, parecía equilibrar el barco. Mantuvo al *Heahengel* entre las olas y el viento, permitiendo que el encrespado mar discurriera bajo nosotros dándonos, por fin, un respiro. Los hombres se miraban unos a otros como sorprendidos de estar vivos, y yo hasta pude dejar el timón, pues el mástil, con la enorme verga y los restos de la vela todavía unidos a él, nos mantenía estables. Descubrí que me dolía el cuerpo. Estaba totalmente empapado, debía de tener frío, pero no lo notaba.

Leofric llegó hasta donde estaba. La proa del *Heahengel* miraba hacia el este, pero nos desplazábamos hacia el oeste por acción de la marea y el viento, y me di la vuelta para asegurarme de que teníamos agua suficiente, entonces le toqué un hombro a Leofric y señalé hacia la orilla.

Donde vimos una flota perecer.

Los daneses habían tomado rumbo al sur siguiendo la orilla desde la entrada del Poole hacia el prominente cabo, y eso significaba que estaban a sotavento y que con el resurgimiento imprevisto de la tormenta no tenían ninguna posibilidad. Barco tras barco eran conducidos hasta la orilla. Unos cuantos consiguieron superar el cabo, y otro puñado remaba para apartarse de los acantilados, pero en su mayoría estaban condenados. No vimos sus muertes, pero podíamos imaginarlas. El choque de los cascos contra las rocas, el agua revuelta abriéndose paso entre las planchas de madera, la furia del mar, el viento y la madera sobre los hombres que se ahogaban, proas de dragón reducidas a astillas y el salón del dios del mar llenándose con las almas de los guerreros y, aunque eran el enemigo, dudo mucho que alguno sintiera otra cosa que pena. El mar da una muerte fría y solitaria.

Ragnar y Brida. No dejaba de mirar, pero no podía distinguir un barco de otro a través de la lluvia y el mar enfurecido. Sí vimos un barco, que parecía haber escapado, hundirse repentinamente. Por un momento lo vimos encima de la ola, despidiendo espuma desde el casco, liberado por los remos, y al siguiente desapareció por completo. Se esfumó. Otros barcos chocaban unos contra otros, los remos se enredaban y rompían. Algunos intentaban dar la vuelta y regresar al Poole, y la mayoría eran conducidos a la orilla, otros a las playas y los últimos se estrellaban contra los acantilados. Unos barcos, por desgracia muy pocos, consiguieron salir a golpe de pala, los remeros bogaban presos del frenesí, pero todos los barcos daneses iban demasiado cargados con los hombres cuyos caballos habían muerto, transportaban un ejército hacia algún lugar, y aquel ejército perecía inevitablemente.

Nosotros nos hallábamos ahora al sur del cabo, nos dirigíamos al oeste a bastante velocidad, y un barco danés, más pequeño que el nuestro, se nos acercó. El timonel me dirigió una sonrisa triste, como reconociendo que sólo había un enemigo en aquel momento, el mar. El danés nos adelantó, pues a él no le entorpecían los restos de su mástil. La lluvia silbaba, una lluvia maligna que azotaba con el viento, y el mar estaba lleno de planchas, palos rotos, proas de dragón, largos remos, escudos y cadáveres. Vi un perro nadar desesperado, con los ojos en blanco, y por un momento pensé que era *Nihtgenga,* pero comprobé que tenía las orejas negras, y las de *Nihtgenga* eran blancas. Las nubes eran del color del hierro, bajas y a jirones, y el agua se abría en franjas blancas y de verde negruzco. El *Heahengel* retrocedía con cada ola, crujía en las depresiones y se sacudía como un ser vivo con cada arremetida, pero sobrevivió. Estaba bien construido, nos mantuvo vivos, y durante todo el tiempo contemplamos cómo los barcos daneses morían mientras el padre Willibald rezaba.

Curiosamente, se le había pasado el mareo. Ofrecía un aspecto pálido, y sin duda se sentía revuelto, pero mientras la tormenta nos golpeaba, dejó de vomitar, y hasta se acercó a mi puesto, donde recuperó el equilibrio agarrándose del timón.

–¿Quién es el dios danés del mar? –me preguntó a gritos.

–¡Njorð! –le respondí al mismo volumen.

Sonrió.

–Vos rezadle a él que yo rezaré a Dios.

Me reí.

–¡Si Alfredo se entera de lo que acabáis de decir, jamás llegaréis a obispo!

–¡No llegaré a obispo a menos que sobreviva, así que rezad!

Y vaya si recé. Y poco a poco, a regañadientes, la tormenta amainó. Las nubes bajas discurrían sobre el agua furiosa a toda velocidad, pero el viento cesó y pudimos cortar el mástil y la verga y sacar los remos, hacer virar el *Heahengel* rumbo al oeste y remar entre los restos flotantes de una flota hecha pedazos. Teníamos delante una veintena de barcos daneses, y yo me acerqué a tantos como pude para gritarles:

–¿Habéis visto la *Víbora del viento*?

–No –me respondían. No, era la respuesta, una y otra vez. Sabían que era un barco enemigo, pero no les importaba porque no había más enemigo en el agua que el agua misma, así que seguimos remando, sin mástil, y dejamos a los daneses atrás a medida que cayó la noche y un rayo de sol se abrió paso entre las nubes del oeste como sangre que colara por una grieta. Dirigí el *Heahengel* hacia la cuenca torcida del río Uisc, y en cuanto doblamos el cabo, el mar se calmó, y nosotros remamos, de repente a salvo, hasta cruzar la larga lengua de arena y meternos en el río. Miré las colinas oscuras donde se encontraba Oxton, y no vi luz.

Embarrancamos en la playa y bajamos a la orilla a trompicones. Algunos hombres se arrodillaron y besaron el suelo, otros se persignaron. Pude distinguir algunas casas en la pequeña bahía que dominaba la ancha cuenca del río. Las ocupamos, pedimos a sus habitantes que encendieran hogueras y trajeran comida, y entonces, en la oscuridad, regresamos fuera y vimos los destellos de luz remontando el río. Reparé en que eran antorchas encendidas en los barcos daneses que habían quedado, los cuales de algún modo consiguieron penetrar el Uisc para poner proa hacia el interior, en dirección al norte, hacia Exanceaster, y supe que aquél era el lugar al que se debía de haber dirigido Guthrum, y que los daneses estaban allí. La flota superviviente pasaría a engrosar las filas de su ejército, y Odda el Joven, si seguía vivo, bien habría podido dirigirse también hacia allí.

Con Mildrith y mi hijo. Me eché mano al martillo de Thor y recé porque siguieran vivos.

Y entonces, mientras los barcos oscuros remontaban el río, dormí.

* * *

Por la mañana subimos el *Heahengel* hasta la pequeña bahía, donde descansaría sobre el barro cuando la marea bajara. Éramos cuarenta y ocho hombres, cansados pero vivos. Nervaduras de nubes recorrían los cielos, altas y de color gris rosáceo, empujadas a toda velocidad por los últimos coletazos del viento de la tormenta.

Caminamos hasta Oxton a través de los bosques llenos de jacintos. ¿Esperaba encontrar a Mildrith allí? Creo que sí, pero evidentemente no estaba. Sólo estaban Oswald el encargado y los siervos, y ninguno de ellos sabía qué estaba ocurriendo.

Leofric insistió en esperar un día para secarnos, afilar las armas y llenarnos el estómago, pero yo no estaba de humor para descansar, así que me llevé a dos hombres, Cenwulf e Ida, y nos dirigimos hacia el norte camino de Exanceaster, que quedaba al otro extremo del Uisc. Las poblaciones junto al río aparecían vacías, pues la gente al oír que venían los daneses habían huido a las montañas, así que recorrimos los senderos más altos y les preguntamos qué había pasado, pero sólo sabían que los barcos dragones estaban en el río, hecho que también pudimos comprobar nosotros. Había una flota desarbolada por la tormenta que embarrancó en la orilla del río debajo de las murallas de piedra de Exanceaster. Había más barcos de lo que pensaba, lo cual indicaba que una buena parte de la flota de Guthrum había sobrevivido quedándose en el Poole cuando estalló la tormenta, y aún seguían llegando unos cuantos de aquellos barcos, cuyas tripulaciones remaban río arriba por el estrecho cauce. Contamos cascos y calculamos que había cerca de noventa, lo que significaba que había sobrevivido casi la mitad de la flota de Guthrum, e intenté identificar el casco de la *Víbora del viento* entre los otros, pero nos hallábamos demasiado lejos.

Guthrum el Desafortunado. Cuánto merecía ese apodo, aunque con el tiempo acabaría ganándose uno mejor, pero por el momento al menos había tenido mala suerte. Consiguió escapar de Werham, y sin duda confiaba en reabastecer a su ejército en Exanceaster y atacar el norte, pero el dios de los mares y el viento le había azotado, dejándole un ejército mutilado. Con todo, seguía siendo un ejército fuerte y, por el momento, seguro tras las murallas romanas de Exanceaster.

Yo quería cruzar el río, pero muchos daneses permanecían junto a sus barcos, así que proseguimos hasta el norte y vimos hombres armados en la carretera que conducía al oeste desde Exanceaster, una carretera que pasaba por el puente debajo de la ciudad y conducía por unos páramos a Cornwalum; me quedé observando largo rato a aquellos hombres, por miedo a que fueran daneses, pero miraban hacia el este, lo cual sugería que vigilaban a los daneses, así que los di por ingleses y bajamos de los bosques con los escudos a la espalda para indicar nuestras intenciones.

Había dieciocho hombres, dirigidos por un *thegn* de nombre Withgil el cual fue comandante de la guarnición de Exanceaster; perdió la mayoría de sus hombres en el ataque de Guthrum. Se mostraba reacio a contar la historia, pero estaba claro que no esperaba problemas, pues había apostado pocos guardias en la puerta este; cuando vieron acercarse a los jinetes pensaron que eran ingleses, así que los daneses capturaron la puerta y entraron en la ciudad. Withgil aseguraba haber presentado batalla en la fortaleza en el centro de la ciudad, pero era evidente por la vergüenza de sus hombres que opuso una resistencia miserable, si se podía calificar de resistencia, y lo más probable parece ser que Withgil se limitó a huir.

–¿Estaba Odda? –le pregunté.

–¿El *ealdorman* Odda? –preguntó Withgil a su vez–. Claro que no.

–¿Dónde estaba?

Withgil me miró con mala cara, como si acabara de caerme del guindo.

–En el norte, por supuesto.

–¿En el norte de Defnascir?

–Se marchó hace una semana. Comandaba el *fyrd.*

–¿Contra Ubba?

–Ésas fueron las órdenes del rey –dijo Withgil.

–¿Y dónde está Ubba? –pregunté.

Al parecer Ubba había traído sus barcos por el extenso mar del Sæfern, desembarcando más allá del oeste del Defnascir. Llegó antes de la tormenta, lo cual sugería que su ejército debía permanecer intacto, y a Odda le habían ordenado que bloqueara el avance de Ubba hacia el resto de Wessex, y si Odda había marchado hacía tan sólo una semana, seguro que Odda el Joven estaba al corriente y se habría unido a su padre. Lo que indicaba que Mildrith estaría allí, dondequiera que aquello fuese. Le pregunté a Withgil si había visto a Odda el Joven, pero dijo que ni lo había visto ni sabía nada de él desde Navidad.

–¿Cuántos hombres tiene Ubba? –le pregunté.

–Muchos –contestó Withgil, que no era de gran ayuda pero sí todo lo que sabía.

–Señor. –Cenwulf me tocó el brazo y señaló hacia el este, vi entonces aparecer jinetes en los campos bajos que se extendían desde el río hasta la colina sobre la que se levanta Exanceaster. Muchos jinetes, y detrás de ellos llegaba un portaestandarte, y aunque estábamos demasiado lejos para ver el escudo, el verde y el blanco proclamaban que se trataba de un estandarte de Wessex. ¿Así que Alfredo venía hasta aquí? Parecía probable, pero yo no tenía ninguna intención de cruzar el río y averiguarlo. Sólo me interesaba buscar a Mildrith.

La guerra se desarrolla envuelta en misterio. La verdad puede tardar días en llegar, y antes de la verdad vuelan los rumores, así que siempre es difícil saber qué está ocurriendo en realidad, y es todo un arte extraer el hueso limpio de la carne podrida del miedo y las mentiras.

Así que, ¿qué sabía? Que Guthrum había roto la tregua y tomado Exanceaster, y que Ubba se encontraba al norte de Defnascir. Lo que indicaba que los daneses intentaban hacer lo que no habían conseguido el año anterior: dividir las fuerzas sajonas. Y mientras Alfredo se enfrentaba a un ejército, el otro asolaría la tierra o, a lo mejor, atacaría su retaguardia, y para evitar eso había ordenado al *fyrd* de Defnascir bloquear el avance de Ubba. ¿Se habría librado ya aquella batalla? ¿Estaba Odda vivo? ¿Y su hijo? ¿Y Mildrith y el mío? En una confrontación entre Ubba y Odda yo habría apostado por Ubba. Era un gran guerrero, un hombre de leyenda entre los daneses, mientras que Odda era un hombre mayor, quisquilloso, excesivamente preocupado y de pelo cano.

–Nos vamos al norte –le dije a Leofric cuando regresamos a Oxton. No tenía ningunas ganas de ver a Alfredo. Estaría sitiando a Guthrum, y si me acercaba a su campamento, sin duda me ordenaría unirme a las tropas que asediaban la ciudad y no podría hacer otra cosa que esperar sentado y preocuparme. Mejor dirigirme al norte en busca de Ubba.

Así que a la mañana siguiente, bajo el sol de primavera, la tripulación del *Heahengel* marchó hacia el norte.

* * *

La guerra era entre los daneses y Wessex. Mi guerra era con Odda el Joven, y sabía que me guiaba el orgullo. Los predicadores nos dicen que el orgullo es un gran pecado, pero los predicadores no saben de qué hablan. El orgullo hace al hombre, lo guía, es el muro de escudos que protege su reputación, y los daneses lo entendían. Los hombres mueren, decían, pero el nombre no.

¿Qué buscamos en un señor? Fuerza, generosidad, dureza, éxito, ¿y por qué un hombre no habría de sentirse orgulloso de esas cosas? Mostradme un guerrero humilde y sólo veré un cadáver. Alfredo predicaba la humildad, incluso se fingía humilde, le encantaba aparecer en la iglesia descalzo y postrarse ante el altar, pero nunca poseyó auténtica humildad. Era orgulloso, y los hombres le temían por ello, y los hombres deben temer a su señor. Deben temer contrariarlo y deben temer que cese su generosidad. La reputación construye el temor, y el orgullo protege la reputación, y yo marché hacia el norte porque mi orgullo estaba en peligro. Me habían arrebatado a mi mujer y a mi hijo, y los recuperaría. Si habían sufrido daño, me vengaría y el hedor de la sangre de aquel hombre provocaría que otros hombres me temieran. Por lo que a mí hace Wessex podía caer, mi reputación era más importante, así que nos fuimos, rodeamos Exanceaster por una vía pecuaria hasta las colinas, hasta llegar a Twyfyrde, una pequeña población llena de refugiados de Exanceaster, y ninguno había visto ni sabía nada de Odda el Joven, ni habían oído hablar de una batalla al norte, pero un cura aseguraba que la noche anterior habían caído tres rayos y juraba que aquello era una señal de que Dios había vencido a los paganos.

Desde Twyfyrde seguimos los caminos que bordeaban el extenso páramo, caminando por terreno muy boscoso, tan montañoso como encantador. Habríamos ido más rápido de poseer caballos, pero no teníamos, y los pocos que encontramos estaban viejos, enfermos y nunca eran suficientes para todos los hombres, así que caminamos. Aquella noche dormimos en una profunda cañada llena de flores y espolvoreada de jacintos, un ruiseñor nos arrulló y nos despertó el coro del alba. Proseguimos nuestro camino entre las blancas flores de mayo, hasta llegar por la tarde a las colinas sobre la orilla norte, allí nos encontramos con gente que había huido de las tierras costeras trayendo consigo a sus familias y ganado, y su presencia nos indicó que pronto veríamos daneses.

No lo sabía, por supuesto, pero las tres hilanderas tejían mi destino. Aumentaban el grosor de las hebras, las enroscaban para hacerlas más fuertes, me convertían en el hombre que soy, pero al observar desde lo alto de la colina sólo sentí un estremecimiento, pues allí estaba la flota de Ubba, remando hacia el este, manteniendo el paso de los jinetes y la infantería que marchaban por la orilla.

Los fugitivos nos informaron de que los daneses habían llegado desde tierras galesas cruzando el ancho mar del Sæfern, y que habían desembarcado en un lugar llamado Beardastopol, situado en el extremo oeste de Defnascir, y que allí habían reunido caballos y víveres, pero entonces el ataque al corazón de Wessex se vio retrasado por la gran tormenta que hizo naufragar la flota de Guthrum. Los barcos de Ubba aguardaron en la ensenada de Beardastopol hasta que amainó la tormenta y entonces, inexplicablemente, siguieron esperando incluso cuando mejoró el tiempo, y yo supuse que Ubba, que no hacía nada sin el consentimiento de los dioses, había lanzado las runas, que resultaron poco favorables, y así esperó hasta que los augurios fueran propicios. Pero ahora las runas serían benéficas, pues el ejército de Ubba se puso en marcha. Conté treinta y seis barcos, es decir, un ejército de al menos mil doscientos o trescientos hombres.

–¿Adónde van? –me preguntó uno de mis hombres.

–Hacia el este –gruñí, ¿qué más podía decir? Hacia el este para penetrar en Wessex. Hacia el este, para penetrar en el rico corazón del último reino de Inglaterra. Hacia el este, a Wintanceaster o cualquiera de las otras ricas ciudades en las que iglesias, monasterios y conventos rebosaban de tesoros, hacia el este donde esperaba el botín, donde había comida y más caballos, para invitar a más daneses a que cruzaran la frontera de Mercia, obligando de ese modo a Alfredo a darse la vuelta y enfrentarse a ellos, y entonces el ejército de Guthrum saldría de Exanceaster y el de Wessex quedaría atrapado entre dos huestes de daneses, salvo que el *fyrd* de Defnascir estaba en algún lugar de aquella costa y su deber era detener a los hombres de Ubba.

Proseguimos hacia el este, dejamos Defnascir para hollar territorio de Sumorsæte, y seguimos de cerca a los daneses por el terreno elevado. Aquella noche observé a las naves de Ubba desembarcar en la orilla y encender hogueras en el campamento danés. Nosotros encendimos las nuestras en lo más profundo de un bosque, y antes del alba emprendimos la marcha, de modo que al adelantarnos a nuestros enemigos avistamos a mediodía las primeras fuerzas sajonas. Eran jinetes, probablemente exploradores, y ahora se estaban retirando ante la amenaza danesa. Llegamos al lugar en que las colinas descendían hasta un río que desembocaba en el mar del Sæfern, y fue allí donde descubrimos que el *ealdorman* Odda había decidido plantar su estandarte, en una fortaleza construida por los antiguos en una colina cerca del río.

El río se llamaba Pedredan y cerca de su desembocadura había un pequeño lugar de nombre Cantucton, y cerca de Cantucton estaba la antigua fortaleza de tierra que los lugareños llamaban Cynuit. Era antiquísima, aquella fortaleza. El padre Willibald nos dijo que era más antigua que los romanos, que ya era muy vieja cuando el mundo era joven, y que fue construida levantando murallas de tierra sobre una colina y excavando un foso fuera de las murallas. El tiempo había desgastado las murallas, el foso ya no era tan profundo, la hierba había crecido por encima de la fortificación, y en uno de los extremos el muro se había visto reducido a nada, reducido hasta no ser más que una señal en la hierba, pero era una fortaleza, y el lugar donde el *ealdorman* Odda había reunido a sus fuerzas y donde moriría si no derrotaba a Ubba, cuyos barcos asomaban ya por la desembocadura del río.

No me dirigí directamente a la fortaleza, sino que nos detuvimos al abrigo de unos árboles y nos vestimos para la guerra. Me convertí en el *ealdorman* Uhtred en toda su gloria guerrera. Los siervos de Oxton habían pulido mi cota de malla con arena y me la puse, encima me abroché un tahalí de cuero para *Hálito-de-serpiente* y *Aguijón-de-avispa,* me calcé botas altas, me calé el casco brillante y, al abrochar las cinchas de mi escudo, me sentí como un dios vestido para matar. Mis hombres se abrochaban sus propias cinchas, se ataban las botas, comprobaban los filos de sus armas, y hasta el padre Willibald se había buscado una vara, una buena rama de fresno que le habría roto la cabeza a un hombre.

–No tenéis que luchar, padre –le dije.

–Todos tenemos que luchar, señor –repuso. Dio un paso atrás, me miró de arriba abajo y una sonrisilla apareció en su rostro–. Habéis crecido –dijo.

–Es lo normal, padre –contesté.

–Recuerdo la primera vez que os vi. Un niño. Ahora os temo.

–Esperemos que el enemigo también –dije, no muy seguro de si con ese enemigo quería decir Odda o Ubba, y deseé poseer el estandarte de Bebbanburg, la cabeza de lobo rugiendo, pero tenía mis espadas y mis escudos, y conduje a mis hombres fuera del bosque y crucé los campos donde presentaría batalla el *fyrd* de Defnascir.

Los daneses estaban a unos dos kilómetros a nuestra izquierda, llegaban en manada por la carretera de la costa y se apresuraban para rodear la colina llamada Cynuit, aunque llegarían tarde para barrarnos el camino. A mi derecha había más daneses, barcos daneses, que subían sus cabezas de dragón por el Pedredan.

–Son más que nosotros –comentó Willibald.

–Vaya que sí –coincidí. Había cisnes en el río, reyes de codornices entre el heno sin recoger, y orquídeas carmesíes en los prados. Era la época del año en que los hombres debían recoger el heno o esquilar las ovejas. Yo no tenía que estar allí, me dije para mis adentros. No tenía que ir a aquella colina a que los daneses nos mataran. Miré a mis hombres y me pregunté si pensarían lo mismo, pero cuando cruzábamos las miradas, sonreían o asentían, y de repente reparé en que confiaban en mí. Yo los capitaneaba y no me cuestionaban, aunque Leofric intuía el peligro. Se me acercó.

–Sólo hay una manera de salir de esa colina –me dijo en voz baja.

–Lo sé.

–Si no la encontramos –prosiguió–, nos quedaremos allí. Enterrados.

–Lo sé –repetí, y pensé en las hilanderas y supe que reforzaban los hilos, miré la ladera de Cynuit y vi unas cuantas mujeres en la cumbre, mujeres que eran protegidas por sus hombres, y pensé que Mildrith podía contarse entre ellas, y ése fue el motivo por el que subí a la colina, porque no sabía en qué otro lugar buscarla.

Pero las hilanderas me enviaban a aquella antigua fortificación de tierra por otro motivo. Aún tenía que luchar en el gran muro de escudos, en la fila de guerreros, en el esfuerzo y el horror de una auténtica batalla, donde matar una vez sólo invitaba a otro enemigo a llegar. La colina de Cynuit era el camino hacia la madurez plena y subí hasta ella porque no tenía otra elección: las hilanderas me enviaron.

Entonces a nuestra derecha escuchamos un rugido, por el valle del Pedredan, y vi que junto a uno de los barcos en la playa se estaba irguiendo un estandarte. Era el del cuervo. El estandarte de Ubba. Ubba, el último, el más fuerte y el más temible de los hijos de Lothbrok, había traído sus armas a Cynuit.

–¿Veis ese barco? –le dije a Willibald, señalando el lugar donde ondeaba el estandarte–. Hace diez años –dije–, yo limpié ese barco. Lo rasqué, lo restregué, lo limpié. –Los daneses estaban sacando los escudos de sus rieles y el sol incidió en la miríada de armas–. Tenía diez años.

–¿El mismo barco? –preguntó el cura.

–Tal vez. Pero puede que no. –A lo mejor era un nuevo barco, no importaba, en realidad; lo único que importaba es que había traído a Ubba.

A Cynuit.

* * *

Los hombres de Defnascir formaron una fila en el lugar en que se había erosionado la muralla de la vieja fortaleza. Algunos, apenas unos cuantos, tenían palas y trataban de rehacer la barrera de tierra, pero no les daría tiempo a terminar, no si Ubba asaltaba la colina. Pasé como pude usando mi escudo para apartar a los que se cruzaban en mi camino, ignorando a cualquiera que me preguntase quiénes éramos, y así nos abrimos paso hasta la cumbre de la colina donde ondeaba el estandarte del venado negro de Odda.

Me quité el casco cuando me acerqué a él. Le lancé el casco al padre Willibald, después desenvainé *Hálito-de-serpiente* porque vi a Odda el Joven junto a su padre; me miraba como si fuera un fantasma, y a él debí parecérselo.

–¿Dónde está? –grité y lo señalé con la espada–. ¿Dónde está?

Los vasallos de Odda desenvainaron y levantaron las lanzas, y Leofric sacó su acero disminuido por la batalla, *Matadaneses*.

–¡No! –gritó el padre Willibald y corrió hacia delante, con la vara levantada en una mano y mi casco en la otra–. ¡No! –intentó cortarme el paso, pero lo aparté, sólo para encontrarme a tres de los curas de Odda delante. Ésa era una de las cosas que tenía Wessex, siempre había curas por todas partes. Aparecían como ratones huyendo de un incendio, pero aparté a los curas a un lado y me enfrenté a Odda el Joven.

–¿Dónde está? –exigí saber.

Odda el Joven llevaba cota de malla. Una malla tan bruñida que hacía daño a los ojos. Su casco tenía incrustaciones de plata, y sus botas placas del mismo metal. Vestía una capa azul sujeta alrededor del cuello con un gran broche de oro y ámbar.

–¿Dónde está? –pregunté por cuarta vez, y esta vez *Hálito-de-serpiente* quedaba a un brazo de distancia de su garganta.

–Vuestra esposa está en Cridianton –respondió el *ealdorman* Odda. Su hijo estaba demasiado asustado para abrir la boca.

Yo no tenía ni idea de dónde estaba Cridianton.

–¿Y mi hijo? –miré al aterrorizado Odda el Joven a los ojos–. ¿Dónde está mi hijo?

–¡Ambos se encuentran con mi esposa en Cridianton! –respondió el *ealdorman* Odda–, y están a salvo.

–¿Lo juráis? –pregunté.

–¿Jurar? –Había conseguido enfadar al *ealdorman*, su rostro feo y bulboso se puso colorado–. ¿Os atrevéis a pedirme que jure? –Desenvainó su propia espada–. Podemos destrozaros como a un perro –dijo, y las espadas de sus hombres se revolvieron.

Yo hice un molinete con mi espada de modo que quedó apuntando al río.

–¿Conocéis ese estandarte? –pregunté, alzando mi voz para que una buena parte de los hombres en la colina de Cynuit me oyera–. Es el estandarte del cuervo de Ubba Lothbrokson. Yo he visto a Ubba Lothbrokson matar. Lo he visto pisotear hombres en el mar, abrirles las tripas, cortar cabezas, caminar entre su sangre y hacer su espada chirriar con su canción de muerte, ¿y vais a matar a quien está dispuesto a luchar contra él a vuestro lado? Pues hacedlo. –Abrí los brazos, desnudando mi cuerpo ante la espada del *ealdorman*–. Hacedlo –le escupí–, pero primero jurad que mi esposa y mi hijo están bien.

Se detuvo durante un buen rato, después bajó la espada.

–Están bien –dijo–, lo juro.

–¿Y esa cosa –señalé con *Hálito-de-serpiente* a su hijo– la ha tocado?

El *ealdorman* miró a su hijo, que sacudió la cabeza.

–Juro que no –dijo Odda el Joven encontrando al fin su voz–. Sólo quería ponerla a salvo. Os creíamos muerto y quería que estuviera segura. Eso es todo, lo juro.

Envainé a *Hálito-de-serpiente.*

–Le debéis a mi esposa dieciocho chelines –le dije al *ealdorman*, después me di la vuelta.

Había venido a Cynuit. No tenía ninguna necesidad de estar en aquella colina. Pero estaba. Porque el destino lo es todo.

CAPÍTULO XI

El *ealdorman* Odda no tenía ganas de matar daneses. Deseaba quedarse donde estaba y dejar que las fuerzas de Ubba lo sitiaran. Con eso, calculaba, bastaría.

–Si contenemos aquí a su ejército –dijo con contundencia–, Alfredo podrá marchar para atacarlo.

–Alfredo –señalé– está sitiando Exanceaster.

–Dejará hombres allí para vigilar a Guthrum –comentó con altivez Odda–, y vendrá hasta aquí. –No le gustaba hablar conmigo, pero era *ealdorman* y no podía impedirme la asistencia a aquel consejo de guerra en el que se reunió con su hijo, los curas y los *thane,* irritados todos ellos por mis comentarios. Insistí en que Alfredo no vendría a rescatarnos, y el *ealdorman* Odda se negaba a moverse de la colina porque estaba seguro de que Alfredo vendría. Sus *thane,* todos ellos hombres grandes con pesadas cotas de malla y rostros sombríos y curtidos al aire libre, coincidieron con él. Uno murmuró que había que proteger a las mujeres.

–No tendría que haber ninguna mujer –dije.

–Pero las hay –repuso el hombre sin más. Por lo menos un centenar de mujeres habían seguido a sus hombres y estaban ahora en la cima de la colina, donde no había ningún refugio para ellas ni para los niños.

–Y aunque Alfredo venga –pregunté–, ¿cuánto tardaría?

–¿Dos días? –sugirió Odda–. ¿Tres?

–¿Y qué beberemos mientras llega? –pregunté–. ¿Meos de pájaro?

Y todos se me quedaron mirando, con expresión de odio, pero tenía razón porque no había primavera en Cynuit. El agua más cercana era el río, y entre nosotros y el río estaban los daneses, así que Odda entendía perfectamente que nos acosaría la sed, pero insistía en que nos quedáramos. Puede que sus curas estuvieran invocando un milagro.

Los daneses se mostraban igual de cautelosos. Nos superaban en número, aunque no demasiado, y el terreno elevado era nuestro, lo cual significaba que tendrían que pelear cuesta arriba, en la empinada ladera de Cynuit, así que Ubba decidió rodear la colina en lugar de asaltarla. Los daneses detestaban perder hombres, y yo recordé la cautela de Ubba en el Gewæsc, donde vaciló en atacar las fuerzas de Edmundo por los dos caminos que ascendían del pantano, y a lo mejor aquella cautela se veía reforzada por Storri, su hechicero, si Storri seguía vivo. Cualquiera que fuese la razón, en lugar de formar a sus hombres en el muro de escudos para asaltar la antigua fortificación, Ubba los colocó formando un círculo alrededor de Cynuit, y entonces, con cinco de sus capitanes, subió la colina. No llevaba ni espada ni escudo, lo que indicaba que quería hablar.

El *ealdorman* Odda, su hijo, dos *thane* y tres curas salieron a recibir a Ubba y, como yo era *ealdorman*, los seguí. Odda me dirigió una mirada malévola, pero tampoco ahora tenía modo de impedirme que lo acompañara, así que nos encontramos con Ubba a mitad de colina, y el danés ni saludó ni se molestó en perder el tiempo con los habituales insultos rituales, y señaló que estábamos atrapados y que lo más sensato sería rendirnos.

–Entregaréis vuestras armas –dijo–, yo haré rehenes y vosotros viviréis.

Uno de los curas de Odda tradujo las exigencias al *ealdorman*. Observé a Ubba. Parecía más viejo, tenía canas en la maraña negra de su barba, pero seguía provocando pavor; ofrecía un pectoral enorme, mostrándose seguro de sí mismo y duro.

El *ealdorman* Odda estaba visiblemente asustado. Ubba, después de todo, era un conocido jefe danés, un hombre que había surcado grandes mares para repartir muerte, y Odda se veía obligado a enfrentarse a él. Hizo todo cuanto estuvo en su mano para parecer desafiante, replicó que se quedaría donde estaba y puso su fe en el único y auténtico Dios.

–Entonces os mataremos –repuso Ubba.

–Podéis intentarlo –respondió Odda.

Era una respuesta débil, y Ubba escupió para burlarse de ella. Ya estaba a punto de darse la vuelta cuando hablé yo, y no necesitaba intérprete.

–La flota de Guthrum ha desaparecido –dije–. Njorð se alzó de las profundidades, Ubba Lothbrokson, y se llevó la flota de Guthrum al fondo. Esos hombres valerosos, todos, están ahora con Ran y Ægir. –Ran era la esposa de Njorð, y Ægir el gigante que vigilaba las almas de los ahogados. Saqué mi amuleto del martillo y lo sostuve en alto–. Lo que digo es la pura verdad, señor Ubba –proseguí–. Yo vi aquella flota morir y a sus hombres perecer bajo las olas.

Se me quedó mirando con aquellos ojos duros y mates, y la violencia en su corazón era como el calor de una forja. La sentía, pero también detectaba su miedo, no de nosotros, sino de los dioses. Era un hombre que nada hacía sin una señal de los dioses, y ése era el motivo por el que yo los había mencionado al hablar del naufragio.

–Te conozco –gruñó, señalándome con dos dedos para alejar el mal de mis palabras.

–Y yo te conozco a ti, Ubba Lothbrokson –dije, y solté el amuleto y levanté tres dedos–. Ivar muerto –plegué un dedo–,

Halfdan muerto –plegué el segundo–, y sólo quedas tú. ¿Qué dicen las runas? ¿Que con la luna nueva no quedarán hermanos Lothbrok sobre Midgard?

Le había tocado un punto débil, como era mi intención, pues Ubba asió instintivamente el amuleto de martillo. El cura de Odda traducía, su voz apenas un murmullo, y el *ealdorman* me miraba con ojos alucinados.

–¿Por eso quieres que nos rindamos? –pregunté a Ubba–. ¿Porque las runas dicen que no moriremos en la batalla?

–Voy a matarte –contestó Ubba–. Te voy a rajar desde la entrepierna al gaznate. Te voy a arrancar las asaduras.

Esbocé una sonrisa, aunque no era fácil cuando Ubba amenazaba.

–Puedes intentarlo, Ubba Lothbrokson –dije–, pero fracasarás. Y yo lo sé. Eché las runas, Ubba, eché las runas bajo la luna de anoche, y lo sé.

No le gustó nada, porque creyó mi mentira. Quería parecer desafiante, pero por un instante sólo me pudo mirar con miedo porque sus propias runas, supuse, le habrían dicho lo mismo que yo, que un ataque a Cynuit terminaría en fracaso.

–Eres el chico de Ragnar –dijo, identificándome al fin.

–Y Ragnar el Temerario me habla –dije–, me llama desde el salón de los muertos, quiere venganza, Ubba, venganza sobre los daneses porque Ragnar fue asesinado a traición por su propia gente. Yo soy su mensajero ahora, algo que procede del salón de los muertos, y he venido a por ti.

–¡Yo no lo maté! –rugió Ubba.

–¿Y eso a Ragnar qué le importa? –pregunté–. Sólo quiere venganza y para él una vida danesa es tan buena como cualquier otra, así que vuelve a tirar las runas y después ofrécenos tu espada. Ya eres historia, Ubba.

–Y tú eres mierda de comadreja –contestó, y no dijo nada más, se limitó a darse la vuelta y regresar a toda prisa.

El *ealdorman* Odda seguía mirándome.

–¿Lo conocéis? –me preguntó.

–Conozco a Ubba desde que tenía diez años –contesté mientras observaba alejarse al jefe danés. Pensaba que de haber tenido elección, si hubiese podido seguir mi corazón de guerrero, habría preferido luchar con Ubba que contra él, pero las hilanderas lo habían decidido de otro modo–. Desde que tenía diez años –seguí diciendo–, y si algo sé de Ubba es que teme a los dioses. Ahora está aterrorizado. Podéis atacarle y su corazón lo traicionará porque cree que va a perder.

–Alfredo vendrá –dijo Odda.

–Alfredo vigila a Guthrum –dije. De eso no estaba seguro, por supuesto. Por lo que yo sabía, Alfredo podría estar en ese mismo momento observándonos desde las colinas, pero dudaba de que dejase a Guthrum saquear Wessex a su capricho–. Vigila a Guthrum –dije–, porque el ejército de Guthrum es dos veces el de Ubba. Incluso aunque se le haya hundido media flota, Guthrum tiene más hombres, ¿y por qué iba Alfredo a dejarlos sueltos en Exanceaster? Alfredo no va a venir –concluí–, y nosotros moriremos de sed antes de que Ubba nos ataque.

–Tenemos agua –comentó su hijo enfurruñado–, y cerveza. –Me había estado observando con marcado resentimiento, maravillado de que hablara con tanta familiaridad con Ubba.

–Tenéis agua y cerveza para un día –repliqué con desdén, y vi por la expresión del *ealdorman* que estaba en lo cierto.

Odda se dio la vuelta y miró hacia el sur por el valle del Pedredan. Confiaba en divisar las tropas de Alfredo, anhelaba un destello de luz reflejado en una punta de lanza, pero estaba claro que allí no había más que árboles estremecidos por el viento.

Odda el Joven detectó la incertidumbre en su padre.

–Podemos esperar dos días –insistió.

–La muerte no será mejor dos días más tarde –repuso Odda con gravedad. Entonces lo admiré. Había confiado en no tener que luchar, en que su rey lo rescataría, pero en su corazón sabía que yo tenía razón, y que aquellos daneses eran responsabilidad suya. Los hombres de Defnascir tenían Inglaterra en sus manos, y debían conservarla.

–Al alba –dijo sin mirarme–, atacaremos al alba.

* * *

Dormimos con el equipo puesto. O más bien, los hombres intentaron dormir con el cuero o la malla puestos, tahalíes abrochados, los cascos y las armas cerca. Y no encendimos hogueras porque Odda no quería que el enemigo viera que nos habíamos preparado para la batalla, pero el enemigo sí tenía fuego, y nuestros centinelas podían vigilar las laderas y usar la luz enemiga para detectar filtraciones. Ninguna se produjo. La luna menguante aparecía y desaparecía entre las nubes rotas. Las hogueras danesas nos rodeaban, más brillantes hacia el sur, cerca de Cantucton, donde Ubba tenía el campamento. Al este había más hogueras, tras los barcos daneses, cuyas llamas emitían destellos que reflejaban las molduras doradas de las cabezas de bestias y proas de dragón pintadas. Entre nosotros y el río había un prado, en cuyo extremo más alejado los daneses observaban la colina, y más allá, una franja de tierra firme junto al río sobre la que algunas casuchas servían de refugio a los guardias daneses que vigilaban los barcos. Las cabañas habían sido de pescadores, ahora unidos, y las hogueras estaban encendidas entre ellas. Un puñado de daneses paseaba por la orilla junto a aquellas hogueras, caminaba entre las proas esculpidas y yo me puse en pie sobre la muralla, miré aquellos largos y gráciles barcos y recé porque la *Víbora del viento* siguiera viva.

No podía dormir. Pensaba en escudos y daneses, espadas y miedo. Pensaba en el hijo que nunca había visto, y en Ragnar el Temerario, me preguntaba si me estaría mirando desde el Valhalla. Me preocupaba fracasar al día siguiente cuando, por fin, llegara a la puerta de la vida que es un muro de escudos, y no era el único al que se le negó el sueño pues, en el corazón de la noche, un hombre trepó la muralla cubierta de hierba para ponerse a mi lado. Vi que era el *ealdorman* Odda.

–¿Cómo conocéis a Ubba? –me preguntó.

–Fui capturado por los daneses –dije–, me crié entre ellos. Los daneses me enseñaron a pelear. –Me toqué uno de los brazaletes–. Ubba me dio éste.

–¿Peleasteis para él? –preguntó Odda, no de manera acusadora, sino con curiosidad.

–Peleaba para sobrevivir –contesté evasivo.

Miró de nuevo hacia el río herido por la luna.

–Cuando de pelea se trata –dijo–, los daneses no son idiotas. Estarán esperando un ataque al alba. –No dije nada, me preguntaba si los miedos de Odda le estarían haciendo cambiar de opinión–. Y nos superan en número –prosiguió. Seguí sin decir nada. El miedo desgasta al hombre, y no hay miedo como la perspectiva de enfrentarse a un muro de escudos. Aquella noche el pavor me roía las entrañas, pues no había luchado nunca cuerpo a cuerpo en el choque de ejércitos. Había estado en la colina de Æsc, y en otras batallas durante aquel lejano verano, pero no había luchado en el muro de escudos. Mañana, pensaba, mañana, y como Odda, deseaba ver al ejército de Alfredo al rescate, pero no habría ningún rescate–. Nos superan en número –repitió Odda–, y algunos de mis hombres no tienen más arma que ganchos.

–Un gancho puede matar –dije, aunque eso era una solemne majadería. No querría enfrentarme a un danés si no llevara más que un gancho–. ¿Cuántos tienen armas decentes? –pregunté.

–¿La mitad? –calculó.

–Esos hombres formarán nuestras primeras filas –dije–, y el resto que recojan las armas de los enemigos muertos. –No tenía ni idea de qué estaba diciendo, sólo sabía que debía sonar seguro de mí mismo. El miedo desgasta, pero la confianza vence al miedo.

Odda se detuvo otra vez, mirando los oscuros barcos de abajo.

–Vuestra esposa e hijo se encuentran bien –dijo al cabo de un rato.

–Bien.

–Mi hijo sólo la rescató.

–Y rezó porque yo estuviera muerto –repliqué.

Se encogió de hombros.

–Mildrith vivió con nosotros tras la muerte de su padre, y mi hijo se encariñó con ella. No quería hacer ningún daño, y no lo hizo. –Me tendió una mano y vi, a la débil luz de la luna, que me ofrecía una bolsita de cuero–. Lo que falta del precio de la novia –dijo.

–Guardadlo, señor –dije–, y entregádmelo después de la batalla. Si muero dádselo a Mildrith.

Una lechuza pasó volando sobre nuestras cabezas, pálida y veloz, y me pregunté qué augurio sería aquél. A lo lejos, hacia el este, mucho más allá del Pedredan, una pequeña hoguera titiló, y también eso fue un augurio, pero yo no supe descifrarlo en ese momento.

–Mis hombres son buenos hombres –comentó Odda–, ¿pero y si los rodean? –El miedo seguía haciendo mella en él–. Sería mejor –prosiguió–, que Ubba nos atacara.

–Sería mejor –coincidí–, pero Ubba no hará nada a menos que las runas se lo indiquen.

El destino lo es todo. Ubba lo sabía, motivo por el que leía las señales de los dioses, y yo sabía que la lechuza había sido una señal, y había volado sobre nuestras cabezas, por encima de los barcos daneses y hacia aquella hoguera distante que ardía junto a la orilla del Sæfern, y de repente recordé los cuatro barcos del rey Edmundo que llegaron a la playa de Anglia Oriental y las flechas incendiarias en los barcos daneses, y reparé en que, después de todo, sí sabía leer los augurios.

–Si todos vuestros hombres son rodeados –dije–, morirán. Pero si son rodeados los daneses, morirán ellos. Tenemos que rodearlos.

–¿Cómo? –preguntó Odda con amargura. Sólo era capaz de ver una matanza al alba; un ataque, una lucha y una derrota, pero yo había visto la lechuza. La lechuza había volado desde los barcos al fuego, y aquélla era la señal. Quemad los barcos–. ¿Cómo los rodeamos? –preguntó Odda.

Y seguí en silencio, preguntándome si debería decírselo. Si seguía el augurio, significaría dividir nuestras fuerzas, y ése era el error que habían cometido los daneses en la colina de Æsc, así que vacilé. Pero Odda no me había venido a buscar porque de repente le gustase, sino porque me había mostrado desafiante con Ubba. Yo solo en todo Cynuit estaba seguro de la victoria, o eso parecía, y eso, a pesar de mi edad, me convertía en el líder en aquella colina. El *ealdorman* Odda, con edad suficiente para ser mi padre, necesitaba mi apoyo. Quería que le dijera qué hacer, yo que no había estado nunca en un muro de escudos, pero era joven, arrogante, y los augurios me habían indicado qué hacer, así que se lo conté a Odda.

–¿Habéis oído hablar alguna vez de los *sceadugengan*? –le pregunté.

Su respuesta fue persignarse.

–Cuando era niño –le dije–, soñaba con los *sceadugengan*. Salía por la noche en su busca y aprendí las costumbres de la noche para poder unirme a ellos.

–¿Qué tiene eso que ver con el alba? –preguntó.

–Dadme cincuenta hombres –dije–, y con los míos, al alba atacaremos allí. –Señalé hacia las embarcaciones–. Empezaremos quemándoles los barcos.

Odda miró colina abajo las hogueras más cercanas, que señalaban el lugar en que los centinelas enemigos estaban apostados en el prado que teníamos al este.

–Sabrán que llegáis –comentó–, y os estarán esperando. –Se refería a que cien hombres no pueden atravesar la silueta de Cynuit, bajar la colina, romper la vigilancia y cruzar el pantano en silencio. Tenía razón. Antes de que hubiéramos dado diez pasos, los centinelas nos habrían visto y dado la alarma. El ejército de Ubba, que seguramente estaba tan preparado para la batalla como el nuestro, saldría en manada desde el campamento sur y se enfrentaría a mis hombres en el prado antes de que llegaran al pantano.

–Pero cuando los daneses vean los barcos ardiendo –dije–, se dirigirán hacia la orilla del río, no hacia el prado. Y la orilla del río está envuelta en pantanos. Allí no pueden rodearnos. –Podían, por supuesto, pero el pantano no ofrecía terreno firme, así que no sería tan peligroso que nos rodearan allí.

–Pero jamás llegaréis a la orilla del río –dijo, decepcionado por mi idea.

–Un caminante de las sombras sí puede –contesté.

Se me quedó mirando, sin decir nada.

–Puedo llegar –dije–, y cuando los primeros barcos ardan, no habrá danés que no baje a la orilla, en ese momento será cuando los cien hombres carguen. Los daneses correrán para salvar sus barcos, y eso les dará tiempo a los cien hombres para cruzar el pantano. Vendrán tan rápido como puedan, se unirán a mí, quemaremos más barcos, y los daneses intentarán matarnos. –Señalé la orilla del río, mostrándole por dónde saldrían los daneses de su campamento hasta la franja de tierra firme en la que estaban embarrancados los barcos–. Y cuando los daneses confluyan todos en aquella orilla –proseguí–, entre el río y el pantano, vos traéis al *fyrd* para atacarlos por detrás.

Rumiaba mientras observaba los barcos. De atacar, el lugar más lógico era la ladera sur, directamente al corazón de las fuerzas de Ubba, una batalla de muro de escudos contra muro de escudos, nuestros novecientos hombres contra sus mil doscientos, y al principio gozaríamos de ventaja, pues muchos de los hombres de Ubba estaban apostados alrededor de la colina, y les llevaría un tiempo reagruparse, y en ese tiempo podríamos penetrar bien dentro de su campamento, pero cada vez serían más y nos podrían detener perfectamente, rodear y entonces llegaría la matanza seria. Y en esa escabechina, tendrían las de ganar, porque nos superaban en número, nos rodearían y nuestra retaguardia, aquellos hombres con hoces en lugar de armas, morirían.

Pero si yo bajaba la colina, y empezaba a quemarles barcos, los daneses saldrían a toda prisa hasta la orilla para detenerme, y eso los situaría en la estrecha franja de tierra junto al río, y si los cien hombres bajo el mando de Leofric se unían a mí, podríamos contenerlos lo suficiente para que Odda llegara por detrás. Y entonces serían los daneses los que morirían, atrapados entre Odda, mis hombres, el pantano y el río. Quedarían atrapados como el ejército de Northumbria en Eoferwic.

Aunque en la colina de Æsc, el desastre había llegado al bando que primero dividió sus fuerzas.

–Podría funcionar –comentó Odda vacilante.

–Dadme cincuenta hombres –le insistí–, jóvenes.

–¿Jóvenes?

–Tienen que correr colina abajo –dije–. Tienen que ser rápidos. Han de llegar a los barcos antes que los daneses, y tienen que hacerlo al alba. –Hablaba con una seguridad que no sentía, y esperé a que contestara, pero no lo hizo–. Si ganáis esta batalla, señor –le dije, y no le llamaba señor porque era de más alto rango, sino porque era mayor que yo–, habréis salvado Wessex. Alfredo os recompensará.

Lo pensó durante un rato y puede que fuera la idea de una recompensa lo que lo convenció, porque asintió.

–Os daré cincuenta hombres –dijo.

Ravn me dio muchos consejos y todos fueron buenos, pero entonces, con el viento nocturno, recordé una cosa que me había dicho la noche en que nos conocimos, algo que jamás había olvidado.

Nunca, me había dicho, nunca te enfrentes a Ubba.

* * *

Los cincuenta hombres iban comandados por el alguacil de la comarca, Edor, un hombre de aspecto tan duro como el de Leofric y que, como Leofric, había luchado en los grandes muros de escudos. Portaba como arma favorita una lanza para jabalíes, aunque también lucía una espada al costado. La lanza, decía, tenía el peso y la fuerza suficiente para perforar cota de malla, e incluso escudo.

Edor, al igual que Leofric, aceptó sin más mi idea. Jamás se me pasó por la cabeza que no fueran a aceptarla, pero aun así, en retrospectiva, me maravilla que la batalla de Cynuit fuera librada según la idea de un joven de veintiún años que nunca se había enfrentado a un muro de escudos. Con todo, era alto, era un señor, había crecido entre guerreros, y poseía la confianza arrogante de un hombre nacido para la batalla. Soy Uhtred, hijo de Uhtred, hijo de otro Uhtred más, y no hemos mantenido Bebbanburg y sus tierras lloriqueando en los altares. Somos guerreros.

Los hombres de Edor y los míos se reunieron tras la muralla este de Cynuit, donde esperarían hasta que el primer barco ardiera al alba. Leofric estaba a la derecha con la tripulación del *Heahengel*, y allí lo quería porque por ese lado llegaría el ataque cuando Ubba condujera a sus hombres junto al borde del río. Edor y los hombres de Defnascir estaban a la izquierda, y su tarea principal consistía en, además de matar a quienquiera que se encontrara junto al río, sacar troncos ardiendo de las hogueras danesas y lanzárselos a los otros barcos.

–No queremos quemar todos los barcos –dije–, con prender fuego a tres o cuatro vale. Eso atraerá a los daneses como un enjambre de abejas.

–Abejas con aguijón –comentó una voz desde la oscuridad.

–¿Tenéis miedo? –pregunté burlón–. ¡Ellos tienen miedo! Sus augurios son malos, creen que van a perder y lo último que quieren es enfrentarse con los hombres de Defnascir al romper el alba. Vamos a hacerles chillar como mujeres, los mataremos, y los enviaremos a su infierno danés. –Ése fue todo mi discurso para la batalla. Tendría que haber hablado más, pero estaba nervioso porque tenía que bajar la colina el primero, el primero y solo. Tenía que vivir mi sueño de la infancia de caminar por las sombras, y Leofric y Edor no conducirían los cien hombres hasta el río si no veían a los daneses salir a rescatar sus barcos, y si no conseguía prenderles fuego a los barcos, no habría ataque y los miedos de Odda regresarían, los daneses vencerían, Wessex moriría e Inglaterra desaparecería–. Así que ahora descansad –concluí de mala manera–. Aún quedan tres o cuatro horas para el alba.

Regresé a la muralla y allí se me unió el padre Willibald, sosteniendo su crucifijo, confeccionado con el hueso del muslo de un buey.

–¿Queréis la bendición de Dios? –me preguntó.

–Lo que quiero, padre –le dije–, es vuestra capa. –Tenía una buena capa de lana, con capucha, y teñida de marrón oscuro. Me la dio y yo me la até alrededor del cuello, para que ocultara el brillo de mi cota–. Y al alba, padre –proseguí–, quiero que os quedéis aquí. La orilla del río no será sitio para curas.

–Si hay hombres muriendo –contestó–, será mi sitio.

–¿Queréis ir al cielo por la mañana?

–No.

–Pues quedaos aquí. –Hablé con más rudeza de la que pretendía, pero era por el nerviosismo, y entonces llegó la hora, pues, aunque la noche aún era densa y quedaba mucho para el alba, necesitaba tiempo para colarme entre las filas danesas. Leofric me despidió, caminó conmigo hasta el flanco norte de Cynuit, protegido por las sombras. También era el lado menos guardado de la colina, pues la ladera norte sólo conducía a los pantanos y al mar del Sæfern. Le entregué mi escudo a Leofric.

–No lo necesito –dije–, sólo será un estorbo.

Me tocó el hombro.

–Menudo chulo hijo de puta que estás hecho, *earsling*.

–¿Eso es un defecto?

–No, señor –dijo, y esa última palabra era una gran alabanza–. Que Dios te acompañe, sea el que sea.

Me toqué el martillo de Thor, después me lo metí debajo de la cota.

–Trae a los hombres lo más rápido que puedas cuando veas llegar a los daneses –le dije.

–Bajaremos rápido –me prometió–, si el pantano nos deja.

Había visto a los daneses cruzar el pantano de día, y reparó en que el terreno estaba blando, pero no cenagoso.

–Podéis ir rápido –le dije. Después me eché la capucha por encima del casco–. Hora de marcharme.

Leofric no dijo nada, y yo bajé de la muralla hasta el poco profundo foso. Así que iba a convertirme en lo que siempre había querido ser, un caminante de las sombras. El sueño de la infancia se había convertido en real y mortal y, tras tocar la empuñadura de *Hálito-de-serpiente* para que me diera suerte, salí del foso. Me agaché, y a mitad de la colina me tumbé cuerpo a tierra y repté como una serpiente, una mancha negra en la hierba, abriéndome paso, palmo a palmo, hasta un espacio entre dos hogueras en ascuas.

Los daneses estaban durmiendo, o casi dormidos. Los veía sentados junto a las hogueras moribundas, y en cuanto salí de la sombra de la colina había claridad suficiente para descubrirme, y ningún lugar para cubrirme, pues en el prado habían pastado ovejas. Me moví como un fantasma, un fantasma reptante, avanzando palmo a palmo, sin hacer ruido, una sombra en la hierba, y lo único que tenían que hacer era mirar, o pasear entre las hogueras, pero no oyeron nada, no sospecharon nada y por lo tanto nada vieron. Me llevó una vida, pero conseguí pasar entre ellos, jamás me acerqué a un enemigo a más de veinte pasos, y en cuanto los hube pasado llegué al pantano, y allí los matorrales ofrecían sombra y me podía desplazar más rápido. Culebreaba entre barro y charcas, y el único momento de tensión tuvo lugar cuando asusté a un pájaro que salió aleteando de su nido y empezó a gritar alarmado. Noté que los daneses miraban hacia el pantano, pero yo no me moví, era negro e inmóvil en la sombra rota, y al cabo de un rato se hizo otra vez el silencio. Esperé, el agua se me colaba por la malla, y recé a Hoder, el hijo ciego de Odín y dios de la noche. Vela por mí, recé, y deseé haberle ofrecido algún sacrificio, pero no lo había hecho, y pensé que Ealdwulf me estaría mirando y juré que le haría sentirse orgulloso. Estaba haciendo lo que siempre había querido que hiciera, llevar *Hálito-de-serpiente* a matar daneses.

Me abrí camino en dirección al este, tras los centinelas, hacia donde estaban embarrancados los barcos. No se veía gris en el cielo del este. Seguí avanzando despacio, sobre mi vientre, iba tan despacio que el miedo se apoderaba de mí. Era consciente de un temblor en el muslo derecho, una sed que no podía ser saciada, y tenía las tripas irritadas. No dejaba de tocar la empuñadura de *Hálito-de-serpiente,* recordando los hechizos que Ealdwulf y Brida depositaron en la espada. Nunca, dijo Ravn, te enfrentes a Ubba.

El cielo oriental seguía oscuro. Avancé reptando, ya tan cerca del mar que podía otear el extenso Sæfern y no vi más que el reflejo de la luna ocultarse en las aguas ondulantes, una lámina de plata abollada a martillazos. La marea subía, la fangosa orilla se estrechaba a medida que crecía el mar. Debía de haber salmones en el Pedredan, pensé, salmones que nadaban con la marea, que regresaban al mar, y toqué la empuñadura de la espada pues me estaba acercando a la franja de tierra firme en la que se erguían las casuchas y esperaban los guardias de los barcos. Me tembló el muslo. Estaba mareado.

Pero el ciego Hoder velaba por mí. Los guardias de los barcos no estaban más alerta que sus camaradas al pie de la colina, ¿y por qué deberían estarlo? Se encontraban lejos de las fuerzas de Odda, y no esperaban problemas; de hecho, sólo estaban allí porque los daneses jamás dejaban sus barcos sin vigilancia. En su mayoría, los guardias de los barcos se habían metido en las cabañas de los pescadores a dormir, y no habían dejado más que un puñado de hombres sentados alrededor de las pequeñas hogueras. Dichos hombres estaban inmóviles, probablemente medio dormidos, aunque uno paseaba arriba y abajo entre las altas proas de los barcos.

Me puse en pie.

Había caminado por las sombras, pero ahora estaba en territorio danés, tras sus centinelas; me desabroché la capa, me la quité, me limpié el barro de la cota de malla y caminé abiertamente hacia los barcos. Las botas chapotearon durante los últimos metros de pantano, y entonces me quedé allí de pie junto al barco más al norte, tiré el casco a la sombra del barco, y esperé al único danés que estaba en pie para descubrirme.

¿Y qué vería? Un hombre en cota de malla, un señor, un capitán de barco, un danés, y me recosté sobre la proa del barco y miré las estrellas. El corazón me latía desbocado, el muslo me temblaba, y pensé que si moría aquella mañana, por lo menos volvería a estar con Ragnar. Subiría al salón de los muertos en el Valhalla, aunque algunos hombres creían que aquellos que no morían en la batalla iban al Niflheim, el horrible infierno helado de los hombres del norte donde la diosa de los cadáveres Hel acecha entre las nieblas y la serpiente *Comecadáveres* repta entre la escarcha para mordisquear a los muertos, pero seguro, pensé, que un hombre muerto en una quema iría al Valhalla, no al gris Niflheim. Seguro que Ragnar estaba con Odín, y entonces oí los pasos del danés y lo miré con una sonrisa.

–Fría mañana, ¿eh? –dije.

–Pues sí. –Era un hombre mayor, con la barba gris, y estaba claramente sorprendido por mi aparición, pero no abrigaba recelo alguno.

–Todo tranquilo –comenté e incliné la cabeza hacia el norte como para indicarle que venía de visitar a los centinelas del lado de la colina del Sæfern.

–Nos tienen miedo –dijo.

–Deberían –fingí bostezar, después me levanté del barco y caminé un par de pasos hacia el norte como si estuviera estirándome, entonces hice como si reparara en mi casco al borde del agua–. ¿Qué es eso?

Mordió el anzuelo, se metió en la sombra del barco para inclinarse sobre el casco y yo saqué el cuchillo, me acerqué y se lo clavé en la garganta. No se la corté, sólo se lo clavé, le hinqué la hoja directamente, se la retorcí y al mismo tiempo lo empujé hacia delante, le metí la cabeza bajo el agua y se la aguanté allí, de modo que si no se desangraba, se ahogaría, y le costó mucho, más de lo que esperaba, pero los hombres son difíciles de matar. Se resistió un tiempo, y pensé que el ruido que estaba haciendo atraería a los daneses de la hoguera más cercana, pero aquella hoguera estaba cuarenta o cincuenta pasos más allá, en la playa, y el pequeño oleaje del río era suficiente para amortiguar la agonía del danés, así que lo maté y nadie lo supo, nadie salvo los dioses que lo vieron, y cuando su alma lo abandonó, saqué el cuchillo de su garganta, recuperé mi casco y volví hasta la proa del barco.

Y esperé allí hasta que el alba iluminó el horizonte. Esperé allí hasta que vi un halo gris al borde de Inglaterra.

Y llegó la hora.

* * *

Caminé hasta la hoguera más cercana. Había dos hombres sentados.

–Mata uno –canté en voz baja–, después dos y luego tres, mata cuatro, mata cinco y luego más. –Era una canción danesa para remar, una que había escuchado muchas veces en la *Víbora del viento*–. Os relevarán pronto –los saludé alegremente.

Se me quedaron mirando. No sabían quién era, pero como el hombre que acababa de matar, no sospecharon aunque hablaba su idioma con un deje inglés. Había muchos ingleses en los ejércitos daneses.

–Una noche tranquila –dije, mientras me inclinaba y cogía un tronco de la hoguera por el lado que no ardía–. Egil se ha dejado un cuchillo en su barco –les expliqué, y Egil era un nombre suficientemente común entre los daneses para no levantar sospechas, así que sólo me miraron mientras me dirigía hacia el norte, suponiendo que necesitaría la llama para iluminar mi camino hacia los barcos. Pasé las cabañas, asentí a los tres hombres que descansaban junto a otra hoguera, y seguí caminando hasta que alcancé el centro de la fila de barcos y allí, silbando en voz baja como si no tuviera otra preocupación en el mundo, subí la escalerilla que habían dejado colgando en la proa de un barco y me metí dentro, después me abrí paso entre las filas de remos. Medio esperaba encontrar hombres durmiendo, pero el barco estaba desierto, salvo por los ruidos de las ratas escarbando en la sentina.

Me agaché en el centro del barco y lancé la madera ardiendo bajo los remos apilados, pero me pareció que no sería suficiente para hacerlos prender, así que usé mi cuchillo para rascar un poco de yesca de uno de los bancos, y cuando tuve suficientes astillas de madera, las apilé encima de la llama y vi el fuego avivarse. Rasqué más, después corté los palos de los remos para que las llamas tuvieran donde agarrarse, y nadie me gritó desde la orilla. Cualquiera que mirara debía de estar pensando que buscaba en la sentina, porque las llamas aún no eran lo bastante altas como para causar alarma, pero se iban extendiendo, y me di cuenta de que me quedaba muy poco tiempo, así que envainé el cuchillo y bajé del barco por un costado. Me metí en el Pedredan, sin importarme lo que el agua le hiciera a mi armadura o mis armas, y una vez en el río, rodeé las proas en dirección al norte, hasta que llegué al último barco donde el cadáver de barba gris golpeaba con suavidad al ritmo del oleaje, y allí esperé.

Y esperé. El fuego, pensé, debía de haberse apagado. Tenía frío.

Y seguí esperando. El gris del borde del mundo empezó a aclarar, y entonces, de repente, se oyó un grito airado y yo salí de las sombras y vi a los daneses corriendo hacia las llamas, brillantes y altas en el barco al que le había pegado fuego, así que me dirigí a la hoguera abandonada, cogí otro tronco y lo tiré dentro de un segundo barco, y los daneses corrían hacia el otro barco, a unos sesenta pasos, y no me vieron. Entonces sonó un cuerno, una vez más y otra, dando la alarma, y supe que los hombres de Ubba llegarían de su campamento en Cantucton, así que cogí una última rama ardiendo, me quemé la mano al meterla bajo una pila de remos, y regresé al río para esconderme a la sombra de uno de los barcos.

El cuerno siguió sonando. Los hombres salían desorientados de las cabañas de pescadores, a salvar la flota, y empezaron a llegar más hombres desde el campamento al sur, y así los daneses de Ubba cayeron en nuestra trampa. Vieron los barcos ardiendo y bajaron a salvarlos. Salieron del campamento en desorden, muchos sin armas, concentrados sólo en sofocar las llamas que bailaban en las jarcias y despedían sombras escabrosas en la orilla. Permanecí oculto, pero sabía que Leofric vendría, y ya era sólo una cuestión de llegar a tiempo. Llegar a tiempo y la bendición de las hilanderas, la bendición de los dioses, y los daneses usaban sus escudos para echar agua en el primero de los barcos ardiendo, pero entonces se oyó otro grito y supe que habían visto a Leofric, que seguro que había arrasado con la primera línea de centinelas, degollándolos a su paso, y estaba ya en el pantano. Di la vuelta por entre las sombras, salí de debajo del casco suspendido del barco y vi llegar a los hombres de Leofric. También vi treinta o cuarenta daneses llegar corriendo desde el norte para hacer frente a la carga, pero entonces aquellos daneses vieron los nuevos incendios en los barcos situados más al norte, y los asaltó el pánico porque tenían fuego detrás y guerreros delante, y la mayoría del resto de daneses seguía cien pasos atrás. Supe en esa circunstancia que hasta entonces los dioses luchaban con nosotros.

Yo di la vuelta por el agua. Los hombres de Leofric llegaban desde el pantano y las primeras espadas y lanzas se estrellaron, pero Leofric contaba con la ventaja de la superioridad numérica, y la tripulación del *Heahengel* arrasó al puñado de daneses, rebanándolos a golpe de hacha y espada. Uno de los miembros de la tripulación se dio la vuelta rápidamente, me vio llegar y fue presa del pánico, y yo le grité mi nombre, me incliné para coger un escudo danés, y los hombres de Edor estaban ya detrás de nosotros. Les grité que alimentaran las hogueras de los barcos mientras la tripulación del *Heahengel* formaba un muro de escudos en la franja de tierra firme. Entonces avanzamos. Avanzamos hacia el ejército de Ubba, que empezaba a darse cuenta de que estaba siendo atacado.

Marchamos hacia delante. Una mujer que salió de una cabaña gritó al vernos y salió huyendo de la orilla hacia los daneses, donde otro danés rugía a los demás que formaran un muro de escudos.

–¡Edor! –grité, pues sabía que necesitaríamos a sus hombres, y él los trajo para engrosar nuestra fila, de modo que formamos un muro de escudos sólido en la franja de tierra firme, nosotros éramos cien y delante teníamos a todo el ejército danés, aunque era un ejército desordenado y presa del pánico. Miré hacia Cynuit y no vi señal de los hombres de Odda. Vendrían, pensé, vendrían seguro; entonces Leofric aulló que solapáramos los escudos, y la madera de tilo castañeteó, yo envainé *Hálito-de-serpiente* y saqué a *Aguijón-de-avispa.*

El muro de escudos. Es un lugar horrible, así me lo dijo mi padre, y había luchado en siete muros y perecido en el último. Nunca te enfrentes a Ubba, me dijo Ravn.

Detrás de nosotros ardían los barcos situados más al norte, y enfrente teníamos la oleada de daneses enloquecidos que venían buscando venganza, y ésa fue su desgracia, pues no formaron un muro de escudos como es debido, sino que llegaron como perros rabiosos, en tropel, sólo empeñados en matarnos, seguros de que podían machacarnos porque ellos eran daneses y nosotros sajones, así que nos apuntalamos y yo vi a un hombre con la cara cubierta de cicatrices soltar esputos mientras gritaba al cargar contra mí, y fue entonces cuando llegó la calma de la batalla. De repente ya no sentía las tripas irritadas, ni la boca seca, ni me temblaban los músculos, sólo la mágica calma de la batalla. Era feliz.

También estaba cansado. No había dormido. Estaba empapado. Tenía frío, pero aun así de repente me sentí invencible. La calma de la batalla es algo maravilloso. Los nervios desaparecen, el miedo sale volando para desvanecerse, y aparece claro como el cristal que el enemigo no tiene ninguna posibilidad porque es demasiado lento, así que embestí con el escudo hacia la izquierda, paré el golpe de la lanza del de las cicatrices, lancé hacia delante la estocada con *Aguijón* y el danés se ensartó en su punta. Sentí el impacto en la mano al perforar los músculos de su estómago, y ya estaba retorciéndolo, rajándole la tripa al hombre para liberar el arma, cortando cuero, piel, músculos y tripas, y sentí su sangre caliente sobre mi mano fría. Gritó, dándome el aliento a cerveza sobre mi rostro, y yo lo hice caer de un topetazo con los remaches del escudo, le pegué una patada en la ingle y lo rematé con un tajo en la garganta, y ya tenía a un segundo hombre a la derecha, que la había emprendido a hachazos con el escudo de mi vecino, y aquél no costó de matar, la punta del *sax* en la garganta, y entonces avanzamos. Una mujer, con el pelo suelto, se me abalanzó con una lanza, y yo le pegué una patada brutal y le estampé el brocal del escudo en la cara de modo que se cayó gritando sobre una hoguera y la melena le prendió fuego como si se tratara de yesca. La tripulación del *Heahengel* estaba conmigo, y Leofric les gritaba que mataran y mataran rápido. Ésta era nuestra oportunidad de acabar con los daneses que nos habían atacado de manera tan insensata, que no habían formado muro de escudos, y era trabajo de hacha y espada, trabajo de carniceros con buen hierro, y ya había más de treinta daneses muertos y siete barcos ardiendo cuyas llamas se extendían con la velocidad del rayo.

–¡Muro de escudos! –oí el grito de los daneses. El mundo estaba iluminado, el sol acababa de salir por el horizonte. Los barcos más al norte se habían convertido en un horno. La cabeza de un dragón sobresalía entre el humo y sus ojos dorados refulgían. Las gaviotas gritaban por encima de la playa. Un perro corría por entre los barcos, gimoteando. Cayó un mástil y escupió chispas al aire argentado, y entonces vi a los daneses formar en un muro de escudos, organizarse para nuestra muerte, y vi también el estandarte del cuervo, el triángulo de tela que proclamaba que Ubba estaba allí y venía a darnos muerte.

–¡Muro de escudos! –grité yo, y fue la primera vez que di aquella orden–. ¡Muro de escudos! –Nos habíamos desperdigado, pero llegaba el momento de formar bien y aguantar. Escudo contra escudo. Teníamos delante cientos de daneses y habían venido para aplastarnos. Yo hice sonar *Aguijón-de-avispa* contra el brocal metálico de mi escudo–. ¡Vienen a morir! –grité–, ¡vienen a sangrar! ¡Vienen a nuestras armas!

Mis hombres vitorearon. Habíamos empezado cien, pero habíamos perdido media docena de hombres. Aun así los que quedaban vitorearon como si no tuvieran delante seis o siete veces más enemigos dispuestos a matarlos, y Leofric empezó el canto de batalla de Hegga, una canción de los remeros ingleses, rítmica y dura, que hablaba de una batalla librada por nuestros ancestros contra los hombres que vivían en Britania antes de que llegáramos, y ahora volvíamos a luchar por nuestra tierra. Detrás de mí una voz solitaria pronunció una oración y yo me di la vuelta para ver al padre Willibald sosteniendo una lanza. Recibí con una carcajada su desobediencia.

La risa en la batalla. Eso era lo que me había enseñado Ragnar, a extraer alegría de la batalla. Alegría matutina, pues el sol empezaba a aparecer por el este, inundando el cielo de luz, empujando la oscuridad hacia el extremo oeste del mundo, y yo golpeé mi escudo con *Aguijón,* para ahogar los gritos daneses con el ruido, y supe que nos atacarían con todas sus fuerzas y que teníamos que aguantar hasta que llegara Odda, pero confiaba en que Leofric fuera nuestro bastión en el flanco derecho, por donde los daneses intentarían rodearnos sin lugar a dudas, por el pantano. El izquierdo estaba seguro, pues se encontraba junto a los barcos, y la derecha sería el lugar por donde nos romperíamos si no éramos capaces de resistir.

–¡Escudos! –aullé, y cerramos de nuevo los escudos, pues los daneses llegaban y sabía que no vacilarían. Éramos muy pocos para asustarlos, no les hacía falta recabar valor para aquella batalla, vendrían sin más.

Y vaya si vinieron. Una gruesa fila de hombres, escudo contra escudo, mientras la nueva luz del alba rozaba puntas de lanza, filos de hacha y espadas.

Las lanzas y hachas arrojadizas llegaron antes, pero en la primera fila nos agachamos y la segunda levantó los escudos por encima de nosotros, así que los proyectiles llegaron con fuerza pero no causaron heridos, y entonces oí el salvaje grito de guerra de los daneses, sentí un último estremecimiento y allí estaban.

El atronador choque de los escudos, el golpe del mío contra mi pecho, gritos de rabia, una lanza entre mis tobillos, *Aguijón* bloqueado por un escudo al atacar, un grito a mi izquierda, un hacha volando por encima de mi cabeza. Me agaché, volví a atacar, di de nuevo contra escudo, retrocedí con el mío, liberé el *sax,* pisoteé la lanza, clavé *Aguijón* por encima en una cara peluda, y la cara se retorció, se le llenó la boca de sangre por la mejilla rajada, y yo avancé medio paso, volví a atacar y una espada me rebotó en el casco y me dio un golpe contra el hombro. Un hombre tiró de mí hacia atrás con fuerza porque había roto nuestra fila, y los daneses gritaban, empujaban, iban a tajo limpio, y el primer muro de escudos que se rompiera sería el escudo que moriría. Yo sabía que Leofric estaba pasándolo mal a la derecha, pero no tenía tiempo para mirar ni para ayudar, porque el hombre de la mejilla rajada me estaba machacando el escudo con un hacha corta, intentando convertirlo en astillas. Bajé el escudo repentinamente, le estropeé el golpe, y le rajé la cara una segunda vez, y ésta rozó con hueso, manó sangre y yo embestí con mi escudo contra el suyo, él retrocedió, fue empujado por los hombres detrás de él y esta vez *Aguijón* alcanzó su garganta y empezó a manar sangre y aire del gaznate abierto. Cayó de rodillas, y el hombre que tenía detrás me estampó una lanza contra el escudo y lo perforó, pero se quedó allí clavada, y los daneses seguían empujando, pero el muerto les obstruía el paso y el lancero le pasó por encima, el hombre de mi derecha le atizó en la cabeza con el borde de su escudo, yo le pegué una patada y después le lancé un hendiente. Un danés sacó la lanza de mi escudo, la volvió a clavar, y acabó en el suelo con un tajo del hombre a mi izquierda. Llegaron más daneses, y estábamos retrocediendo, doblándonos hacia atrás porque había daneses en los pantanos y nos estaban rodeando por la derecha, pero Leofric hizo que los hombres giraran poco a poco de modo que quedaran a nuestra espalda los barcos ardiendo, y sentí el calor del fuego y pensé que íbamos a sucumbir allí. Moriríamos con espadas en la mano y llamas a nuestras espaldas, y yo arremetía desesperado contra un danés pelirrojo, intentando romperle el escudo. Ida, el hombre a mi derecha, estaba en tierra, con las tripas fuera del cuero, por ese lado llegó un danés a atacarme, y yo le hinqué *Aguijón* en la cara, me agaché, paré el golpe de su hacha con los pedazos de mi escudo, les grité a los hombres que tenía detrás que rellenaran el hueco, y le rajé al del hacha los pies; le corté un tobillo y una lanza le reventó un costado de la cabeza. Grité con todas mis fuerzas y embestí contra los daneses, pero no había espacio para pelear ni para ver, sólo un amasijo de hombres que entre gruñidos se liaban a tajos, morían y sangraban. Y entonces llegó Odda.

El *ealdorman* esperó hasta que los daneses estuvieron apiñados en la orilla del río, esperó hasta que empezaron a empujarse entre sí en su afán por llegar hasta nosotros y matarnos, y entonces lanzó a sus hombres por el frente de Cynuit y llegaron como el trueno, con espadas, hachas, hoces y lanzas. Los daneses los vieron, en ese momento empezaron los gritos de aviso, y casi inmediatamente sentí la presión disminuir en mi frente cuando los daneses de la retaguardia se dieron la vuelta para enfrentarse a la nueva amenaza, y yo clavé *Aguijón* con todas mis fuerzas para perforarle el hombro a un enemigo, y vaya si entró, hasta rascar el hueso, pero el hombre se retorció y se liberó llevándose a *Aguijón*, así que desenvainé a *Hálito-de-serpiente* y les grité a mis hombres que mataran a esos cabrones. Aquél era nuestro día, grité, y Odín nos daba la victoria.

Adelante entonces. Adelante hacia la matanza. Cuidaos del hombre que ama la batalla. Ravn me dijo que sólo uno de cada tres hombres, o puede que sólo uno de cada cuatro, es un auténtico guerrero, y los demás luchan a regañadientes, pero yo iba a aprender que sólo uno de cada veinte hombres ama la batalla. Dichos hombres eran los más peligrosos, los más hábiles, los que cosechaban almas, y aquellos a los que había que temer. Yo era uno de ellos, y aquel día, junto al río en el que la sangre subía con la marea, junto a los barcos ardiendo, dejé que *Hálito-de-serpiente* entonara su canto de muerte. Recuerdo poco salvo la rabia, la exaltación, la masacre. Aquél fue el momento que los escaldos celebran, el corazón de la batalla que conduce a la victoria, y el valor abandonó a los daneses en un instante. Creían que estaban ganando, que nos habían atrapado junto a los barcos en llamas, y que mandarían nuestras miserables almas al otro mundo, y en cambio el *fyrd* de Defnascir se desencadenó sobre ellos como una tormenta.

–¡Adelante! –grité.

–¡Wessex! –aulló Leofric–. ¡Wessex! –Repartía hachazos, quitándose daneses de encima, conducía a la tripulación del *Heahengel* lejos de los abrasadores barcos.

Los daneses retrocedían, intentaban escapar de nosotros. Pudimos escoger nuestras víctimas, y *Hálito-de-serpiente* aquel día estuvo letal. Embestir con el escudo hacia delante, desequilibrar a un enemigo, clavar la espada, tumbarlo, degollarlo, encontrar al siguiente. Tiré a un danés encima de las ascuas de una de las hogueras, lo maté mientras gritaba, y algunos de los daneses empezaron a huir hacia los barcos que aún no habían ardido, los empujaban hasta la pleamar, pero Ubba seguía peleando. Ubba gritaba a sus hombres que formaran un nuevo muro de escudos, para proteger los barcos, y tal era la voluntad de Ubba, tal su virulenta ira, que el nuevo muro de escudos aguantó. Atacamos con todas nuestras fuerzas, lo golpeamos con espada, hacha y lanza, pero volvíamos a estar sin espacio, sólo el forcejeo, los tirones, los gruñidos, el aliento fétido, aunque esta vez eran los daneses los que retrocedían, paso a paso, a medida que los hombres de Odda se unían a los míos para envolver a los daneses y machacarlos a hierro.

Aun así, Ubba aguantaba. Aguantó firme su retaguardia, bajo el estandarte del cuervo, y cada momento que él ganaba al contenernos, salía otro barco por la orillas. Lo único que pretendía ahora era salvar hombres y barcos, permitir que una parte de su ejército escapara, permitir que huyera de aquella presión de escudos y armas. Seis barcos daneses ya remaban hasta el mar del Sæfern, y se estaban llenando más con hombres, así que grité a mis tropas que penetraran el muro, que los mataran, pero no había espacio para matar, sólo suelo pringoso de sangre y acero que apuñalaba por debajo de los escudos, y los hombres que empujaban desde el muro contrario, y los heridos que reptaban por la parte de atrás de nuestra fila.

Y entonces, con un rugido de furia, Ubba se abrió paso en nuestra línea con su enorme hacha de guerra. Recordé que ya lo había hecho en la pelea junto al Gewæsc, cómo simulaba desaparecer entre las filas enemigas sólo para repartir muerte, y su enorme hacha volvía a girar enloquecida, abría espacio, nuestra fila retrocedió y los daneses siguieron a Ubba, que parecía decidido a ganar aquella batalla él solo y a forjarse un nombre de leyenda. Había sido poseído por la locura de la batalla, había olvidado las runas, y Ubba Lothbrokson construía su leyenda mientras otro hombre caía, aplastado por el hacha. Ubba aulló, los daneses le siguieron hacia delante, y de repente amenazaron con perforar limpiamente nuestra fila, entonces yo me retiré entre mis hombres y me acerqué hasta donde Ubba peleaba, y allí grité su nombre, le llamé hijo de una cabra, cagarro, y él se dio la vuelta, con los ojos encendidos y me vio.

–Mocoso cabrón –me gruñó, y los hombres que tenía delante se agacharon hacia los lados cuando avanzó hacia mí, con la cota de malla empapada en sangre, parte de su escudo roto, el casco abollado y el filo de su hacha rojo.

–Ayer –dije–, vi caer un cuervo.

–Cabrón mentiroso –dijo y el hacha llegó haciendo medio molinete, la paré con el escudo y fue como si cargara un toro. Liberó el arma mediante una sacudida y arrancó un enorme pedazo de madera que dejó pasar la luz del día.

–Un cuervo –proseguí–, cayó del cielo claro.

–Eres un hijo de puta –dijo acompañando otra vez al hacha, y de nuevo se llevó el golpe el escudo y yo me tambaleé hacia atrás, la abertura del escudo cada vez más grande.

–Gritó tu nombre al caer.

–Escoria inglesa –aulló, y atacó una tercera vez, pero esta vez yo di un paso atrás y saqué *Hálito-de-serpiente* a toda velocidad, en un intento por cortarle la mano del hacha, pero era rápido, rápido como una víbora y la retiró justo a tiempo.

–Ravn me dijo que te mataría –insistí–. Lo predijo. En un sueño, junto al pozo de Odín, entre la sangre vio caer el estandarte del cuervo.

–¡Mentiroso! –gritó y me atacó, intentando derribarme con el peso y la fuerza bruta, y yo lo esperé, tachones contra tachones, y lo contuve, ataqué con *Hálito-de-serpiente,* pero el golpe rebotó en su casco y salté hacia atrás un instante antes de que el hacha pasara por donde habían estado mis piernas, me abalancé, le clavé la punta de *Hálito-de-serpiente* limpiamente en el pecho, pero el golpe no tenía fuerza y su cota de malla contuvo el lance y lo detuvo. Él tiró un hendiente con el hacha, con la intención de destriparme de ingle a pecho, pero los pedazos de mi escudo detuvieron el golpe, y ambos retrocedimos un paso.

–Tres hermanos, y sólo tú quedas vivo. Dales mis recuerdos a Ivar y a Halfdan. Diles que Uhtred Ragnarson te ha enviado con ellos.

–Hijo de puta –dijo, y dio un paso adelante, haciendo un increíble molinete con el que pretendía destrozarme el pecho, pero la calma de la batalla se había apoderado de mí, el miedo me había abandonado, y sentía la alegría, así que embestí con el escudo de lado para detener el golpe del hacha, sentí la pesada hoja destrozar lo que quedaba de la madera, solté el brazal de modo que los pedazos de metal y madera se quedaron colgando de su arma, y entonces ataqué. Una, dos veces, ambos mandobles con toda la fuerza que me habían dado los remos del *Heahengel*, y *Hálito-de-serpiente* lo hizo retroceder, rompió su escudo, y Ubba levantó el hacha, con el escudo aún entorpeciéndola, y entonces resbaló. Había pisado las tripas de un cadáver, el pie izquierdo resbaló y, mientras perdía el equilibrio yo ataqué y le perforé la malla por encima del hueco del codo, y el brazo del hacha se desplomó, le había arrebatado toda la fuerza. *Hálito-de-serpiente* regresó como un rayo para rajarle la boca, yo estaba gritando, él tenía la barba ensangrentada y entonces supo que moriría, que vería a sus hermanos en el salón de los muertos. Pero no desistió. Vio la muerte llegar y luchó contra ella intentando volverme a sacudir con su escudo, pero yo era demasiado rápido, estaba demasiado exultante, y el siguiente embate fue contra el cuello, y él se tambaleó, la sangre derramándose por su hombro, metiéndose más aún entre las juntas de su malla, y me miraba mientras trataba de mantenerse erguido.

–Esperadme en el Valhalla, señor –dije.

Cayó de rodillas mirándome aún. Intentaba hablar, pero no pudo decir nada y le di el golpe de gracia.

–¡Rematadlos! –gritó el *ealdorman* Odda, y los hombres que habían estado observando el duelo gritaron por el triunfo y se apresuraron contra el enemigo, que era presa del pánico. Los daneses intentaban llegar a sus barcos, algunos arrojaban armas y los más listos se tumbaban en el suelo, fingiéndose muertos. Hombres con hoces acabaron con hombres con espadas. Las mujeres de la cima de Cynuit estaban ahora en el campamento danés, matando y saqueando.

Me arrodillé junto a Ubba y le cerré la muñeca derecha de los nervios rotos alrededor de la empuñadura de su hacha de guerra.

–Id al Valhalla, señor –dije. Aún no estaba muerto, pero sí moribundo, pues mi último tajo le había abierto el cuello.

Entonces se estremeció, emitió un graznido y yo mantuve la mano cogida al hacha mientras moría.

Escaparon una docena de barcos más, todos recargados de daneses, pero el resto de la flota de Ubba era nuestra, y aunque un puñado de enemigos corrieron hacia los bosques adonde fueron perseguidos, el resto de daneses acabaron muertos o hechos prisioneros, y el estandarte del cuervo cayó en manos de Odda. Aquel día la victoria fue nuestra, y Willibald, con la punta de su lanza ensangrentada, bailaba de alegría.

Obtuvimos caballos, oro, plata, prisioneros, mujeres, barcos, armas y malla. Y yo había luchado en un muro de escudos.

El *ealdorman* Odda fue herido, le lanzaron un hacha a la cabeza que le perforó el escudo y se le clavó en el cráneo. Estaba vivo, pero tenía los ojos en blanco, la piel pálida, le costaba respirar y perdía sangre por la cabeza. Los curas rezaron junto a él en una de las casas del pueblo, y allí lo vi yo, pero él no me veía a mí, no podía ni hablar, puede que ni oír. Aun así aparté a dos curas, me arrodillé junto a su lecho y le di las gracias por aceptar el ataque a los daneses. Su hijo, incólume, con la armadura al parecer sin un rasguño, me observó desde la oscuridad de la esquina más alejada de la estancia.

Me erguí. Me dolía la espalda y tenía los brazos entumecidos.

–Me voy a Cridianton –le dije al joven Odda.

Se encogió de hombros como si no le importara lo que pensaba hacer. Agaché la cabeza para pasar por la pequeña puerta, donde me esperaba Leofric.

–No vayas a Cridianton –me dijo.

–Mi mujer está allí –respondí–, y mi hijo.

–Alfredo está en Exanceaster –dijo.

–¿Y?

–Que el hombre que lleve la noticia de esta batalla a Exanceaster se llevará la gloria –dijo.

–Pues ve tú –repuse.

Los prisioneros daneses querían enterrar a Ubba, pero Odda el Joven ordenó que despedazaran el cuerpo y entregaran los pedazos a los animales y los pájaros. Aún no lo habían hecho, aunque la gran hacha de batalla que le puse a Ubba en la mano había desaparecido, y me supo mal, pues la quería, pero también quería que trataran a Ubba con respeto, así que permití que los prisioneros le cavaran una tumba. Odda el Joven no se enfrentó a mí, dejó que los daneses enterraran a su jefe y apilaran sobre él un montículo, para enviar así a Ubba con sus hermanos al salón de los muertos.

Y cuando terminamos, cabalgué hacia el sur con una veintena de mis hombres, todos montados sobre caballos daneses.

Iba a ver a mi familia.

* * *

Estos días, tanto tiempo después de la batalla de Cynuit, cuento entre mis sirvientes con un arpista. Es un viejo galés, ciego pero muy capaz, y a menudo canta historias de sus ancestros. Le gusta cantar sobre Arturo y Ginebra, de cómo Arturo masacró a los ingleses, aunque se cuida de que no oiga esas canciones. En cambio, me alaba a mí y a mis batallas con una adulación escandalosa cantando las palabras de mis poetas, las cuales me describen como Uhtred Poderosa Espada, o Uhtred el Repartidor de Muerte, o Uhtred el Caritativo. A veces observo al ciego sonreírse mientras sus manos pinzan las cuerdas, y siento más simpatía por su escepticismo que por los poetas, que son todos ellos un puñado de serviles plañideras.

Pero en el año 877 no pagaba poetas ni arpista. Era un joven que había salido aturdido y maravillado del muro de escudos, que apestaba a sangre camino del sur y aun así, por algún motivo, mientras recorría las colinas y bosques de Defnascir, pensé en un arpa.

Todos los señores tienen un arpa en su casa. De niño, antes de irme con Ragnar, a veces me sentaba junto al arpa en el salón de Bebbanburg y me intrigaba el sonido de las cuerdas. Si estirabas una cuerda, las otras se estremecían y despedían una pequeña música.

–¿Qué, perdiendo el tiempo, chico? –me rugía mi padre cuando me veía agachado junto al arpa, y supongo que lo estaba perdiendo, pero aquella primavera de 877 recordé el arpa de mi infancia y el temblor de las cuerdas al tocar sólo una de ellas. No era música, por supuesto, sólo ruido, y escasamente audible, pero tras la batalla en el valle del Pedredan, me pareció que mi vida estaba hecha de cuerdas, y que si tocaba una, todas las demás, aunque separadas, sonaban. Pensé en Ragnar el Joven y me pregunté si estaría vivo, y si el asesino de su padre, Kjartan, seguiría vivo, en cómo moriría si lo hacía, y al pensar en Ragnar, recordé a Brida, y a su recuerdo se sobrepuso una imagen de Mildrith, que me trajo a la mente a Alfredo y su amarga esposa Ælswith, y todas aquellas personas distintas formaban parte de mi vida, cuerdas que sonaban en el armazón de Uhtred, y aunque separadas, las unas influían en las otras, pero juntas creaban la música de mi vida.

Estupideces, me dije. La vida no es más que la vida. Vivimos, morimos, vamos al salón de los muertos. No hay música, sólo azar. El destino es implacable.

–¿En qué estás pensando? –me preguntó Leofric. Cabalgábamos por un valle estampado de rosa por las flores.

–Pensaba que ibas a ir a Exanceaster –le dije.

–Sí, pero primero iré a Cridianton, y después te llevaré a Exanceaster. ¿Qué estás pensando? Pareces tan amargado como un cura.

–Estoy pensando en un arpa.

–¡Un arpa! –Se rió–. Tienes la cabeza llena de pájaros.

–Si rozas un arpa –dije–, sólo hace ruido, pero si la tocas suena música.

–¡Cristo bendito! –me miró con preocupación–. Eres peor que Alfredo. Piensas demasiado.

Tenía razón. Alfredo estaba obsesionado con el orden, obsesionado con la tarea de organizar el caos de la vida en algo que pudiera controlarse. Lo haría valiéndose de la Iglesia y de la ley, que son prácticamente lo mismo, pero yo quería ver la pauta en los hilos de la vida. Al final encontré una, y no tenía nada que ver con Dios, sino con la gente. Con la gente a la que amamos. Mi arpista hace bien en sonreír cuando canta que soy Uhtred el Generoso, o Uhtred el Vengador, o Uhtred el Hacedor de viudas, pues es viejo y sabe lo que yo sé, que en realidad soy Uhtred el Solitario. Todos estamos solos y todos buscamos una mano que apretar en la oscuridad. No es el arpa, sino la mano que la toca.

–Te va a dar dolor de cabeza de tanto pensar –me dijo Leofric.

–*Earsling* –contesté yo.

Mildrith estaba bien. Se hallaba a salvo. No la habían violado. Lloró al verme, y yo la rodeé con los brazos y me maravillé de quererla tanto. Entonces me dijo que me había creído muerto y que había rezado a Dios para que me salvara, y me llevó hacia la habitación en la que nuestro hijo estaba en pañales y vi por primera vez a Uhtred, hijo de Uhtred, y recé porque un día se convirtiera en el legítimo y único propietario de las tierras cuidadosamente señaladas con piedras, zanjas, robles y fresnos, marismas y mar. Sigo siendo el señor de esas tierras que fueron adquiridas con la sangre de mi familia, y recuperaré esas tierras del hombre que me las robó, y se las entregaré a mis hijos. Pues soy Uhtred, el *jarl* Uhtred, Uhtred de Bebbanburg, y el destino lo es todo.

NOTA HISTÓRICA

Alfredo, como es sabido, es el único monarca en la historia inglesa al que se le ha concedido el honor de ser llamado «el Grande» y esta novela, junto con las que seguirán, intentará mostrar por qué se ganó ese título. No quiero anticipar esas otras novelas pero, a grandes rasgos, Alfredo fue responsable de salvar Wessex y, a la larga, a la sociedad inglesa de los asaltos daneses, y su hijo Eduardo, su hija, Etelfleda, y su nieto Etelstano terminaron lo que él empezó a crear, que fue, por vez primera, una entidad política a la que llamaron Englaland. Tengo la intención de implicar a Uhtred en la serie completa.

Pero la historia comienza con Alfredo, que era, de hecho, un hombre muy piadoso y con frecuencia enfermo. Una teoría reciente sugiere que padecía la enfermedad de Crohn, que causa agudos dolores abdominales y hemorroides crónicas, detalles que podemos extraer de un libro escrito por alguien que lo conocía muy bien, el obispo Asser, que entró en la vida de Alfredo después de los acontecimientos descritos en esta novela. En la actualidad existe un debate sobre si el obispo Asser escribió en realidad esa vida, o fue falsificada cien años después de la muerte de Alfredo, y yo no me considero en absoluto capaz de emitir un juicio sobre las posiciones de los académicos enfrentados, pero aunque sea una falsificación parece contener un punto de verdad, y sugiere que quienquiera que lo escribiese, sabía mucho de Alfredo. El autor, sin duda alguna, quería presentar a Alfredo bajo una luz radiante como guerrero, erudito y cristiano, pero no se calla los pecados de juventud de su héroe. Alfredo, nos cuenta, «era incapaz de abstenerse del deseo carnal» hasta que Dios, generosamente, lo puso lo bastante enfermo como para resistirse a la tentación. Es discutible que Alfredo tuviera un hijo ilegítimo, Osferth, pero parece probable.

El mayor desafío al que se enfrentó Alfredo fue la invasión de Inglaterra por los daneses. Algunos lectores puede que se sientan decepcionados porque dichos daneses sean llamados hombres del norte o paganos en la novela, pero rara vez son descritos como vikingos. En esto sigo a los primeros escritores ingleses que sufrieron los embates de los daneses, y que rara vez usaban la palabra vikingo la cual, en cualquier caso, describe más una actividad que un pueblo o una tribu. Salir como vikingos significaba salir a asaltar, y los daneses que lucharon contra Inglaterra en el siglo IX, aunque sin duda asaltaban, eran ante todo invasores y colonos. Han sido objeto de una imaginería extravagante, atribuyéndoles el casco con cuernos, el berseker, así como la horrorosa ejecución llamada el águila extendida, en la que se abrían las costillas de la víctima para exponer sus pulmones y corazón. Eso parece haber sido una invención tardía, así como la existencia del berseker, el guerrero desnudo que atacaba en un frenesí enloquecido. Sin duda, había guerreros sedientos de sangre, pero no hay pruebas de que nudistas chiflados aparecieran con regularidad en el campo de batalla. Lo mismo acontece con el casco de cuernos, del que no hay ni una sola prueba en la actualidad. Los guerreros vikingos eran demasiado sensatos para colocarse un par de protuberancias en los cascos tan idealmente situadas para que el enemigo arranque la protección. Es una lástima abandonar los icónicos cascos con cuernos, pero por desgracia, no existieron.

El asalto a la iglesia llevado a cabo por los daneses está bien documentado. Los invasores no eran cristianos y no veían ninguna razón para salvar las iglesias, los monasterios y los conventos de los ataques, especialmente si tenemos en cuenta que dichos lugares contenían a menudo considerables tesoros. Es discutible que tuviera lugar un ataque coordinado a las casas monásticas del norte. La fuente es extremadamente tardía, una crónica del siglo XIII escrita por Roger de Wendover, pero lo que sí es seguro es que muchas diócesis y monasterios desaparecieron durante el asalto danés, y ese asalto no fue un gran ataque, sino un intento deliberado de erradicar la sociedad inglesa y sustituirla por las costumbres danesas.

Ivar Saco de Huesos, Ubba, Halfdan, Guthrum, los distintos reyes, el sobrino de Alfredo, Etelwoldo, el *ealdorman* Odda, y todos los nobles cuyos nombres empiezan por Æ (una letra desaparecida, llamada aesc) existieron. Alfredo tendría que escribirse realmente Ælfred, pero he preferido la forma por la que se le conoce hoy. No está claro cómo falleció el rey Edmundo de Anglia Oriental, aunque sin duda murió a manos danesas, y en una antigua versión el futuro santo cayó bajo las flechas como san Sebastián. Ragnar y Uhtred son personajes ficticios, aunque una familia con el nombre de Uhtred vivió en Bebbanburg (hoy Bamburgh Castle) un poco más tarde –aunque durante el período anglosajón–, y como dicha familia fueron mis ancestros, decidí otorgarles el mágico lugar un poco antes de lo que sugieren los documentos. La mayoría de los principales acontecimientos tuvo lugar; el asalto a York, el sitio de Nottingham, los ataques a los cuatro reinos, están todos recogidos en la crónica anglosajona o en la biografía del rey Alfredo de Asser, que juntas son las fuentes más importantes de la época.

He empleado ambas, además de consultar un sinfín de obras secundarias. La vida de Alfredo está muy bien documentada para la época; parte de esa documentación está escrita por el mismo Alfredo, pero aun así, como el profesor James Campbell escribió en un ensayo sobre el rey, «las flechas de la perspicacia deben ser guiadas por las plumas de la especulación». Naturalmente, he sido generoso con dicha premisa, tal y como un novelista histórico debe hacer; aun así, en la medida de lo posible la novela está basada en hechos reales. La ocupación de Werham (Wareham) por Guthrum, el intercambio de rehenes y la ruptura de la tregua, el asesinato de los rehenes y la ocupación de Exanceaster (Exeter) tuvieron lugar, así como la pérdida de la mayor parte de su flota durante una gran tormenta en el cabo Durlston, cerca de Swanage. El único cambio importante que he introducido ha sido el de adelantar la muerte de Ubba un año, de modo que, en el próximo libro, Uhtred pueda estar en otra parte y, convencido por las argumentaciones del libro de John Peddie, *Alfred, Warrior King*, he situado la acción en Cantucton (Cannington, Somerset), en lugar del emplazamiento más tradicional de Countisbury Head, al norte de Devon.

Alfredo fue el rey que acarició y mantuvo la idea de Inglaterra, que su hijo, hija y nieto convirtieron en explícita. En una época de grandes peligros, cuando los reinos ingleses se hallaron al borde de la extinción, él constituyó un baluarte que permitió a la cultura anglosajona sobrevivir. Sus logros fueron mayores que ésos, pero esta historia está lejos de terminar, así que Uhtred luchará de nuevo.

Narrativas históricas en

Frank Baer
El puente de Alcántara

John Banville
Kepler
Copérnico

Robin Chapman
El diario de la duquesa

Geneviève Chauvel
Saladino

Bernard Cornwell
El ladrón de la horca
Arqueros del Rey
La batalla del Grial
El sitio de Calais
Stonehenge

José Luis Corral
El salón dorado
El Cid
Numancia
El número de Dios
El caballero del Templo

Lindsey Davis
La plata de Britania
La estatua de bronce

La Venus de cobre
La mano de hierro de Marte
El oro de Poseidón
Último acto en Palmira
Tiempo para escapar
Una conjura en Hispania
Tres manos en la fuente
¡A los leones!
Una virgen de más
Oda a un banquero
Un cadáver en los baños
El mito de Júpiter
Los fiscales
En busca de Infamia

Lawrence Durrell y Emmanuel Royidis
La papisa Juana

Shusaku Endo
El samurái

Robert Graves
El conde Belisario
El Vellocino de oro
Rey Jesús
Las aventuras del sargento Lamb
Últimas aventuras del sargento Lamb
Las islas de la imprudencia
La historia de Marie Powell
La hija de Homero

Yael Guiladi
Orovida. Una mujer en la España del siglo xv
Los cipreses de Córdoba

Hella S. Haasse
El bosque de la larga espera
La ciudad escarlata
Un gusto a almendras amargas

Gisbert Haefs
Aníbal
Alejandro Magno

Herman Kesten
Yo, la Muerte

Arthur Koestler
Los gladiadores

Harold Lamb
Carlomagno

Ford Madox Ford
La quinta reina

Jesús Maeso de la Torre
Al-Gazal, el viajero de los dos Orientes

Naguib Mahfuz
Akhenatón
La batalla de Tebas
Rhadopis
La maldición de Ra

Heinrich Mann
La juventud de Enrique IV
La madurez de Enrique IV

Thomas Mann
El elegido

Ángel Martínez Pons
Juan de Austria

Robin Maxwell
El bastardo de la reina
El diario secreto de Ana Bolena

Dmitri Merezkhovski
El romance de Leonardo

Patrick O'Brian
Capitán de mar y guerra
Capitán de navío
La fragata *Surprise*
Operación Mauricio
Isla Desolación
Episodios de una guerra
El ayudante de cirujano
Misión en Jonia
El puerto de la traición
La costa más lejana del mundo
El reverso de la medalla
La patente de corso
Trece salvas de honor
La goleta *Nutmeg*
Clarissa Oakes, polizón a bordo
Un mar oscuro como el oporto
El comodoro
Almirante en tierra
Los cien días
Azul en la mesana
La costa desconocida

Kate O'Brien
Esa dama

Orhan Pamuk
El astrólogo y el sultán

Mary Renault
Alejandro Magno

Edward Rosset
Los navegantes

Joseph Roth
La marcha Radetzky

Simon Scarrow
El Águila del Imperio

Freidoune Sahebjam
El Viejo de la Montaña

Robert Shea
Shiké. Samuráis, dragones y zinjas

Alfred Shmueli
El harén de la Sublime Puerta

John Steinbeck
Los hechos del rey Arturo
y sus nobles caballeros

Gore Vidal
En busca del rey. Ricardo Corazón de León
Creación
Juliano el Apóstata

Laurence Vidal
Los amantes de Granada

Mika Waltari
El etrusco
S.P.Q.R. senador de Roma
Marco el Romano
El sitio de Constantinopla

Rex Warner
El joven César
César imperial
Pericles el Ateniense

Thornton Wilder
Los idus de marzo
El puente de San Luis Rey

Marguerite Yourcenar
Memorias de Adriano

Esta edición de *Northumbria, el último reino,*
de Bernard Cornwell,
se terminó de imprimir en CPI Black Print,
el 28 de agosto de 2023